MET STRO

SOCIAL TRADE ORGANISATION

In gesprek met de regering van Bosnië-Herzogovina om de nood-hulp voor de overstromingen door een special betaalkanaal te voeren om het als @nder geld meer impact te geven en de jeugdwerkloosheid te bestrijden.

STRO organiseert met een snel groeiende groep Nederlandse bedrijfsnetwerken een Social Trade Credit Circuit dat in 2015 Neder-landse MKB-leden aan krediet en klanten gaat helpen. Zie www.socialtrade.nl/circuitnederland.

Help mee dit boek meer bekend-heid te geven via Twitter en Face-book.

Twitter: volg STRO (@SocialTrade Org) en stuur een tweet over wat je vindt van het boek met hashtag #een@ndersoortgeld en een link naar www.socialtrade.nl/eenander-soortgeld <http://www.socialtrade.nl/eenandersoortgeld>

Facebook: like Stro (www.face-book.com/socialtrade) en deel wat je vindt van het boek op je eigen pagina met een link naar www.socialtrade.nl/eenandersoortgeld

'Elke orde heeft op enig moment behoefte aan een antithese. Om zichtbaar te maken dat er ook andere wegen denkbaar en begaanbaar zijn naar een menswaardig bestaan. En om de weg vrij te maken naar een mogelijke synthese die ons weer enkele stappen verder kan brengen. Het vorm geven van een antithese, van een alternatief voor de steeds dominanter wordende geldeconomie, dat is wat STRO doet. Zij vervult daarmee een belangrijke maatschappelijke functie.'

Dr. Herman Wijffels, ex-bewindvoerder Wereldbank en initiatiefnemer Sustainable Finance Lab

Al jarenlang houdt STRO in onze samenleving de hoop gaande dat concrete en zinvolle veranderingen mogelijk zijn. Zij geeft daar met handen en voeten uitdrukking aan, tot in het buitenland toe. STRO mag daarom geen strobreed in de weg worden gelegd. Als één organisatie effectief de leugen aantoont van de slogan TINA, 'there is no alternative', dan is het wel STRO.

Professor Bob Goudzwaard, emeritushoogleraar aan de VU in Amsterdam

In deze paradigmaserie verschenen reeds:

Helen Toxopeus
in gesprek met Henk van Arkel

Een @nder soort geld

helpt economie, milieu
en euro

MET UW
HULP NU DE
DOORBRAAK
Henk van Arkel

STRO
i.s.m. Uitgeverij Jan van Arkel

© STRO, Utrecht 2014
ISBN 978 90 6224 531 4

Figuren © STRO
p. 136 © Stichting Toonder Auteursrecht
Ontwerp: Karel Oosting
Druk: Ten Brink

Uitgeverij Jan van Arkel
Grifthoek 151, 3514 JK Utrecht
tel 030 2731 840, info@janvanarkel.nl
www.janvanarkel.nl
www.clubgroen.nl

Social Trade Organisation STRO
Oudegracht 42, 3511 AR Utrecht
tel 030 2314314, info@socialtrade.nl
www.socialtrade.nl
f www.facebook.com/socialtrade
t @socialtradeorg

Inhoud

Ik ben geen econoom en ik kan dus niet zeggen dat deze activiteiten zonder meer tot een betere leefbaarheidsverdeling in de wereld leiden. Wat mij echter zeer aanspreekt is de constante verdieping in het probleem.
Wat ik in hun aanpak zo waardeer is dat STRO gewoon doorgaat met haar activiteiten; steeds zoekend naar een weg en een methode die met vallen en opstaan wel tot dat doel leidt, die eerlijkere en duurzamere samenleving.

Margreeth de Boer, *ex-minister VROM*

Om de klimaatverandering effectief tegen te gaan, zijn diepe ingrepen nodig op het gebied van investeringen. De huidige economische en financiële structuur in de wereld maakt dat vrijwel onmogelijk. Het gevolg kan zijn dat natuurrampen het beleid gaan bepalen. Onder andere daarom is het van groot belang dat STRO zoekt naar nieuwe structuren, die minder belemmerend zijn voor het voeren van beleid voor de langere termijn.

Dr. Jan Terlouw, *ex-minister van Economische Zaken en schrijver*

Aanbevelingen bij het boek

Een heldere voorjaarzon scheen laat in de middag naar binnen toen ik in het voorjaar van 2010 met een collega van Marketing in een overlegruimte van een ING gebouw zat. Het was op een steenworp afstand van de werkplek van Helen Toxopeus, maar een andere bank. Ons overleg ging over de winst, die moest dat jaar weer boven de 10% uitkomen. En plotseling bedacht ik hoe een grafiek van een 10% winststijging er jaar na jaar gaat uitzien... over 26 jaar zal men de totale huidige omvang per jaar moeten groeien...
We keken elkaar aan en moesten er eigenlijk vooral om lachen. Dat kon natuurlijk nooit, ook al konden we best nog wel wat efficiënter werken, of wat kosten besparen. De weken erna bleef het knagen. Ik stelde mezelf vragen over winst, over marge en over rente. Van de ene vraag viel ik in de andere. Want wat is geld? Collega's binnen de bank konden die vragen niet precies beantwoorden. Wilde ik nog wel meewerken aan dit systeem? Ik besloot mijn baan op te zeggen en op zoek te gaan naar werk dat in mijn ogen waardevoller was. Het is dan ook een feest van herkenning om dit boek te lezen. Ik weet dat ook veel mensen binnen de financiële wereld graag echte verandering zouden willen. Dat sommige mensen zoals Helen of ik hun baan kunnen opzeggen, is een luxe. Veel collega's zijn als kostwinner met een prettige hypotheekregeling niet in staat om zomaar weg te gaan. En degenen die het systeem willen veranderen lopen binnen de bank tegen veel weerstand aan. Misschien niet van collega's of het management, maar vooral omdat het systeem zo allesomvattend is dat je niet weet waar je moet beginnen.
Het is daarom ook zo'n prachtige oplossing dat we in staat zijn om naast de Euro een nieuw systeem neer te zetten. Er is geen financiële revolutie nodig. We kunnen bottom-up alternatieve systemen lanceren. Experimenteren en leren; 'doenken' noem ik dat tegenwoordig.
Maarten Nijman, *Aantrekkelijk alternatief*

'Gewoon geld conditioneert het denken en handelen op groei en reclame voor behoeften die we eerst nog niet hadden. @nder geld zet de sluizen open naar ideeën over duurzaamheid, levensvervulling en een toekomst voor je kinderen. Het is puur eigenbelang om te gaan meedoen aan een Social Trade Credit Circuit.'
Prof. Bernard Lietaer, *auteur van 'Geld en duurzaamheid', voormalig Centraal Bankier, fondsbeheerder en adviseur van overheden, multinationale ondernemingen en organisaties.*

*

'Ik vind dit boek een echte eye-opener.
Het heeft me tot tranen toe geroerd.'
Dette Glashouwer, *theatermaakster (zie ook p. 124)*

*

'Kern(probleem) van het huidige systeem is rente. Rente die over alle schulden moet worden betaald aan bankiers die dit geld uit het niets mogen creëren. Rente die in de vorm van bonussen onder diezelfde bankiers mag worden verdeeld. Zij zullen dit monopolie op geldcreatie nooit vrijwillig uit handen geven. Juist daarom is het van essentieel belang dat er wordt doorgegaan met de het uitwerken van een parallel renteloos geldsysteem.'
Willem Middelkoop, *auteur en oprichter Commodity Discovery Fund*

*

'Bij Helen Toxopeus wil je doorlezen om te weten hoe het zit. Ze opent een wonderbaarlijke wereld voor wie hem betreden wil, een wereld waarin een echt alternatief van bloei voor groei besloten ligt.'
Marjan Minnesma, *Urgenda*

*

'Helen Toxopeus neemt de lezer op meeslepende wijze mee in haar zoektocht naar een andere wereld en de vraag of een ander soort geld daarvoor een vereiste is.'
Rens van Tilburg, *lid van het Sustainable Finance Lab*

'De zogenaamde financiële crisis heeft veel onvrede over het reilen en zeilen van onze economie aan het licht gebracht. Een financieel stelsel dat zich heeft losgezongen van de reële economie van goederen en diensten wordt niet meer begrepen, en blijkt perverse prikkels en onvoorstelbare risico's te kennen. Op allerlei terreinen worden alternatieven ontwikkeld: voor de energievoorziening, verzekeringen, voedselproductie, noem maar op. Het ligt voor de hand dat hierbij ook nieuwe vormen voor financiering, en voor geld, worden gezocht. STRO, Social Trade Organisation, plaveit de weg. Dit boek is dan ook de moeite waard voor pioniers in de nieuwe economie.'
Jan Paul van Soest, *entrepreneur en adviseur, partner De Gemeynt coöperatie en mede-oprichter De Groene Zaak.*

*

'Geld moet de relaties tussen alle gebruikers dienen, niet de belangen van instellingen en enkelingen. De digitale revolutie biedt ook op dit gebied de kans voor radicale verandering ten goede. Henk van Arkel laat zien dat een rechtvaardiger toekomst vandaag al realiteit is.'
Jurriaan Kamp, *hoofdredacteur en mede-oprichter The Optimist*

*

'Waardevolle ideeën over hoe geld weer in dienst kan komen te staan van de samenleving in plaats van andersom.'
Bas Eickhout, *europarlemtariër voor GroenLinks*

*

'Iedereen weet dat het in de financiële sector 'anders' moet. Dit boek laat zien dat 'ander geld' daartoe misschien wel onmisbaar is.'
Klaas van Egmond, *hoogleraar Milieukunde en Duurzaamheid, Universiteit Utrecht*

*

Meer aanbevelingen op p. 48, 132, 172, 234 en op p. 30 (kleur).

Dankwoord

Bij een boek als dit, met een complex onderwerp en lastig te schrijven stijlfiguren, zijn er zoveel mensen om te bedanken, dat je al gauw iemand overslaat. Des te meer omdat aan dit boek (talloze) versies vooraf zijn gegaan die o.a. door de actualiteit van de krediet-crisis niet meer bruikbaar waren, waar toch ook vrijwilligers veel aan bijgedragen hebben. Daarom lieve, beste, trouwe, kritische mensen: allemaal enorm bedankt voor jullie support. Speciaal wil ik de proeflezers bedanken die de eindredactie hebben geholpen met talloze opmerkingen en vragen om verduidelijking. Het boek heeft er aan kwaliteit door gewonnen.

Uiteraard wil ik wel heel speciaal Helen bedanken. Ik bewonder het enorm dat zij kans heeft gezien om haar eigen kennis af en toe aan de kant te zetten en vragen te stellen of opmerkingen te maken die bij de gewone lezer leven. Ik denk ook dat de manier waarop zij reflecties en samenvattingen verpakt in flashbacks, heel prettig is voor de lezer. Helen is zojuist bevallen van haar tweede kindje en ik maak graag van de gelegenheid gebruik om haar heel veel geluk te wensen. 'Helen, ik vertrouw erop dat de veranderingen gedurende de eindredactie, die je niet meer hebt kunnen door-nemen, je nergens tekort doen. Mocht dit toch ergens gebeurd zijn, dan mijn excuses.'

Henk van Arkel
Utrecht, september 2014

Jakarta, 1986:
Kartonnen dozen

We staan al een uur in een stoffige, hete file langs een met posters beplakt viaduct. Ik zit op mijn knieën op de achterbank van de Jeep van mijn ouders en druk mijn dopneusje tegen het raam om alles goed te kunnen zien. Mannen op blote voeten lopen tussen de stilstaande auto's door om hun waar te verkopen, luidkeels schreeuwend, concurrerend met de toeterende auto's. De airconditioning staat uit en mijn onderbenen glijden door het zweet weg op de leren bekleding van de bank. Ik trek me steeds weer omhoog om maar niets te missen van wat zich buiten het autoraam afspeelt. Voor een zesjarige is het één en al spektakel.

Tussen de stofwolken door zie ik grote kartonnen dozen onder de brug, met daarop plaatjes van televisies, pijlen en woorden die ik niet begrijp. Ik zie in die kartonnen dozen kinderen liggen. Ze slapen dwars door het kabaal en de zinderende hitte heen. Blote voetjes steken uit de dozen, op het stoffige asfalt onder de brug. 'Zou ik ook in die doos passen?' is mijn eerste overpeinzing. Mijn tweede vraag stel ik hardop aan mijn ouders: 'Waarom liggen die kinderen onder die brug?'

'Dat is omdat ze arm zijn,' is hun antwoord.

'Waarom zijn ze dan arm?' vraag ik.

'Dat is omdat ze geen geld hebben.'

'Waarom hebben ze dan geen geld?'

Een korte stilte volgt, waarin mijn ouders ongetwijfeld proberen te bedenken hoe ze dat aan een zesjarige wijsneus uit moeten leggen. Dan volgt een verhaal over arme en rijke landen en problemen die lastig op te lossen zijn. Wij wonen als Nederlandse familie in Jakarta en zij steunen daar heel veel mensen met een zorgverzekering of schoolgeld, maar ze kunnen niet alle armoede verhelpen. Het is best ingewikkeld allemaal.

Mij lijkt het op dat moment helemaal niet ingewikkeld. Als er mensen zijn met heel weinig geld, zijn er vast ook mensen met heel veel geld. Kunnen we dat dan niet beter anders verdelen? Rijke mensen kunnen vast wel wat missen, net als mijn ouders en dan kunnen deze kinderen met hun familie in een huis slapen, eten kopen en naar school gaan. Het lijkt me allemaal vrij logisch. Arme mensen helpen is voor iedereen beter, zelfs voor rijke mensen. Voor ons is het tenslotte ook niet leuk om langs een viaduct te rijden met slapende kindjes in dozen. Ik word daar verdrietig van. Op dat moment vind ik het onbegrijpelijk dat de volwassenen dit niet kunnen oplossen en ik neem me voor dat ik, als ik later groot ben, hier iets aan ga veranderen.

Nu, zesentwintig jaar later, vraag ik me af waarom het lot van die kindjes onder de brug me zo trof. Misschien kwam het doordat het niet strookte met de verhalen in de sprookjesboeken die ik verslond, waarin iedereen lang en gelukkig leefde. Maar er was denk ik nog iets anders. Ik voelde een verbondenheid, die misschien wel sterker was doordat ik zelf ook nog maar zo kort geleden geboren was. Ik had een kraakhelder besef dat ik net zo goed dat kindje onder die brug had kunnen zijn, als ik in een ander gezin was geboren, wat gemakkelijk had gekund. Ik had nog niets gepresteerd in mijn leven wat dit verschil in levensomstandigheid kon verklaren. Ik had gewoon geluk gehad. Meer was het niet.

Amsterdam, 2008: Glimmende torens

Tweeëntwintig jaar later sta ik in mijn mantelpak om vier uur 's ochtends op maandagmorgen klaar. Er wacht me een belangrijke taak: ik ga een dik contract ophalen bij een advocatenkantoor in hartje Amsterdam en moet dat afleveren bij een vertegenwoordiger van een buitenlandse bank, die een deel van de bank waar ik werk heeft gekocht. Even later klop ik, met een klein pakketje in mijn hand waarin als het ware de toekomst van de bank zit, op de deur van een hotelkamer waar de vertegenwoordiger van de buitenlandse bank moet zijn. Hij doet open in zijn overhemd en boxershort en neemt het pakket van me aan.

Tien minuten later zit ik, verblind door de opgaande zon, achterin een taxi terug naar de Zuidas en vraag ik me af hoe het zo is gekomen dat ik me hier, op dit punt in mijn leven bevind. Hoe ben ik in de financiële dienstverlening beland, terwijl ik mezelf zou omschrijven als een wereldverbeteraar? De wereld van het grote geld in een ivoren toren aan de Zuidas als remedie voor de wereld van hongerige maagjes en smeltende gletsjers? Nu ik dit opschrijf begrijp ik dat als nooit tevoren. Dingen zijn vaak anders dan ze lijken en vaak begrijp ik pas achteraf waarom ik ergens voor gekozen heb.

In mijn leven spelen er meestal verschillende drijfveren tegelijk. Zo ook bij mijn keuze om bij een bank te gaan werken. Laat ik mijn drijfveren onge-censureerd noemen.

Om te beginnen: ik voldoe graag aan verwachtingen van anderen. Ik heb een sterke behoefte om ergens bij te horen. Misschien komt dat doordat ik zo vaak in mijn leven ben verhuisd en steeds weer mijn plek moest vinden en weer nieuwe vrienden moest maken. Maar misschien is het gewoon wel iets heel menselijks.

Een andere drijfveer die als een rode draad door mijn leven loopt, is nieuwsgierigheid. 'Nieuwsgierig naar wat?' vraag je dan. Als ik 'naar alles' zou antwoorden is dat misschien wel waar, maar ook te gemakkelijk. 'Naar alles wat te maken heeft met waarom de dingen zijn zoals ze zijn', dat komt dichter in de buurt. Maar met name wil ik alles weten wat te maken heeft met de oneerlijke verdeling van rijkdom wereldwijd en de manier waarop we omgaan met de aarde. Of anders geformuleerd: ik wil weten hoe we het goede leven kunnen vormgeven, liefst voor iedereen.

'Waarom ben je daar zo nieuwsgierig naar?' vraag je me misschien. Dan noem ik mijn derde drijfveer, die ik het beste kan benoemen met het woord 'verbinding'. Of ik zou 'gerechtigheid' kunnen zeggen, of misschien 'eerlijkheid'. Alleen klinkt dat meteen zo idealistisch. Toch heb ik een zwak voor eerlijkheid, voor andere mensen en voor de natuur. Ik word onrustig als ik geconfronteerd word met ongelukkige, arme of eenzame mensen of met natuur die wordt vernield. Daar sta ik natuurlijk niet alleen in. Toch heb ik het gevoel dat veel andere mensen zich hier beter voor kunnen afsluiten dan ik, al heb ik het vaak genoeg geprobeerd. Misschien sluiten ze zich af omdat ze vinden dat ze er toch niets aan kunnen doen. Of denken ze dat het de eigen schuld is van die arme mensen: ze zijn gewoon lui. Ook wordt beweerd dat economische groei uiteindelijk ten goede komt aan iedereen: de welvaart sijpelt vanzelf naar beneden – het duurt gewoon even, wacht maar af. En veel mensen hebben het gewoon te druk met hun eigen problemen om ook nog tijd en energie te besteden aan anderen of toekomstige generaties, die opgescheept zullen zitten met wat wij van deze planeet maken. Ik ben trouwens zelf ook geregeld te druk of zit vol met mijn eigen sores.

Maar toch. Iedere keer dat ik me er voor afsluit, weet ik dat ik mezelf voor de gek houd. Ik heb op te jonge leeftijd teveel gezien om er een roze sluier omheen te kunnen wikkelen. Mijn besef van toen, dat ik net zo goed een ander kind had kunnen zijn, een wijk verderop in Jakarta, werkt nog altijd door. Het gevoel van verbondenheid ben ik nooit meer helemaal kwijtgeraakt. We waren hetzelfde, maar toch ook niet.

Want ik heb nooit armoede gekend. Ik ben in alle opzichten een bevoorrecht mens. En het is voor mij onmogelijk om onverschillig te blijven onder de armoede van anderen.

Dat gevoel heeft, in een lange serie beslissingen, bijgedragen aan mijn keuze om mijn baan op te zeggen en het verschijnsel geld verder te gaan onderzoeken.

De Social Trade Organisation (STRO)

Waarom we over geld praten

Nummer 42... Hier moet ik zijn. Ik druk op de bel. Na een paar seconden zoemt er iets en ik duw de deur open. Ik sta in een grotendeels lege ontvangstruimte met hier en daar dozen met folders. In het midden van de koele ruimte staat een lange houten tafel met verschillende stoelen. Vanuit de gang hoor ik iemand de trap afkomen. Is dat Henk?

Henk van Arkel nam vorige week contact met me op. Hij had het boek gelezen dat ik vorig jaar heb geschreven: *Een verkenning van ons geldsysteem*, met daarin interviews met uiteenlopende mensen uit het netwerk *Economy Transformers*.* Het boek werd goed ontvangen en iemand heeft Henk getipt. Zijn vraag is: heb ik interesse om, tegen betaling, een boek te schrijven over het werk van STRO? Zullen we er een keer over van gedachten wisselen?

Ik zei 'ja'. Afspreken kan altijd. STRO is al decennia bezig met het onderwerp waar ik mij voltijds in ben gaan verdiepen: geld. Ik wil meer weten over dit onderwerp en dus komt zijn vraag op het juiste moment. Het is een sprong in het diepe, want ik ken STRO niet goed. STRO is een *outsider*, komt niet veel in het nieuws. Dat trekt me aan. Ik zoek graag vernieuwing in hoeken waar je die niet verwacht.

De man die de trap afkomt herken ik. Zijn jeugdige uitstraling valt me op, al moet hij over de vijftig zijn. Over de zestig, blijkt later, als ik er een keer terloops naar vraag. Waarvan herken ik hem ook alweer?

---

* Helen Toxopeus & Simone Toxopeus, *Een verkenning van ons geldsysteem – Problemen en mogelijke oplossingen*. Economy Transformers i.s.m. Oxfam Novib, 2012.

'Koffie of thee?' Ik opteer voor het laatste. Met een pot thee in de hand lopen we terug naar de ontvangstruimte en we nemen plaats aan de houten tafel. Ik zeg dat ik het gevoel heb dat we elkaar eerder al eens hebben ontmoet, maar waar? 'Volgens mij heb ik bij jou aandelen gekocht, na de theatervoorstelling *Geld en Genoeg* op de Parade,' zegt Henk terwijl hij mijn kop volschenkt.

Ja, dat is het! Vorig jaar heb ik op het theaterfestival Parade gewerkt bij de voorstelling van Dette Glashouwer. Haar voorstelling ging over geld en ik was haar huisbankier. Ik verkocht na de show 'aandelen', waarmee enthousiaste toeschouwers de volgende voorstelling voorfinancierden in ruil voor een gratis entreekaartje.

Een kennismaking

Ik val met de deur in huis. 'Wat doet STRO precies?'

'We ontwikkelen andere geldsoorten, die de kans op een duurzamere en socialere wereld vergroten', antwoordt Henk.

Ik ben even stil. 'Hoe dan?'

'STRO ontwikkelt *nieuwe soorten geld* in gebieden waar het geld nu niet goed werkt, in arme gebieden of gebieden waar een financiële crisis heerst. Daar zetten we samen met lokale partners betaalnetwerken op waar het 'geld' een andere logica volgt dan het gewone geld dat je gewend bent. We ontwikkelen nieuwe aanpakken en bouwen de randvoorwaarden in de geavanceerde betalingssoftware in. Die wordt trouwens wereldwijd al door diverse organisaties gebruikt. Onze software maakt het mogelijk om geldsoorten een specifiek ontwerp mee te geven. Het einddoel is een ontwerp dat onze samenleving, wereldwijd, op een duurzame en sociale manier kan organiseren.'

Het boeit me nu al. Maar eerst wil ik weten waarom ik hier eigenlijk zit. 'Waarom willen jullie dat ik een boek voor jullie schrijf?' vraag ik. 'En waarover?'

'Er zijn twee dingen die op dit moment samenkomen,' antwoordt Henk. 'Ten eerste staan we met onze methodes en softwareontwikkeling op de rand van een doorbraak. Dat denken we in elk geval. Daarmee hebben we het middel in handen waarmee we onze ambitie waar kunnen maken: een geldstructuur bieden die ecologische en sociale duurzaamheid beter dient dan het huidige geld. In onze projecten in Midden-Amerika, Brazilië en Uruguay hebben we zo te zien de meeste hobbels weggewerkt en zijn we dicht bij een doorbraak die op grote schaal de dynamiek van geld gaat veranderen. In 2014 starten we in Zuid-Europa – in Catalonië, Milaan, Sardinië – en ook in Bristol. Als het daar lukt, kan dat veel impact hebben op de economie. Ook gaan we krediet beschikbaar maken voor het Nederlandse MKB en voor innovaties die de transitie naar duurzaamheid ondersteunen. De instrumenten zijn er, maar om de nieuwe mogelijkheden ook daadwerkelijk te benutten, moet er geïnvesteerd worden in tijd, contacten en (gewoon) geld. We hopen dat we de steun krijgen die daarvoor nodig is als we via dit boek ons werk met een grote groep mensen delen.

En dan is er de economische crisis. Bij vlagen lijkt die over en komt dan weer terug. Crisis betekent niet alleen ellende. Het maakt ook dat oude dingen verdwijnen en nieuwe opkomen. Die verandering is te sturen. Meer mensen dan ooit maken zich zorgen over de ongrijpbaarheid en het ongeremde winstbejag van de financiële sector. Ook in Nederland vragen steeds meer mensen zich af of we wel de goede kant opgaan. Hoe kan het anders? Ik hoop dat nu de bereidheid aanwezig is om na te denken over hoe het geldsysteem werkt en om mee te werken aan de vernieuwing ervan. Nu we volgens mij een deel van die vernieuwing binnen handbereik hebben gebracht, wil ik aandacht vragen voor onze oplossingen.'

Het voelt nu al groot. Ik vraag: 'Waarom wil je dat ik dat voor jullie schrijf?'

'Volgens mij ben jij een voorloper die uit een conventionele omgeving komt. Je hebt economie gestudeerd en bij een grote commerciële bank gewerkt. Pas daarna ben je gaan schrijven over vernieuwing van geldsystemen. Dat vind ik knap en moedig. Toen ik het boekje las dat je samen met je zus hebt geschreven, realiseerde ik me dat jouw ontwikkeling past bij de tijdgeest: veel mensen vragen zich met jou af hoe het nu verder moet. Het oude verhaal van oneindige groei inspireert niet meer. Oude systemen bieden geen hoop op verbetering. Mensen maken zich heus niet alleen zorgen over de restschuld op hun huis

en het verliezen van hun baan, maar ook over waar we met de samenleving naartoe gaan. Hoe kun je accepteren dat je kinderen moeten
leven in een wereld waar de biodiversiteit langzaam afbrokkelt en sociale structuren wereldwijd zodanig uitgekleed worden dat de wereld
rauwer en vijandiger wordt? Er zijn steeds meer mensen die naar een
nieuw soort antwoorden zoeken. Volgens mij kunnen wij een deel van
die antwoorden bieden, maar we zitten zo diep in de materie, dat het
lastig is om er vanuit het perspectief van de lezer over te schrijven.
Daarom vraag ik jou om vanuit jouw eigen perspectief te schrijven.'

Ik twijfel of ik het goed begrijp. 'Hoe bedoel je dat? Wil je dat ik opschrijf hoe ik jullie werk zie en ervaar?'

Henk knikt. 'Precies. Ik denk dat het makkelijker wordt voor mensen om te begrijpen wat wij doen, wanneer jij dat vanuit je eigen beleving vertelt. Ook met al je twijfels. Je zult wel merken dat het niet
gemakkelijk is om ons werk uit te leggen. Dan is het fijn als jij een
soort vertaalslag maakt naar een andere belevingswereld, door op te
schrijven wat er in je omgaat terwijl je ons werk leert kennen. En ik
heb er vertrouwen in dat je dat kunt.'

Ik voel me uitgedaagd en ongemakkelijk tegelijk. 'Dank voor het com-
pliment, maar ik heb ook de waarheid niet in pacht. Ik kan mensen
toch niet vertellen wat ze moeten denken?'

Henk schudt zijn hoofd. 'Dat hoeft ook helemaal niet. Jij hoeft alleen maar bij jezelf te blijven, op te schrijven wat je bij ons tegenkomt
en wat je er zelf van denkt. Ik zal je zo goed mogelijk uitleggen wat
de kern van ons werk is en onze achterliggende visie. Jij en de lezers
kunnen dan zelf beslissen wat ze ervan vinden.'

Ik ben even stil. Dan vraag ik: 'Maar als jullie mij betalen om dit
te schrijven, ben ik toch niet onafhankelijk meer? Mag ik in het boek
kritisch zijn over STRO?'

Henk knikt. 'Dat is juist de bedoeling. Jij moet de vragen stellen
en de kanttekeningen plaatsen die andere mensen ook zullen hebben.
Dat geeft mij de kans om daarop te reageren. Het is mijn verantwoordelijkheid om jou zo goed mogelijk uit te leggen wat we doen en je
enthousiast te krijgen. Of ik daar in slaag of niet, dat is mijn risico.'

Ik weet even niet wat ik moet zeggen. Het is een wonderlijk voorstel. Henk daagt me uit, dat zeker. Het zou een sprong in het diepe zijn, maar eigenlijk doe ik al een tijdje niet anders. Ik heb voor deze zoektocht, naar wat er aan de hand is met geld, tenslotte eerder al mijn baan opgezegd. Ik ben op zoek gegaan naar mensen die kunnen uitleggen wat voor soort oplossingen er zijn. Intuïtief denk ik dat er iets groots aan het veranderen is op het gebied van geld en dat we nieuwe soorten oplossingen gaan vinden. Dat is waarover ik mensen voor mijn vorige boek heb geïnterviewd. Het is alleen een heel ingewikkeld onderwerp en ik ben er nog lang niet uit. Zou Henk me verder kunnen helpen?

'Weet je wat?' zeg ik. 'We beginnen met een eerste gesprek en dan kijk ik aan het einde daarvan of ik het wil doen. Goed?'

Henk glimlacht. 'Lijkt me een goed plan.'

Ik haal mijn laptop uit mijn rugzak en klap hem open. Henk gaat van start.

Het geldsysteem gaat de komende jaren veranderen, dat is zeker

'Eerst het positieve nieuws. Ik ben ervan overtuigd dat alle nieuwe ICT-mogelijkheden het geld op een onomkeerbare manier aan het veranderen zijn. Dat staat los van het werk van STRO. Het goede nieuws is dat daardoor veel mogelijkheden ontstaan om de effecten van geld positief te beïnvloeden. Volgens mij wordt het een verandering zoals die in geen duizend jaar gezien is. We gaan in de komende jaren afstappen van een manier van denken over geld waarin we jarenlang hebben geloofd en die onze beslissingen heeft bepaald. Ons doel is om deze verandering een positieve richting op te sturen.

Het geldsysteem is onze samenleving steeds meer gaan domineren. Sociale welvaart, kansen op ontplooiing, ondernemerschap en natuurbehoud, allemaal zijn ze ondergeschikt aan geld geworden. We accepteren een geldsysteem dat ongelijkheid in de hand werkt, de natuur verslindt en de mensheid de mogelijkheid ontneemt om afgewogen beslissingen te nemen, omdat we denken dat er maar één soort geld is. Nu het geld, dat op zoveel zaken grote invloed heeft, gaat veranderen, verandert alles mee. Er worden dan ook heel veel nieuwe dingen mogelijk. Goed nieuws toch? Geld is aan het veranderen en als we het de goede kant op duwen, kan er ontzettend veel.'

Hoe een marsmannetje naar de aarde kijkt

Ik schuif in mijn stoel. 'Wacht even. Je suggereert dat het geld die grote problemen veroorzaakt? En wat bedoel je met een soort geld? Help me even. Je gaat veel te snel.'

Henk kijkt me aan. Hij is duidelijk nog aan het inschatten waar hij moet beginnen en hoe snel hij kan gaan. Hij speelt op safe. 'Ik zal beginnen met de grote lijnen te schetsen. Soms helpt het om letterlijk veel afstand te nemen om de grote lijnen te zien. Laten we zeggen: vanaf Mars. Stel, er zit een Marsmannetje de aarde te bestuderen. Wat zou hij denken over geld? Wat denk je?'

Ik denk snel na. 'Volgens mij zou hij geld zien als een belangrijk en slim middel om onszelf te organiseren. Maar hij zou ook zien dat het in sommige delen van de wereld niet goed werkt, omdat er te weinig van is, of omdat het verkeerd verdeeld is. Verder zou hij zien dat mensen geld als doel zijn gaan zien in plaats van als middel. Daardoor delven de dingen waar het eigenlijk om gaat – zoals schone lucht, genieten van natuur, goed eten en sociale samenhang – vaak het onderspit. In elk geval als er geld te verdienen valt. Geld geeft vleugels, maar als we het centraal gaan stellen creëert het tegelijkertijd een soort tunnelvisie. Het is iets heel paradoxaals, als je het mij vraagt.'

Henk luistert aandachtig naar mijn antwoord en vult het aan met zijn visie. 'Stel dat je vanuit de ruimte het geld kunt zien. Dan valt direct op dat geld de economie het minst organiseert op plekken waar organisatie het meest nodig is. Wij nemen dat voor lief, maar het mannetje op Mars vraagt zich af: "Waarom gebruiken ze op deze planeet een organisatiemiddel dat van nature wegvloeit uit gebieden waar een betere organisatie juist het meeste nodig is – gebieden met te weinig werk en te weinig inkomen?" De marsman tekent in zijn schriftje aan *'verder bestuderen: ontstaan van geldwoestijnen en reden waarom die in stand blijven'*. Het valt hem direct op dat het geld uit die gebieden snel wegvloeit naar de rijkere gebieden. Erger nog: er wordt nieuw geld bijgemaakt in gebieden waar al geld genoeg is en niet in gebieden met een tekort. Hij krabt zich op zijn achterhoofd: "Rare jongens die aardbewoners: Heeft het geld de mensen geschapen en is de mensheid ontworpen om het geld te dienen? Mmm, raar, want dan is het niet slim geregeld."

De waarnemer op Mars ziet jonge mensen in strakke pakken in snelle wagens die de 'geldbergen' beheren en wereldwijd zoeken naar plekken waar ze met hun geld nog snel ander geld kunnen aanzuigen, zonder dat ze zich zorgen lijken te maken of ze enige bijdrage leveren aan de vergroting van de productiviteit. Het doel is duidelijk: méér geld. Hij ziet dat bedrijven en regeringen veel geld verliezen omdat ze zich moeten verdedigen tegen dit 'speculatiegeld'. Hedgefondsen en verzekeraars lijken in een eindeloze race verwikkeld te zijn. Maar wat hij nog het gekste vindt: mensen lijken dit normaal te vinden. Terwijl de inzetten almaar hoger worden vraagt niemand zich af hoe lang dat door kan gaan. Voor speculatie en verdedigingsconstructies samen wordt inmiddels verreweg het meeste geld gebruikt dat er is op aarde. Geen wonder dat er zulke geldwoestijnen zijn, ondanks de voortdurende groei van de totale hoeveelheid geld. En de aardbewoners halen hun schouders op en denken: "Zo is het nu eenmaal. We moeten er maar het beste van maken." De marsman vraagt zich hardop af: *"Zien ze niet hoe de mogelijkheden voor speculatie sinds de komst van de computers enorm veel groter zijn geworden? Dit is geen probleem dat weggaat, maar een gezwel dat steeds verder doorwoekert."'*

Ik schiet in de verdediging. 'Ik vind je wel erg pessimistisch klinken. Geld heeft ons toch heel veel goeds gegeven? Moet je zien wat een ontwikkeling het ons heeft gebracht. Als we geen geld hadden gehad, waren we nog steeds bezig geweest met ruilhandel. Ik ben heel blij dat het er is! Zonder geld zijn we nergens.'

Henk kijkt me onderzoekend aan. 'Ik kan zien dat je economie gestudeerd hebt. In de meeste opleidingen wordt verteld dat geld er is gekomen omdat ruilhandel niet effectief was. Vergeet dat, dat is een mythe. Lees anders Graeber er maar eens op na: er is geen bewijs voor die stelling (zie bronnen bij Hoofdstuk 7). Ruil kan op veel manieren heel effectief zijn en in de geschiedenis waren er ook andere soorten ruilmiddel die effectief waren. Daarbij: het geldsysteem zoals we dat nu hebben, bestaat pas een paar *decennia*!'

Ik kijk Henk vragend aan. 'Bedoel je sinds de jaren zeventig, toen de Amerikanen de koppeling met goud hebben losgelaten?'

Henk haalt zijn schouders op. 'Ja, die gebeurtenis en daarnaast een conferentie in Bretton Woods (vs) waar een geldsysteem gestart werd met de dollar als de wereldreservemunt. Dat was een keus, een menselijke beslissing, ingegeven door politieke machtsverhoudingen. Die keuze heeft geleid tot een bepaald soort geld, waardoor veel mensen werden buitengesloten. Er leven miljarden mensen in armoede op plekken waar veel werkloosheid is zodat hun capaciteiten onderbenut blijven, maar dat leidt niet tot kritische vragen naar de organisatiestructuur. Dat vinden we allemaal normaal. Mijn inschatting is dat de wereld er met een ander geldsysteem anders uit zou zien.

Terug naar mijn marsmannetje. Wat hem verder opvalt, is de inefficiëntie. En dat terwijl hij mensen de hele tijd hoort praten over 'efficiency!' Hij ziet dat vraag en aanbod niet goed op elkaar aansluiten, dat tal van mensen werkloos zijn en dat de natuurlijke rijkdom op aarde wordt verbruikt alsof welvaart alleen iets is wat je opmaakt. De wereld lijkt op een bedrijf dat alleen zijn omzetcijfers geeft, maar niet het vermogen aan kapitaal, grondstoffen en potenties van mensen. Alsof er geen toekomstige generaties komen. Helaas pindakaas. Het punt is: omdat de wereld niet langer door één land gedomineerd wordt, weten regeringen dat er nooit overeenstemming zal komen als ze over ander geld gaan praten. En dus probeert iedereen er het beste van te maken. Het is chaos aan de top en er is geen ruimte om het ontwerp van het geldsysteem te bespreken. Terwijl toch de belangrijkste conclusie van het marsmannetje is, dat het de hoogste tijd is om dat wel te doen: de hoogste tijd dat de mensen op aarde een organisatievorm kiezen die hen oplevert wat ze zeggen belangrijk te vinden, in plaats van voort te dobberen op de stroom van gebeurtenissen.'

Henk neemt een slok thee en praat door.

'Vanaf Mars is het makkelijk te concluderen dat de mensheid kan kiezen voor andere soorten geld. En dat zal ze ook moeten doen, om weer perspectief te bieden aan volgende generaties. Vanuit het perspectief van het marsmannetje is duidelijk dat sociale en ecologische duurzaamheid met het huidige geld onhaalbaar zijn.'

Ik probeer Henk af te remmen. 'Dat vind ik wel een voorbarige conclusie van jouw marsmannetje. Er spelen toch nog heel veel andere dingen? Zo eenvoudig is het niet om te duiden waardoor armoede en druk op het milieu precies veroorzaakt worden. Onze samenleving is daar te complex voor. Dat de manier waarop we ons geld hebben ontworpen er een grote rol in speelt, geloof ik zeker, maar niet per se dat het huidige ontwerp anders moet. Als je bijvoorbeeld het onderwijs verbetert, of het bewustzijn over het belang van de natuur, dan gaat men geld anders gebruiken. We kunnen toch ook maatregelen nemen binnen het bestaande geldsysteem? Er zijn zoveel knoppen waaraan je kunt draaien.'

Henk: 'Natuurlijk zijn er veel knoppen. Het één sluit het ander ook niet uit. Toch durf ik te stellen dat de werking van geld onvoorstelbaar veel invloed heeft, terwijl veel mensen denken dat die neutraal is. En dat is precies het probleem: het is de blinde vlek, waardoor onze samenleving haar vrijheid verloren heeft om op een toenemende kwaliteit te sturen en we alleen nog maar kunnen reageren op ontwikkelingen die ons overkomen, waarbij we dan moeten proberen er het beste van te maken.'

Monopoly – de regels van het spel veranderen

Er valt een ongemakkelijke stilte. Ik weet even niet wat ik moet zeggen en schuif wat in mijn stoel. Dan vraagt Henk ineens:

'Speelde je vroeger Monopoly?'

Ik knik. 'Ja, natuurlijk. Hoezo?'

'Was jij er ook zo één die de spelregels veranderde?'

Ik kijk hem verbaasd aan. 'De spelregels? Nee, die krijg je er toch gewoon bijgeleverd? Hoezo?'

Henk grinnikt. 'Wij veranderden vroeger thuis altijd de spelregels. We verhoogden bijvoorbeeld het bedrag dat je bij START krijgt. Dan voelde iedereen zich direct lekker rijk. We vonden het ook sneu dat als je huizen van je straatjes af moest halen, je de helft van de huizen-waarde kwijt was. Dus lieten we de bank gewoon 100 procent van de waarde teruggeven. Maar iemand die een hotel had staan was wel de helft van zijn geld kwijt, omdat de inkomsten uit hotels onzekerder zijn dan die uit huizen.'

Monopoly – wanneer heb ik dat voor het laatst gespeeld? Ik heb de precieze regels niet meer op mijn netvlies. Henk ziet me graven in mijn geheugen.

'Het gaat niet om de details, maar om het idee dat je het gedrag van de spelers en de uitkomst van het spel beïnvloedt door de spelregels te veranderen. Het grappige was dat we, elke keer als we een regel ver-anderden, een nieuwe strategie nodig hadden om het spel te spelen. Sneller huizen kopen en dus geld uitgeven, of juist heel voorzichtig zijn met uitgaven en je geld contant aanhouden. Geld bieden aan an-dere spelers voor een straat die je wilde, of juist zuinig zijn. Wie zijn gedrag niet aanpaste aan de nieuwe regels was al gauw failliet.

Na een tijdje experimenteren hadden we een variant in de spel-regels uitgedokterd, waardoor niemand meer failliet ging. Iedereen werd steeds rijker en het spel kon oneindig doorgaan. Al was er na-tuurlijk wel één de rijkste. Het spel stopte pas aan het einde van de logeerpartij van mijn neefje. De winst van die week was niet wie er ge-wonnen had, maar wel dat hij naar huis ging met de bijnaam *Adriaan de Rijke* en mijn broer werd *Diederik de Vos,* omdat hij heel listig durfde te spelen. Wij hadden grote lol!'

Ik glimlach. 'Als je dit zo vertelt, moet ik wel denken aan de spelregels in de sport. Ik heb vroeger veel gebasketbald en daar veranderden we wel af en toe de regels om het spel leuk en uitdagend te houden.'

Henk knikt. 'Dat is ook een goed voorbeeld. Met de regels van sport heeft bijna iedereen wel ervaring. Iedereen weet hoe de spelregels de ontwikkeling van het spel bepalen. Misschien toch een reden om je af te vragen welke spelregels de samenleving domineren. En welke re-gels in ons geldsysteem de uitkomst van de meeste dagelijkse beslui-ten beïnvloeden en zo onze toekomst een bepaalde kant op sturen.'

'Volgens mij denken we daar wél over na. Daar gaan toch hele politieke debatten over?'

'Over de spelregels van geld? Dan heb ik dat gemist. Ja, er zijn wel discussies over banken, maar die gaan niet over de fundamentele spelregels, alleen over de buitenkant en zelfs daar worden geen knopen doorgehakt.'

Ik uit mijn twijfel. 'Volgens mij praten we wel over geld. We praten over manieren om zo goed mogelijk met geld om te gaan: als persoon, als bedrijf, of als land. Maar dat is misschien niet precies wat jij bedoelt, of wel?'

Henk formuleert het opnieuw.

'Wat ik wil zeggen, is dit. De regels van geld in het economisch spel zijn niet onveranderbaar, al pakt dat wel zo uit als we ze onbesproken laten. Geld is geen natuurwet. Het is een sociale constructie, kneedbaar en veranderbaar. Daarom is het de moeite waard om eerst te bedenken wat voor samenleving we willen en daarna te kijken hoe we die mogelijk kunnen gaan maken, inclusief de vraag wat voor soort geld we daarvoor nodig hebben. En dan kijken we naar het geld als een set spelregels die een bepaalde uitkomst stimuleert. Spelregels die we zelf kunnen kiezen en veranderen. We kijken naar geld als een sturingsmechanisme dat de geschiedenis een richting geeft. Een sturingsmechanisme dat naast veel onnodige armoede de rijke wereld veel technische vernieuwing heeft gebracht, maar dat ons nu fataal dreigt te worden.'

Ik blijf stil. Henk doet er nog een schepje bovenop. 'Want dit is onze realiteit: we zitten gevangen in een 'geldspel' met een aantal regels die voor de mensen en de natuur ongelukkig uitpakken. Niemand wordt hier op de langere termijn beter van, zelfs de rijkste mensen niet, al denken de meesten van hen dat ze veel te winnen hebben bij het in stand houden van deze regels. Maar uiteindelijk hebben ook rijke mensen andere mensen nodig die spullen kopen van hun bedrijven! Ook rijke mensen zijn kwetsbaar als de natuur uit balans raakt. Klimaatverandering kan leiden tot de uitbraak van nieuwe ziektes. Dijken en deuren met alarminstallatie helpen daar niet tegen. Uiteindelijk verliezen ook de rijkste mensen. Iedereen wint als we overgaan naar effectiever, stabieler en duurzamer geld. Dat geeft meer mensen de kans om zich te ontplooien. Als meer mensen daardoor een fatsoenlijk inkomen kunnen opbouwen groeien ook de markten, waar de rijksten aan verdienen. STRO probeert dit zichtbaar te maken, zodat meer mensen warm draaien voor een ander soort geld. Wij willen laten zien dat de oplossingen waaraan we werken op de langere termijn voor vrijwel iedereen positief uitpakken. Dat is geen simpele opgave, maar wel de meest wenselijke – en trouwens ook de enige die houdbaar is.'

Een ander soort geld, beter voor iedereen

Ik ben verbijsterd. 'Dus jij denkt dat er een ander soort geld mogelijk is waar iedereen beter van wordt, zelfs degenen die nu het meeste geld hebben?'

Henk knikt enthousiast. 'Jazeker. Dat is de kern van ons werk. We zoeken naar een beter soort geld voor iedereen, naar win-win-oplossingen dus. En dat kan, omdat het huidige systeem zoveel mensen met kwaliteiten geen kans geeft zich te ontplooien en ze verhindert een bijdrage aan de samenleving te leveren. De nieuwe geldsoorten moeten ook commercieel weerbaar zijn, zodat ze zich vanzelf verspreiden als ze eenmaal bekend zijn. Het moeten oplossingen zijn die ons stap voor stap dichter bij een samenleving brengen met een hogere kwaliteit van leven. Onze initiatieven laten zien hoe we onszelf op nieuwe manieren kunnen organiseren, met een nieuw soort geld. Door in de praktijk te laten zien dat dit kan, hopen we mensen los te weken van het oude paradigma, de bestaande overtuiging die ervan uitgaat dat het niet mogelijk is om van geldstelsel te veranderen. Wij zijn het tegendeel aan het bewijzen.'

Terwijl ik aandachtig luister, komt de scepticus in mij naar boven. Ik floep eruit: 'Je weet het mooi te brengen. Je schetst iets heel hoopvols, maar ik vraag me af of je dat wel waar kunt maken. Dit is echt heel groot.'

Henk lijkt niet van zijn stuk gebracht. 'Ik garandeer je alleen dat we bij STRO ons uiterste best doen om vooruitgang te boeken op dit

onontgonnen terrein. Er is geen garantie op succes. Een systematische poging is al heel wat in een wereld die het onderwerp grotendeels
negeert. Bovendien zijn we ons ervan bewust dat zelfs als het ons lukt
om het bestaande geldsysteem te vervangen door een nieuw soort
geld, dat niet betekent dat alle wereldproblemen zijn opgelost. Maar
het wordt in veel gevallen wel makkelijker, want een ander soort geld
is in de meeste gevallen wél een voorwaarde voor echte verbeteringen.
Tegelijk is het ook zo, dat als we niets aan het huidige geld doen, we
gegarandeerd worden meegesleurd naar een onleefbare toekomst.
Dus de keuze om in elk geval te proberen iets aan de spelregels van
geld te doen, moet wel gemaakt worden. Dit is een heel belangrijke
knop die om moet.

Het is goed om te weten dat onze aanpak heel concreet is en daarmee afwijkt van wat andere organisaties doen. Er is op dit vlak nog
weinig innovatiefs geprobeerd. Doordat we een eigen niche hebben
ontwikkeld, kan zelfs een kleine organisatie als STRO een enorm positieve invloed uitoefenen. Geld is zo'n belangrijk sturingsmechanisme
dat het een enorme hefboom biedt. Ons werk, de investering in tijd
en geld, is daarom enorm effectief.'

Hij haalt adem en praat op een iets rustiger toon verder.

'Ik hoop dat anderen jouw verhaal lezen en gaan denken: *dit is belangrijk, dit wil ik steunen.* Want hoe meer mensen ons steunen, des
te groter is de kans dat we een doorbraak kunnen realiseren. Uiteindelijk is het toch weer een kwestie van ouderwets geld om het nieuwe
geld mogelijk te maken. Het vergt een serieuze investering om onze
software up-to-date te houden waarmee we een ander soort geld introduceren, ook al doen we dat streek voor streek en soort voor soort.
De reden dat we nú dit boek geschreven willen hebben, is omdat we
nu dicht genoeg bij de echt grote doorbraken zitten. Nu het digitale
betalen gaat overheersen, is dit hét moment om door te zetten. Alle
kleine beetjes steun kunnen daarbij doorslaggevend zijn. We hebben
meer donateurs, investeerders en contacten nodig. Wat we kunnen
bieden is veel ervaring, inspiratie, de kans op duurzame verandering
en concrete speerpuntprojecten die als breekijzers gaan dienen. Ik
hoop dat het aan het eind van dit boek duidelijk is welke ervaring we
de afgelopen jaren hebben opgedaan; tot welke baanbrekende voor-

uitgang dat heeft geleid, hoe ver we inmiddels zijn met een nieuwe benadering van geld en hoe we dat hebben omgezet in professionele software, waardoor een ander soort geld ook praktisch haalbaar is geworden.'

Er valt een stilte. Dan vraagt Henk: 'Wat denk je? Wil je dit voor ons doen? Wil je vanuit jouw perspectief een boek gaan schrijven over het werk van STRO? Dus inclusief al je kritische kanttekeningen, maar waarbij je ons wel een eerlijke kans geeft?'

Ik moet er even over nadenken. Mijn nieuwsgierigheid geeft de doorslag: 'Ja, ik doe het.'

De maan of de modder

Mijn hoofd tolt als ik terugloop naar Utrecht Centraal. Ik voel me ver-
vreemd van de shoppende, kletsende massa mensen om me heen, met
hun bonte verzameling plastic tasjes. Lang leve de crisis. Wat moet ik van
dit gesprek denken? Het verliep anders dan ik had verwacht. Wat had ik
eigenlijk verwacht? Een revolutionaire kijk op geld en de economie die
me niet van mijn stuk zou brengen? Die prachtig zou aansluiten bij hoe ik
er zelf naar kijk? Naïef misschien, maar ik geloof wel dat ik dat hoopte. En
waar heb ik nu 'ja' tegen gezegd? Waar begin ik aan? Kan het wel, betaald
worden en onafhankelijk zijn? Was dit niet veel te impulsief? Dat doe ik de
laatste tijd wel vaker. Meestal pakt het goed uit, al begrijp ik niet waarom.

Het geldsysteem veranderen. Ik zie zo'n Amerikaanse modellenshow voor
me, waarbij de winnares wordt gevraagd: *'What is your mission if you win?'*
en dat zij dan een lieftallige glimlach produceert, de heup in haar knal-
rode badpak sensueel naar rechts beweegt en antwoordt: *'World peace!'*
Iedereen klapt uit beleefdheid en weet: 'Dat gaat niet lukken.' Wel een leuk
badpakje trouwens.

Wat een vooroordeel hè? Maar zo voelt het wel. Als je met grote doelen
bezig bent, vinden mensen dat vaak 'schattig'. Je krijgt een aai over je bol
en ze lopen weer door, overtuigd dat het je nooit gaat lukken. Dat heb ik
vaak genoeg meegemaakt en dat is niet leuk. Het wordt veel gemakkelijker
geaccepteerd als je je bezighoudt met praktische zaken. Misschien is dat
ook de reden waarom ik me op kleinere schaal met duurzaamheid bezig
ben gaan houden. Met doelen die behapbaar zijn en waarbij ik mijn omgeving kan overtuigen dat het wel eens zou kunnen lukken. Ik vermoed dat
een ander soort geld daar niet onder valt.

Toch kan ik een diep respect voor STRO niet onderdrukken. Henk doet
me denken aan één van mijn favoriete gezegdes van vroeger: *Better to
shoot for the moon and miss, than shoot for the mud and be successful.*
STRO heeft een visie en gaat ervoor, dwars tegen de stroom in, hoewel ze
nu – eindelijk, kun je zeggen – de tijdgeest mee hebben. Alleen kan ik me
weinig voorstellen bij hun praktische resultaten. Eerlijk gezegd verwacht
ik er niet veel van. Ik kan niet geloven dat ze echt andere geldsoorten hebben ontwikkeld. Hoe zien die er dan uit? Het lijkt me erg onwaarschijnlijk

dat dat werk tot een doorbraak zou gaan leiden. Op zijn best hebben ze gewoon een interessante maar vrij onbekende niche gevonden. Dat lijkt me sowieso lastig: je leven wijden aan een onderwerp dat bijna niemand begrijpt. Hoe houden ze dat vol, financieel, maar ook persoonlijk? Terwijl ik naar de trein loop schieten deze vragen me één voor één door het hoofd. Ik probeer ze te onthouden. Het begint te regenen en ik ga sneller lopen. Ik vraag me af waar ik aan begin. Wat het ook is, ik krijg het er wel warm van. Dit zijn vragen die ergens over gaan. Terwijl ik natgeregend langs een bankkantoor in Hoog Catharijne loop, ben ik dankbaar dat ik mijn baan vorig jaar heb opgezegd, anders was ik dit gesprek nooit aangegaan. Al heb ik nog geen flauw idee waar het toe gaat leiden.

Wenen, 1995: Mijn eerste les in economie en eigenbelang

Op de middelbare school in Wenen vierden we Halloween en Ramadan. Ik moest uitleggen wie Sinterklaas was en waarom hij zwarte mensen in gekleurde pakjes bij zich had die met kleine bruine koekjes gooiden. Mijn vriendinnen – uit Ierland, Kroatië, Venezuela en Jordanië – vonden het maar raar. Ik eigenlijk ook, als ik het door hun ogen bekeek.

In mijn jeugd verhuisde ik samen met mijn ouders en zusjes gemiddeld elke drie jaar naar een ander land, soms naar een ander continent. Oostenrijk was, na Egypte, Thailand, Indonesië en Nederland, het vijfde land waar ik woonde. Ik was toen twaalf. Los van het vele verhuizen had ik een heel normale jeugd, met sport, vriendinnen en hobby's. Op de internationale school in Oostenrijk kwamen mijn klasgenoten uit de hele wereld. Onze ouders werkten bij de Verenigde Naties, ambassades en multinationals. De school keek uit op het VN-gebouw. Toen ik in de vijfde klas vakken mocht kiezen, koos ik economie. Ondanks dat ik al jaren niet meer dagelijks met armoede werd geconfronteerd, sluimerde mijn nieuwsgierigheid naar die wereldse vraagstukken nog volop. Ik ging er vanuit dat het vak economie me aan antwoorden ging helpen.

Mijn eerste economielessen bestonden uit modellen van markten, van vraag en aanbod. Grafieken waar lijnen van vraag en aanbod elkaar kruisten om de marktprijs te bepalen. Ik vond er niets aan, het was zo abstract. Wat had dit met de werkelijkheid te maken? Ik wilde economie leren om de mens en de samenleving te begrijpen. In deze lessen leerde ik uit te gaan van berekenende mensen, handelend uit eigenbelang. Zo was ik niet! Sterker nog, ik zag dat als een groot probleem: mensen die alleen maar aan zichzelf denken. Het vak waarvan ik oplossingen verwachtte, stelde eigenbelang van het individu centraal en nam vervolgens aan dat het op het niveau van de samenleving wel goed zou komen. Dingen die niet goed kwamen, omdat ze niet onder iemands eigenbelang vielen, werden 'externaliteiten' genoemd, zaken als natuurvernietiging en de opwarming van de aarde. Dat moesten we maar aan de overheid overlaten.

Ik vond het een beperkte visie op de mens, eentje die me niet inspireerde. In die tijd kreeg ik om mijn actieve inzet in het basketbalteam workshops aangeboden van succesvolle sportcoaches over leiderschap en teambuilding. Hun visie sprak me veel meer aan: hoe kun je het beste uit jezelf en uit anderen halen? Welke bijdrage wil je aan anderen leveren? Welke talenten wil je ontwikkelen? Hoe ontwikkel je discipline? Wat is je langetermijnplan, je visie? Een inspirerende visie, die had ik bij mijn economielessen ook verwacht.

Na de eerste lessen overwoog ik het vak te laten vallen, maar ik zette me eroverheen. Ik wist eigenlijk ook niet waar ik anders met mijn interesse heen moest. Na een tijdje begon ik het leuk te vinden. Ik hield van rekenen en haalde voldoening uit het maken van sommetjes. Ik haalde hoge cijfers en dat smaakte naar meer. Misschien boden deze modellen, ondanks hun abstractieniveau en beperkende aannames, toch de sleutel naar oplossingen voor de grote vraagstukken. Ik bleef daar steeds nieuwsgierig naar, naast mijn meer puberale beslommeringen, zoals of we met het schoolteam het komende basketbaltoernooi gingen winnen en wat voor jurk ik naar het eindgala zou aantrekken. Ik ontwikkelde een haat-liefdeverhouding met het vak economie. Mijn klasgenoten wilden allemaal in het bedrijfsleven gaan werken. Wilde ik ook voor het grote geld gaan, voor een commerciële baan? Daar zou ik me niet toe laten verleiden, hield ik mezelf voor. Ik wilde economie begrijpen om de wereld te verbeteren, om leiderschap te tonen.

Over de spelregels van geld

Het is een lome zomerdag. Een vrachtboot haalt het afval op bij de restaurants aan de Oudegracht. Een verdwaalde fietser doet de meeuwen opschrikken. Er heerst rust in de stad, de schoolvakanties zijn begonnen. Terwijl de domtoren tien uur slaat, druk ik bij de Social Trade Organisation op de bel.

In contrast met de lome stad om me heen, ben ik vandaag ongeduldig. Henk heeft vorige keer van alles bij me losgemaakt. Ik heb een waslijst aan vragen. De spelregels van geld veranderen? Wat bedoelt hij daarmee? En hoe brengen ze dat dan in de praktijk? Geld is toch gewoon geld? Kunnen we dat echt veranderen?

Als we eenmaal binnen aan tafel zitten – ik weer met een kop thee – stel ik meteen alle vragen tegelijk. Henk moet lachen. 'Eén stap tegelijk. Vergeet niet dat we hier al vijfentwintig jaar mee bezig zijn, dat gaan we niet in één gesprek halen. Zullen we eerst weer even terug naar de spelregels van geld?'

Geld als systeem

'Wat ik met mijn verhaal over de spelregels die het marsmannetje zag, duidelijk wilde maken, is dat de mensen zouden moeten nadenken over geld als systeem. Er heerst een geloof dat ons huidige geld de enige soort geld is. Het is net als water, of zuurstof: het kan niet anders, we moeten ermee leven. Begrijp je wat ik bedoel? We zitten er te diep in om het nog anders te kunnen zien, missen de afstand Aarde-Mars.'

Ik herken wat hij zegt. Geld is als het water in een aquarium en wij zijn de vissen. Het lukt ons niet om er van een afstand naar te kijken. Nog geen jaar geleden, toen ik op de Zuidas werkte, dacht ik ook alleen maar na over hoe we de beste uitkomsten konden genereren met het huidige geld. Wat ik nu begin te begrijpen is dat we geld zien als een natuurverschijnsel en daardoor de oplossingsrichtingen die we kunnen bedenken heel erg beperken. Het is moeilijk om je een 'ander soort geld' voor te stellen. Ik had er gewoon nooit eerder over nagedacht.

Henk gaat door. 'Als we iets 'goeds' voor de wereld willen doen, geven we bijvoorbeeld geld voor arme kindertjes in Afrika, of om de tijger te redden. Dat zijn aaibare goede doelen met een helder afgebakend belang. Maar juist de aard van het geldsysteem heeft volop invloed op de kansen die kinderen of tijgers hebben.

Money makes the world go round. Het bepaalt in hoge mate het reilen en zeilen op deze wereld. Geld organiseert onze economische samenwerking en zet aan tot strijd omdat geld een zeldzaam goedje is dat iedereen nodig heeft. Maar geld is niet neutraal: een bepaald soort geld geeft een specifieke uitkomst. Ik wil je laten zien dat er verschillende soorten geld mogelijk zijn, waarbij het effect op milieu, armoede, werkgelegenheid, welvaart en zelfs welvaartsbeleving totaal verschillend is.'

Op een intuïtief niveau begrijp ik wel wat Henk bedoelt. Geld stuurt onze beslissingen en gek genoeg is dat vaak in een andere richting dan wanneer geld geen rol zou spelen. Dat is ook één van de gedachte-experimenten waarmee je kunt ontdekken wat je echt wilt met je leven: wat zou je doen als geld geen rol speelt? Dan kom je geregeld uit op andere keuzes dan die op dit moment je leven bepalen. Ik vraag me nu af: is dat redelijk, of eigenlijk nogal gek?

De samenleving is een complex systeem en geld stuurt daarin sterk

Henk praat verder. 'Ik zie de samenleving in eerste instantie als een complex systeem. Er spelen heel veel elementen een rol, net als bij andere complexe systemen zoals het klimaat of ecosystemen. De oorzaak-gevolg-relaties lijken een niet te ontwarren chaos. Dat maakt dat we ons vaak zo machteloos voelen. Door er als een buitenstaander naar te kijken, ontdekken we dat er toch patronen en sturing bestaan: verschillende omstandigheden leiden tot verschillende ontwikkelingen. In een ecosysteem met weinig water ontwikkelt zich een totaal andere natuur dan als er veel water aanwezig is. De precieze oorzaak-gevolg-relaties zijn door de complexe interacties nauwelijks te herkennen, maar de grote lijnen zijn duidelijk. Hoe chaotisch het weer zich ook gedraagt, de wind waait toch echt van een gebied van hoge druk naar één met lage druk. Een chaossysteem is chaotisch, maar werkt wel volgens bepaalde regels. Ondanks de complexiteit van ecosystemen zijn er factoren als klimaat, bodem en hoogteverschillen die de ontwikkelingen richting geven. Je zou kunnen zeggen dat er spelregels zijn die het complexe systeem in een bepaalde richting sturen.

Net zo is ook de samenleving een complex systeem. En geld is daarin een belangrijk sturingsmechanisme. Het brengt een hele set aan invloedrijke spelregels met zich mee. Kijk, het klimaat kunnen we beïnvloeden door heel veel CO_2 uit te stoten, of juist minder. De samenleving kunnen we beïnvloeden door het soort geld dat we gebruiken, geld met bepaalde spelregels. We hebben geld tenslotte zelf bedacht. Als we geld anders vorm geven, kan de rest ook veranderen: de wegwerpcultuur, recessies, structurele armoede... Kun je het je voorstellen? Dat is in potentie allemaal mogelijk als we alternatieve geldsoorten ontwikkelen.'

Eerlijkheidshalve schud ik mijn hoofd. 'Nee, ik kan dat me niet voorstellen. Iets groots als het geldsysteem kun je niet zomaar veranderen.'

Henk kijkt me begripvol aan. 'Ik begrijp hoe lastig het is. We kwamen er al vroeg achter dat mensen er pas over kunnen nadenken, als je hen kunt laten zien hoe het anders kan. Dus daar richten we ons op. We laten mensen het verschil zien tussen een geldsoort die is ontwikkeld om sociale en duurzame doelen te dienen en het huidige geld waarin alles alleen maar om geld draait.'

Ik vraag door. 'Denk je dan dat we geld als doel zijn gaan zien door het soort geld dat we gebruiken? Ligt dat niet gewoon aan de mens, die steeds meer wil? En het geld wordt gewoon als middel gebruikt, of misbruikt. Dat kan toch bij iedere geldsoort? De mens en zijn gedrag verander je er toch niet mee?'

Henk schudt zijn hoofd. 'Natuurlijk zullen er altijd mensen zijn die geld, en macht, als doel zien. Maar dat wordt ze wel makkelijk gemaakt door het soort geld waaraan we gewend zijn geraakt, want dat is geld waarvan de hoeveelheid almaar toeneemt. Móet toenemen, op straffe van crisis. En die onvermijdelijke toename beïnvloedt ons gedrag en onze cultuur en maakt het steeds acceptabeler om geld, en niet mens en natuur centraal te stellen. Daarom ontwikkelt STRO geld, met andere spelregels. Geld dat wel verbonden is met de economische werkelijkheid maar zonder ingebouwd mechanisme dat zonder groei tot crisis leidt. Geld wordt zo een hulpmiddel en geen doel op zich.'

Ik ben gestopt met typen en leun achterover in mijn stoel. Henk is me kwijt. Hij ziet me worstelen en gooit het over een andere boeg.

'Zie geld als software, een verzameling regels die we in de organisatie van onze samenleving hebben geprogrammeerd. Door die regels in ons geld anders te programmeren, sommige te verwijderen en andere in te voeren, maken we onze samenleving anders. En als we het goed doen wordt die nieuwe samenleving tegelijkertijd duurzamer, socialer en ondernemender. Er verandert dan veel. Doordat dat geld geen rente eist, hebben we niet steeds méér geld nodig om onze schulden terug te betalen; de totale hoeveelheid geld hoeft niet meer te groeien om armoede en depressie te voorkomen. Recessies zijn minder hevig of misschien zelfs niet meer aan de orde. Ik durf te stellen dat als we de dynamiek van geld op de juiste manier veranderen, de ontwikkeling van de samenleving meer gericht wordt op de lange termijn en op duurzaamheid. Precies datgene waarvan veel mensen nu vinden dat we dat (meer) moeten nastreven. Iedereen die de wereld beter wil maken, zou zich dus moeten bezinnen op het soort geld dat nodig is. Welke soort geld willen we gebruiken voor de dagelijkse organisatie van onszelf en onze bedrijven?'

Het geld zelf veranderen. Als ik Henk zo hoor praten, klinkt het als het ei van Columbus. Als ik hem had gesproken toen ik zes jaar oud was, had ik hem waarschijnlijk meteen geloofd. De heilige graal van de wereldproblemen: we hebben ander geld nodig! De volwassen scepticus in mij weet dat het allemaal niet zo eenvoudig is als ik vroeger dacht. Ik zucht. 'Het kan toch niet zo zijn dat er één oplossing is voor al onze problemen? Dat wil er bij mij niet in.'

Dat beaamt Henk. 'Natuurlijk lost een ander soort geld niet alles op. Dat zeg ik ook niet. Maar het is wel een belangrijke voorwaarde voor de oplossing van heel veel problemen. Niet de enige, maar wel een minimale voorwaarde. Bij STRO kwamen we tot de conclusie dat geld een onderliggende sturing geeft die veel maatschappelijk onwenselijke uitkomsten veroorzaakt. Het is niet raar dat veel mensen die sturing over het hoofd zien. De samenleving is niet voor niets een complex systeem! Het heeft ons jaren gekost om dit te identificeren. En wij hebben ervoor gekozen om hier helemaal in te duiken.'

Ik kijk Henk onderzoekend aan. 'Hoe kom je eigenlijk aan deze kijk op de samenleving? Het is zo... zo anders. Wie of wat heeft jou op dit spoor gebracht?'

'Ik kwam er al vroeg achter dat ik op een andere manier naar de dingen keek. Ik ben eigenwijs, in de letterlijke zin van het woord: ik denk op mijn eigen wijze over dingen.'

Hij denkt even na en voegt eraan toe:

'Toen ik studeerde, volgde ik een bijvak antropologie. Daar leerde ik dat het in de antropologie heel gebruikelijk is dat onderzoekers zich afvragen welke 'basisspelregels' vormgeven aan een samenleving. Zo begrijpen ze hoe een cultuur in elkaar zit. Ik herinner me bijvoorbeeld dat je altijd moest kijken wat de doorwerking in de cultuur is van het feit dat vrouwen kinderen baren en mannen niet. Wat heeft dat allemaal voor gevolgen?

Bij STRO bestudeerden we de werking van ecosystemen. Ook dat geeft veel inzicht in de manier waarop sturing in complexe systemen vorm krijgt. Die lessen zijn weer bruikbaar om de sturing van geld te onderzoeken en die kennis zetten we in bij de ontwikkeling van alternatieven.'

Als ik stil blijf, praat hij door. 'Hoe meer impact bepaalde regels hebben, des te minder snel zullen mensen geneigd zijn ze ter discussie te stellen. De logica daarachter is dat er, als die veranderen, onoverzichtelijk veel zaken mee-veranderen. Wát precies is moeilijk voorspelbaar – en onvoorspelbaarheid is eng. We voelen ons veiliger

om de regels te houden zoals ze zijn. We willen liever blijven bij wat
we hebben, omdat we denken te weten wat we eraan hebben. En zo
kan de wereld in een bepaalde richting worden gestuurd zonder dat
iemand dat werkelijk wil, gewoon omdat het te eng is om écht andere
regels te verkennen.'

Daar zit wat in. Het is spannend om grote dingen te veranderen,
op persoonlijk vlak al, dus zeker als samenleving.

Henk praat verder. 'Mensen willen behouden wat er is. Er zijn
ook gevestigde belangen die zich niet zonder slag of stoot gewonnen
zullen geven. Bij geld denk je dan aan de banken. Het is al moeilijk
genoeg om die krankzinnig hoge bonussen te stoppen, laat staan dat
banken zich zomaar in een dienstbare richting laten duwen. Voor
grote veranderingen is grote druk nodig. Maar soms zit een verandering eraan te komen, zoals nu, onder druk van een crisis. En als de
wereld toch verandert, waarom zouden we die verandering dan niet
in de meest gewenste richting duwen?'

Al nadenkend maak ik aantekeningen op mijn laptop. Ineens stop
ik. Er zit me iets dwars. Ik stel de vraag hardop.

'Henk, hoe kunnen de spelregels van ons huidige geld nou zo
slecht zijn? Daar is toch door heel veel mensen over nagedacht? Op
die bijeenkomst in Bretton Woods in 1944 waren toch de grootste specialisten uit de deelnemende landen aanwezig? En president Nixon
zal in 1971 toch ook wel zijn afgegaan op het advies van deskundigen,
toen hij de goudstandaard losliet die in Bretton Woods was afgesproken? We hebben een overheid, een centrale bank, tegenwoordig zelfs
een Europese Centrale Bank, het IMF en ga zo maar door. Ik kan me
niet voorstellen dat er niet bijzonder goed is nagedacht over hoe geld
het beste vormgegeven kan worden. Die mensen hebben er toch lang
genoeg op gestudeerd en hebben toch het beste met de samenleving
voor?'

'Je verwacht wel veel van mensen,' antwoordt Henk. 'Jij bent afgestudeerd als econoom, je hebt jaren bij een bank gewerkt en nog
weet je niet precies hoe geld werkt en hoe het de samenleving beïnvloedt. En je hebt ook net een kredietcrisis meegemaakt die geen van
de leidende economen had zien aankomen. Natuurlijk zitten er zeer

deskundige mensen bij overheden, banken en in de politiek, maar iedereen heeft zijn eigen stukje expertise en ontwikkelt dat binnen een netwerk van belangen. Aan hen wordt niet gevraagd om zich met het grotere plaatje te bemoeien en verder te kijken dan de belangen van hun eigen werkgevers. En intussen zijn ze bezig met hun herverkiezing, met de belangen van hun aandeelhouders die mooie winstcijfers willen zien.'

Hij heeft een punt, denk ik onmiddellijk. Het systeem is echt heel complex geworden. Daar zit ook een deel van mijn frustratie. Ik wil het kunnen overzien.

Henk praat verder. 'In Bretton Woods, in 1944, is overigens vooral een politieke keuze gemaakt, gestuurd door de machtigste deelnemer, de Verenigde Staten. Keynes, de meest vooraanstaande econoom uit die tijd, stelde een heel ander internationaal geldsysteem voor, maar dat ontwerp werd door de Amerikanen geblokkeerd. Het was al van de agenda afgehaald voordat de vergadering begon. De vs hadden er alle baat bij om hun eigen voorstel – de dollar als wereldreservemunt – erdoor te duwen.

Zeker nadat de Amerikaanse president Nixon in 1971 eenzijdig de koppeling van de dollar aan het goud opzegde, konden zij veel meer importeren dan exporteren. Het verschil kon namelijk betaald worden in vers gedrukte dollars, die de vs dus niet meer dan de papierprijs kostten. En eerlijk gezegd denk ik niet dat Nixon zo'n wijs man was en het beste met de wereld voorhad. Dit was gewoon een keihard politiek spel, aangestuurd door belangengroepen.

Centrale banken hebben weliswaar een visie voor een lange termijn, maar hun missie is anders geformuleerd. De ECB is ingesteld om de inflatie laag en het financiële stelsel stabiel te houden. Zij moet zelfs een bepaalde mate van werkloosheid stimuleren, omdat men bang is voor de destabiliserende werking van een krappe arbeidsmarkt. Om landen en banken overeind te houden, koopt de ECB nu dubieuze obligaties op. Alles voor de stabiliteit.'

Welke experts je moet geloven – en welke juist niet?

In de trein terug naar Amsterdam denk ik ineens aan mijn oude studenten-kamer. Op mijn klerenkast hing een poster van Noreena Hertz, de enige econoom waar ik ooit echt fan van ben geweest, op een soort filmsterach-tige manier. Op de foto zit ze in een grote leunstoel in een weiland met de armen en benen over elkaar, terwijl ze uitdagend de camera inkijkt. Kom maar op, lijkt ze te zeggen. Ik sta voor mijn ideeën. Ik kwam in mijn studen-tentijd in aanraking met deze stoere, jonge, vrouwelijke professor uit Ox-ford omdat ze in haar boek *IOU* (I Owe You) pleitte voor het kwijtschelden van de hoge schuldenniveaus van arme landen.[*] Ze was toen zesendertig. Door mijn gesprek met Henk moet ik ineens aan haar denken.

Ze heeft een TED-talk gehouden over de vraag: hoe ga je om met experts? Ze breekt daarin een lans voor het koesteren van je individuele vermogen om na te denken, in plaats van blind te vertrouwen op experts die je precies weten te vertellen wat je moet doen. Toch varen we liever op experts dan op onze eigen capaciteit om na te denken en beslissingen te nemen. Noreena stelt dat we ons moeten omringen met andersdenken-den, omdat is bewezen dat deze strategie ons uiteindelijk slimmer maakt. Dat druist tegen ons instinct in: we zoeken liever gelijkgestemden. De waarde van afwijkende ideeën wordt volgens haar grandioos onderschat. De afgelopen jaren zijn we collectief in deze valkuil getuimeld zodat er nauwelijks economen waren die de huidige financiële crisis wisten te voor-spellen. We moeten 'rebelse geluiden' dus veel serieuzer nemen, al wijken ze af van onze eigen overtuigingen.

In die zin zit ik goed. Henk heeft een hele set aan eigen ideeën en STRO durft tegen de heersende tijdgeest in te gaan, zoveel is me wel duidelijk. Hij verdiept zich al jaren in geld en schuld, precies het onderwerp dat economen in aanloop naar de crisis zijn vergeten. Of ik zelf een rebel ben, weet ik niet. Ik zoek vernieuwing en creatieve oplossingen. Maar voor het grootste deel van mijn leven ben ik afgegaan op 'experts' in alle vormen en maten: mijn ouders, mijn leraren op de middelbare school, mijn docen-ten op de universiteit, mijn basketbalcoaches, mijn bazen op kantoor. Ik heb er grandioos veel van geleerd. Mijn vertrouwen in autoriteit is altijd

---

[*]   Noreena Herz, *IOU – Het gevaar van de internationale schuldenlast.* Pandora pocket, 2007.

groot geweest. Zelfs als ik intuïtief het gevoel had dat iets misschien niet helemaal klopte, rationaliseerde ik dat vaak weg vanuit de gedachte dat ik het waarschijnlijk nog niet goed begreep. Anderen hadden er immers veel meer verstand van. Ik stelde mijn oordeel meestal uit en dat doe ik doorgaans nog steeds. Er zijn vaak zoveel kanten aan een vraag en dus ook aan het antwoord.

Waar ik nu tegenaan loop is, dat ik mijn 'expert-houvast' kwijt ben. In de aanloop naar de huidige crisis bleek dat de meeste economen er met hun analyses grandioos naast zaten. Door met uiteenlopende mensen te spreken en allerlei economische boeken te lezen, probeer ik mijn mainstream intellectuele opvoeding aan te vullen met meer onorthodoxe, afwijkende analyses. Ik zoek naar heel andere invalshoeken zonder ze meteen af te wijzen. Het begint me ook steeds helderder te worden dat veel mensen, inclusief economen, het niet met elkaar eens zijn. Op wie ga ik dan af? Op mijn studieboeken, die waarschijnlijk al deels achterhaald zijn? Op mijn opleiding bij de bank? Op mijn docenten van de universiteit? Op mijn vrienden? Op Henk? Ik kijk uit het raam van de trein. Ik zal zelf moeten uitzoeken wat ik voor 'waar' houd. Ik kan moeilijk later tegen mijn dochtertje zeggen dat ik achter de experts ben aangehobbeld en dat het hun schuld is dat ik het verkeerd begrepen heb. Ik moet zelf een visie ontwikkelen. Alleen is dat op het gebied van geld zo ingewikkeld.

Belastingen als sturingsmechanisme
Wanneer ik thuiskom heb ik een mailtje van Henk in mijn mailbox. Er staat:

Onderwerp: *Ook belastingen werken anders dan je denkt...!*

Ha Helen,

Ik bedacht nog een manier waarop ik je de dynamiek van geld kan uitleggen, namelijk door je een makkelijk voorbeeld te geven van een sturingsmechanisme: belastingen.

Ook belastingen geven vorm aan de uitkomsten van veel maatschappelijke processen. Je weet dat er verschillende soorten belasting zijn. Maar heb je je wel eens afgevraagd hoe de samenleving er na verloop van tijd zou uitzien als we de belastingregels totaal zouden veranderen?

Op dit moment komt in Nederland de belastingopbrengst vooral van lasten op arbeid, zoals via loon- en inkomstenbelasting en BTW. Hierdoor wordt arbeid relatief duurder. Dat beïnvloedt natuurlijk de manier waarop bedrijven het productieproces organiseren. Die kiezen de combinatie van productie-factoren zodanig dat hun productiekosten zo laag mogelijk zijn. Dus kiezen ze bijvoorbeeld voor automatisering om arbeidskosten te verlagen. Machines en energie, meestal uit fossiele grondstoffen, worden ingezet om op arbeid te besparen. Of er wordt gekozen voor een wegwerpverpakking omdat er dan minder arbeid nodig is bij de verkoop van het product. Zo stuurt het belasting-systeem de keuzes van individuele bedrijven. Gaandeweg ontstaat er zo een samenleving waarvan we denken dat die van nature zo is, alsof we er niet zelf voor gekozen hebben.

Ik durf dan ook te stellen dat ons belastingsysteem heeft bijgedragen aan de wegwerpcultuur in onze samenleving. We worden erop getraind te denken in termen van weggooien en vervangen in plaats van laten repareren. Alles is vervangbaar: het is immers goedkoper om iets weg te gooien dan om het te laten repareren. Repareren heeft arbeid nodig en arbeid is duur, terwijl grond-stoffen goedkoop blijven doordat ze nauwelijks belast worden. Deze manier van denken wordt vervolgens belangrijker dan ons morele besef om zuinig om te springen met de aarde en met de producten die we hebben. Het heeft ook nau-welijks meer zin om een product met liefde te maken. Niets heeft een intrinsie-ke waarde, alles is vervangbaar. Als het repareren van een computer duurder is dan het kopen van een nieuwe, wordt het logisch om de kapotte computer weg te gooien. Trouwens oude Windows versies worden niet meer ondersteund en de nieuwe versie heeft nieuwe hardware nodig, dus je hebt weinig keus.

Als we ons niet realiseren dat de wijze van belastingheffing dergelijke keuzes beïnvloedt, komen we tot de conclusie dat het weggooien van grondstoffen hoort bij de moderne tijd. Maar we hebben wel degelijk een keuze. We kunnen ook belasting heffen op grondstoffen en fossiele brandstoffen en tegelijkertijd arbeid zoveel mogelijk ontlasten. Dan wordt arbeid goedkoper en het gebruik van grondstoffen duurder. Dat leidt tot hogere werkgelegenheid en minder gebruik van grondstoffen. De keuze om zo min mogelijk belasting te betalen, zal ertoe leiden dat we de uitstoot van CO_2 verkleinen en zuiniger met grondstoffen om-gaan. Het belastingsysteem is net als geld een voorbeeld van een mechanisme dat een sterke sturing heeft op heel veel ontwikkelingen. Vanuit de noodzaak van een transitie naar een duurzame economie moeten we geld, het belastingsysteem en nog enkele zaken aanpassen. *Het is de combinatie van structurele veranderingen die een echt andere werkelijkheid kan creëren.*

Tot volgende week,
Alle goeds, Henk

Stuurt geld ons precies de verkeerde kant op?

Ik klap het scherm van mijn laptop dicht en leun achterover in mijn stoel. Door Henks manier van denken wordt me langzaamaan iets duidelijk. Het zou dus zo kunnen zijn dat er sturingsmechanismen in de samenleving bestaan die ons precies de andere kant op duwen dan wat we diep in ons hart willen. Doordat die sturingsmechanismen niet het langetermijnbelang naar voren brengen, wordt het voor mijzelf, voor iedereen en ja, ook voor bedrijven, misschien wel bijna onmogelijk om de keuzes te maken waar we uiteindelijk het best mee af zijn. Mijn eigen kortetermijnbelang komt tegenover het gezamenlijke langetermijnbelang te staan. En als dat zo is, dan kunnen we eigenlijk nauwelijks zeggen dat we ons onverantwoordelijk gedragen. Op zijn minst worden we ertoe aangezet.

Ik spreek heel vaak mensen die hetzelfde willen als ik. Ze willen hun talent ontplooien, zich ontwikkelen tot hun eigen unieke persoonlijkheid en iets bijdragen aan de wereld – letterlijk: iets betekenen. Ze vragen zich af hoe ze een steentje kunnen bijdragen aan een duurzame, veilige, mooie wereld, iets kunnen doen wat hen inspireert en tegelijkertijd in hun eigen behoeften kunnen voorzien, nu en in de toekomst.

Uiteindelijk sluit het gedrag van deze mensen net als mijn eigen gedrag, vaak niet aan bij deze grotere doelen. Het lijkt erop dat er veel wilskracht voor nodig is en dat je er veel voor moet opgeven om je gedrag in lijn te brengen met wat je echt graag wilt zien. En nu ik erover nadenk: waarom voeren die sturingsmechanismen ons niet een logische weg op die automatisch duurzaam en inspirerend is? Dat is toch raar? De hele natuur is per definitie duurzaam – dat is, letterlijk, haar natuur. Als mens zijn we toch ook onderdeel van de natuur? Hoe kan het toch dat we onszelf bombarderen tot 'meest ontwikkelde soort op aarde' en vervolgens onze eigen habitat om zeep helpen? Ondanks dat we termen als rentmeesterschap en solidariteit hoog in het vaandel hebben staan, komt er van die doelstellingen in de praktijk een stuk minder terecht dan we eigenlijk zouden willen.

Neem de wegwerpcultuur. Daar kan ik me echt druk over maken. Je moet van goeden huize komen om hier niet aan mee te doen. Minder afval produceren kost tijd en moeite. Ik heb er lang over gedaan om mezelf aan te leren een tas mee naar de supermarkt te nemen. Het helpt wel dat je nu voor plastic tasjes moet betalen, als een financiële prikkel om ze langer te gebruiken. Dat is een begin. In een land als Rwanda zijn plastic tasjes verboden; in de meeste landen in Latijns-Amerika wordt een soort plastic gebruikt dat al binnen een half jaar verpulvert. Verboden en heffingen klinken radicaal maar ze werken wél. Als je eenmaal gewend bent om altijd een tas bij je te hebben, denk je er niet eens meer over na. Dan is het gewoon. Door een nieuwe regel verandert je gedrag en daarna kost het nog maar weinig moeite. Je vergeet dat het ooit anders is geweest. Maar voordat het zover is, houden onze angst voor het nieuwe en de macht van de gewoonte veel veranderingen tegen.

Ik staar naar buiten. Het schemert. Ik denk ineens terug aan iets schijnbaar onbetekenends dat zich in mijn vakantie heeft afgespeeld. Het was avond; ik ging mijn tanden poetsen. Op de grond in de badkamer van ons vakantieadres lag een torretje hulpeloos op zijn rug te spartelen. Nu heb ik niet specifiek iets met torretjes, maar het was vakantie en ik had tijd over. Dus pakte ik hem voorzichtig bij zijn pootjes en legde de tor neer op het kozijn. Hij bleef zitten en leek zich even te moeten heroriënteren na de tijd die hij luchtfietsend op z'n rug had doorgebracht. Ik dook er met mijn neus bovenop om hem eens goed te bekijken, nu hij toch stilstond.

Opeens begon hij licht te geven. Ik dacht even dat hij in brand stond, maar toen ik nog eens goed keek, zag ik een groen lichtje dat uit zijn romp kwam. Het was een vuurvliegje. Ik had er nog nooit één van dichtbij gezien. Ik leunde nog wat verder vooorover om hem goed te kunnen bewonderen. Hij bleef rustig staan. *'If you let your light shine, you encourage others to do the same,'* grinnikte ik in mijn hoofd, Mandela citerend. Nadat hij wegvloog deed ik de luiken dicht. Wat een softie ben ik toch, dacht ik geamuseerd, dat ik geraakt kan worden door de symboliek van een torretje.

Hoe nietszeggend een willekeurige tor misschien ook is, dit moment maakte me iets duidelijk. Mijn ervaring met geld is net als die met torren. Ik had nog nooit een tor licht zien geven, dus had ik er ook geen verwachtingen bij. Met geld is dat hetzelfde: we weten niet beter dan hoe geld nu werkt. We vinden ons huidige geld normaal, net als een tor die soms vliegt en soms op zijn rug spartelt. Als we van te voren wisten dat hij ook licht kan geven, zouden we hem niet laten spartelen maar omdraaien. Als we zouden ervaren dat geld betere uitkomsten kan hebben, zouden we misschien sneller bereid zijn er iets aan te veranderen.

'Een zeer verhelderend gesprek dat de ernstige beperkingen van het huidige monetaire systeem bloot legt en laat zien dat er goede alternatieven zijn, onder meer met geld zonder de verlammende druk van rente en met de juiste prikkels voor sterke lokale economieën en sociale samenhang. Dit boek heeft een hoopvolle boodschap in barre euro tijden.'

Arjo Klamer, *hoogleraar culturele economie Erasmus Universiteit en auteur van De Euro valt, en wat dan?*

'STRO werkt al decennia aan een van de lastigste problemen van deze tijd, de los van de werkelijke economie geraakte rol en macht van geld. In dit boek wordt hiervoor een aansprekende oplossing gedemonstreerd. Idealen sterven echter vaak in schoonheid omdat ze niet in het bestaande systeem zijn te introduceren. De grote verdienste van het voorgestelde nieuwe geldsysteem is dat het ook hiervoor een geloofwaardige oplossing aanreikt waar ieder die duurzaamheid wil bevorderen kennis van moet nemen!'

Bastiaan Zoeteman, *hoogleraar duurzaamheid Telos, Tilburg School of Economics and Management, Tilburg University*

'Helen Toxopeus neemt de lezer mee op haar zoektocht naar de aard van geld, en hoe we het beter kunnen gebruiken. Prikkelend en praktisch.'

Dirk Bezemer, *hoofddocent economie, Rijksuniversiteit Groningen*

Van Tokio, 1998, naar Quito, 1999

Na mijn middelbare schooltijd in Wenen verhuisden mijn ouders en zusjes naar Japan. Ik wilde graag weer een tijdje in een ontwikkelingsland wonen, maar toen ik de kans kreeg om mee te gaan naar Tokio, zei ik geen nee. Ik stelde mijn studie een jaar uit en woonde een half jaar bij mijn ouders in Japan. Daarna verhuisde ik voor een half jaar naar Ecuador om vrijwilligerswerk te doen. Het werd een jaar van contrasten.

In Japan groeide de economie al jaren niet meer. In het halfjaar dat ik er woonde, vroeg ik me geregeld af: hoe erg is dat eigenlijk? Tokio leek immens rijk. Waar ik ook om me heen keek, zag ik wolkenkrabbers en winkelende mensen. Wat betekende dat eigenlijk, economische groei? Was dat wel echt wat ze hier nodig hadden? Mannen pleegden er nogal eens zelfmoord wanneer ze hun baan verloren, vanwege het ondraaglijke gezichtsverlies. Toen ik ooit na het uitgaan rond middernacht in de rij op de metro stond te wachten, viel er een man in pak met aktetas vlak vóór mij ineens flauw. Nadat ik de kans had gekregen om mijn gebrekkige Japans en mijn EHBO-cursus in de praktijk te brengen, dacht ik aan al die mensen die na hun eindeloze werkdagen in de metro in slaap vielen. Ik bedacht dat er in Tokio eerder behoefte is aan meer parken, meer rust, ruimte en vrije tijd, dan aan nog drukkere winkels of langere werkdagen. Dat was in ieder geval mijn eigen behoefte in die miljoenenstad. Maar ik wist niet of je dat in economische groei zou kunnen uitdrukken.

Begin 1999 vloog ik van Tokio naar Quito, de hoofdstad van Ecuador, destijds één van de armste landen in Latijns-Amerika. Ik woonde er een half jaar bij een gastgezin waarvan de jongste dochter Engels studeerde. Ze namen me liefdevol op als het vijfde kind in hun gezin. Hun dochter kon met mij haar Engels oefenen. De ouders kwamen uit een arm milieu, maar hadden een eigen groothandel in fruit opgebouwd. Kleine ondernemers uit de hoofdstad kwamen bananen bij hen inkopen.

Ik werkte zes maanden op straat samen met een lokale straatcoach, Marcelo. In deze wijk van Quito-Zuid kende hij alle kinderen die op straat werkten: jongens tussen de 10 en 14 jaar, die bijna allemaal als schoenenpoetser werkten. Daarnaast hadden we een groep kinderen onder onze hoede waarvan de vaders een woonwijk aan het bouwen waren. Zij maakten ter plekke bakstenen en woonden met hun hele familie op het terrein waar hun huizen zouden komen te staan. Omdat ze direct weer moesten verhuizen zodra het werk voltooid was, gingen de kinderen niet naar school maar zwierven dag in, dag uit rond op het terrein. We gaven ze wekelijks les in schrijven en rekenen. Bij vrienden en familie zamelde ik geld in om met alle kinderen op 'schoolreisje' te gaan. We huurden een bus en vertrokken met vijftig kinderen drie dagen naar de jungle.

Armoede kreeg voor mij steeds meer gezichten. Gebrek aan geld was een probleem, maar ook drankgebruik en gebrek aan opleiding vormden obstakels in het leven van de gezinnen die ik in dat halfjaar leerde kennen. Eén keer zat ik in een buurtopvang te kaarten met een aantal straatjongeren die rond de schemering ineens weg moesten, naar hun werk. 'Wat voor werk doen jullie dan?' vroeg ik geïnteresseerd. 'We beroven toeristen,' antwoordden ze goudeerlijk, terwijl ze hun zakmes pakten en hoffelijk afscheid van me namen. Ik kon het automatische 'werk ze!' nog net inslikken.

Ecuador werd eens in de zoveel tijd lamgelegd door een staking van boeren of chauffeurs, tegen hogere olieprijzen of afschaffing van subsidies. Maar het meest ingrijpende dat ik er meemaakte was de hyperinflatie, halverwege 1999.

De nationale munt, de sucre, was al niet bijster populair. Dollars waren veel meer in trek. De sucre verloor dagelijks een stukje van zijn waarde. Ik zorgde ervoor niet teveel sucres tegelijk van mijn Nederlandse rekening te pinnen; verder had ik er niet zoveel last van. Voor Ecuadorianen was het erger: zij hadden geen Nederlandse rekening en hun spaargeld werd steeds minder waard. Zodra ze hun salaris binnen hadden, moesten ze meteen alles kopen wat ze tot aan hun volgende salaris nodig hadden. En dan maar hopen dat hun inkomen met de prijsstijgingen mee zou groeien. Vaak gebeurde dat echter niet en mensen vervielen snel in totale armoede. De inflatie zette door en in de crisis die volgde vertrokken veel mensen naar het buitenland. Ik besefte hoe belangrijk het was om een betrouwbaar financieel systeem te hebben. Het droeg bij aan mijn keuze om het jaar daarop, in mijn eerste jaar in Groningen, naast sociologie ook economie te gaan studeren.

Wat is geld eigenlijk?

Al voordat ik bij het STRO-kantoor ben, heb ik besloten waar ik het vandaag over wil hebben. Ik wil antwoord op een heel simpele vraag. Ik wil zeker weten dat we hetzelfde bedoelen als we het over 'geld' hebben, aangezien ik moeite heb om me voor te stellen hoe je dat kunt veranderen. De vraag aan Henk is dus: wat bedoel je eigenlijk met 'geld'?

Als ik aan de houten tafel zit en mijn vraag aan hem voorleg, knikt hij instemmend. 'Goed idee. Laten we het hebben over de definitie van geld. Laten we het eerst maar eens opzoeken op Wikipedia.'

Ik raadpleeg Google op mijn laptop en lees voor:

'Geld is elk object dat algemeen wordt geaccepteerd als betaling voor goederen en diensten en het aflossen van schulden in een bepaald land of in een bepaalde sociaal-economische context.'

Henk wacht even tot ik klaar ben en neemt dan het woord.

'Laten we die definitie uit elkaar trekken. Wat meteen opvalt is, dat er 'geld is elk object' staat. Als het maar geaccepteerd wordt! Grappig hè. Sigaretten zijn het klassieke voorbeeld van een bijzondere 'geld-soort' die gebruikt wordt in gevangenissen of tijdens een oorlog. De sigaretten krijgen behalve de eigen, intrinsieke waarde (de sigaret kun je oproken) ook een ruil- en betaalfunctie. Al rook je zelf niet, als er maar genoeg rokers zijn is het ook voor jou een interessant betaalmiddel. Je kent waarde toe aan een object omdat je weet dat anderen er waarde aan toekennen. Uiteindelijk zijn sigaretten dan zo ingeburgerd als betaalmiddel of rekeneenheid, dat het vertrouwen erin los komt te staan van de onderliggende waarde. Zelfs als er niemand meer rookt, zal het nog steeds als geld geaccepteerd worden. Iets dergelijks gebeurt nu in Kenia, waar prepaid belminuten als betaalmiddel heel gewoon zijn.

Ons geld kun je niet verbellen of oproken. Het meeste geld is digitaal, je kunt er niet eens meer een vliegtuigje van vouwen. Maar het heeft wel degelijk waarde, omdat je erop vertrouwt dat andere mensen het als betaalmiddel accepteren en omdat de belastingdienst het als betaling van je accepteert.'

Geldschepping gebeurt door commerciële banken

Ik zit te peinzen. 'Maar wat is het dan, dat geld van ons? Waar komt het vandaan?'

'Om dat uit te leggen ga ik naar het tweede deel van de definitie: *geld is datgene dat wordt geaccepteerd voor het aflossen van schulden*. Geld zelf is van oorsprong een vorm van schuld. Het geld dat we dag in, dag uit gebruiken, ontstaat op het moment dat iemand bij een bank een lening afsluit. Door leningen goed te keuren en in hun administratie op te nemen, zorgen banken er voor dat schuld als geld in omloop komt.[*] Intussen betaal je er natuurlijk wel rente over. Wanneer de lening weer wordt terugbetaald, verdwijnt dat geld ook weer. In de tussentijd wordt het in de samenleving gebruikt om onze onderlinge transacties te faciliteren: degene die het leende gebruikt het, maar daarna gebruik jij het misschien wel bij je aankopen in de supermarkt, gaat het als belasting naar de overheid of komt het als rente bij de bank terug. En de bank geeft die rente dan weer door naar spaarders of aandeelhouders en betaalt er haar medewerkers en gebouwen van.'

Henk stopt ineens met praten en kijkt me lachend aan.

'Wat is er?' vraag ik.

'Je zit zo diep na te denken dat je je voorhoofd helemaal fronst.'

Hij heeft gelijk. Ik vraag me af: 'Werkt het echt zo? Banken hebben toch spaargeld nodig om leningen uit te kunnen zetten?'

Henk bevestigt mijn opmerking gedeeltelijk. 'Ja, banken schuiven spaargeld door naar geïnteresseerde leners. Maar ook dat spaargeld is ooit begonnen als nieuw geld dat ontstond toen een bank, tegen

---

[*]   Ook het tv-programma Radar http://www.trosradar.nl/sites/radarextra/ berichtte hier in 2014 over.

rente, krediet verleende dat gedeeltelijk uit nieuw geld bestond. Alle associaties die je met spaarvarkens hebt, zijn hier een vervolg op en die blijven ons bij vanuit onze eigen ervaring. Het beeld uit onze kindertijd dat alles wat je bij de bank leent, bestaand geld is, spaargeld van iemand anders, wordt op school en zelfs op de universiteit in stand gehouden. Daardoor wordt de vraag niet gesteld waar het geld dan wel vandaan komt. Of op zijn minst de vraag: waar komt de geld*groei* vandaan?

In werkelijkheid is de basis van geldschepping dat het 'uit het niets' ontstaat, waarbij een schuldclaim in geld wordt omgezet. Dat nieuwe geld wordt na verloop van tijd iemands spaargeld. Dat komt goed uit, want als spaargeld geeft het dan de (schijn)zekerheid die het scheppen van nog meer nieuw geld rechtvaardigt. En al doende zien we niet meer dat spaargeld eigenlijk eerst ook gewoon nieuw geld is geweest, dat een tijdje terug tegen een schuld in omloop kwam. Toch is dat belangrijk, want door deze oorsprong krijgt het soort geld dat we gebruiken haar eigenschappen mee. Tegen de tijd dat het spaargeld is geworden, is het kwaad al geschied: als je in een eindige wereld nieuw geld als rentedragende schuld in omloop blijft brengen, waarbij de kredietnemers rente moeten gaan betalen voor iets dat er daarvóór niet was, moeten zij en via hen de hele economie dus, maar zien dat ze er méér van blijven maken, om de economie almaar te laten groeien. Je moet je dan afvragen waar het geld vandaan moet komen om die rente te betalen.'

'Komt dat niet gewoon uit de omloop van geld? Die rente is door banken tenslotte ook gewoon weer uitgegeven, zeg je net, dus die kan opnieuw worden ingezet. Wat is daar problematisch aan?'

'Banken vragen rente voor al het nieuwe geld dat ze in omloop brengen wanneer ze een lening verstrekken. Dat dwingt de productieve economie tot nieuwe leningen en dus nieuwe schulden. En dat dwingt de samenleving tot economische groei. Als die er niet is, ontstaan er economische problemen: de rente over die schulden moet namelijk wel opgebracht worden en dat in een markt waar niet meer te verdelen is. Dan wordt het een stoelendans, waarbij altijd weer een stoel te weinig is. Er ontstaat een neerwaartse spiraal waarin bedrij-

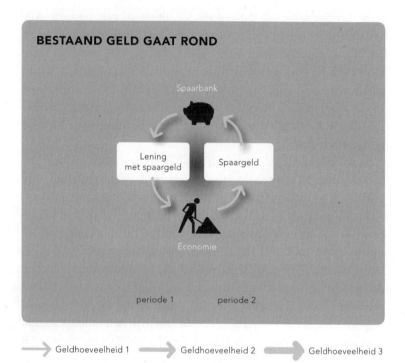

BESTAAND GELD GAAT ROND

Linksboven
Periode 1: Als de geldhoeveelheid constant is, wordt spaargeld uitgeleend.
Periode 2: Die lening wordt na verloop van tijd weer spaargeld.

Rechtsboven
Periode 1: Banken creëren geld uit het niets in de vorm van leningen.
Periode 2: Die lening moet na verloop van tijd terugbetaald worden aan de bank, inclusief rente.
Periode 3: Er circuleert echter niet genoeg geld in de economie om alle leningen plus de rente terug te kunnen betalen. Dat kan alleen door nieuwe leningen af te sluiten waarover ook weer rente betaald moet worden.
Periode 4: Dit leidt tot een gedwongen exponentiële toename van de hoeveelheid schulden en geld in omloop.

Rechtsonder
Spaargeld maakt geldschepping mogelijk. Meer spaargeld maakt meer geldschepping mogelijk. In de praktijk bestaan bankleningen uit spaargeld plus nieuw geld. En al dit geld wordt na verloop van tijd weer spaargeld. De geldhoeveelheid blijft groeien.

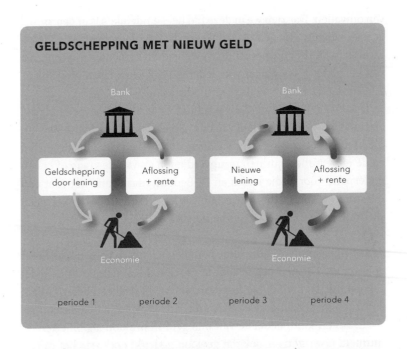

GELDSCHEPPING MET NIEUW GELD

Bank

Bank

Geldschepping door lening

Aflossing + rente

Nieuwe lening

Aflossing + rente

Economie

Economie

periode 1   periode 2   periode 3   periode 4

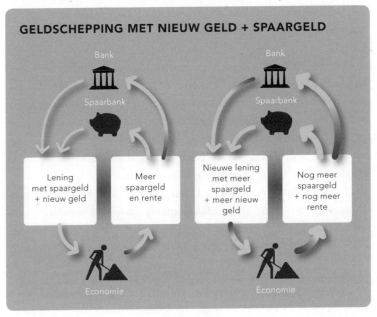

GELDSCHEPPING MET NIEUW GELD + SPAARGELD

Bank

Bank

Spaarbank

Spaarbank

Lening met spaargeld + nieuw geld

Meer spaargeld en rente

Nieuwe lening met meer spaargeld + meer nieuw geld

Nog meer spaargeld + nog meer rente

Economie

Economie

ven omvallen. Dat zien we in deze tijd heel duidelijk. Als er geen groei
is, is er ellende. Het gebrek aan keuze dat daardoor ontstaat is uiterst
kwalijk, want het ontneemt de mensheid de kans op een economie
van het genoeg, waarbij er voor iedereen een mooi leven mogelijk is,
zonder dat daarvoor steeds méér nodig is.*

Doordat geld gebaseerd is op schuld, is de totale hoeveelheid geld
afhankelijk van de capaciteit van ons allemaal om dat geld te lenen. En
die hangt weer af van de verwachting dat we dat geld, plus de kosten
en de rente zullen kunnen terugverdienen en van de vraag of er een
onderpand voor al die leningen is. Bedenk maar eens wat voor een
neerwaartse spiraal dit in de economie kan geven als de banken géén
vertrouwen in nieuwe kredietnemers meer hebben.'

'Ik begrijp je punt over die rente nog niet helemaal. Volgens mij hoeft
de economie er niet per se voor te groeien. Maar eerst over de geldschepping, daar wil ik het fijne van weten.' Ik haal een biljet van vijf
euro uit mijn portemonnee. 'Wat is dit dan? Is dit ook iemands lening?'

'Er is een klein gedeelte van ons geld in omloop als biljetten en
munten. Overigens is ook dat gewoon gedrukt en kreeg het in een
keer waarde toen het door de centrale bank uitgeleend werd aan de
bank die het in zijn pinautomaat stopte.'

Ik stop mijn briefje weer terug. 'Je vertelde me de vorige keer toen
we afscheid namen dat de banken niet kijken naar de behóefte aan
geld, maar naar de mogelijkheid om winstgevende kredieten uit te
zetten. Hoe kunnen banken geld creëren dat er niet is? Daar moet
toch iets tegenover staan? Banken hebben ook gewoon een balans,
net als een bedrijf. Tegenover iedere lening staat een spaartegoed of
iets dergelijks, dat kan niet anders.'

Henk ziet dat ik van mijn stuk ben gebracht. Hij praat rustig door.
'Daar zit de denkfout. Die maakt iedereen. En die zit hem in de volg-
orde. Jij denkt dat je eerst spaargeld nodig hebt, wat je dan kunt uitlenen; net als bij een spaarvarken. Maar het werkt precies andersom.

---

* De term 'economie van het genoeg' verwijst naar het oude boek *Genoeg
van te veel, genoeg van te weinig, Wissels omzetten in de economie* door dr.
B. Goudswaard en H.M. de Lange. Ten Have, Baarn, 1976.

Geld ontstaat op het moment dat er een lening uitgegeven wordt. Jij neemt een lening en krijgt dat bedrag op je rekening gestort. Aan de ene kant heb je dus een nieuwe schuld en aan de andere kant een nieuw tegoed. Die zijn allebei 'nieuw' in omloop gebracht doordat jij bij een bank om geld bent gaan vragen en de bank jouw aanvraag heeft geaccepteerd. De totale hoeveelheid geld is daardoor groter geworden. Jij geeft je tegoed uit aan de aankoop van een huis, aan een auto of iets anders. Dat geld gaat rouleren en komt na verloop van tijd ergens bij jou of bij een ander, op een spaarrekening te staan. Pas dán is er spaargeld, dat de bank dan kan gaan uitlenen. En op de balans van de bank staan tegenover leningen niet alleen spaargelden, maar juist ook vorderingen en de risicodekking daarvan.'

Ik blijf stil. Dit is weliswaar heel anders dan hoe ik dacht dat het werkte, maar Henk zou best eens wel eens gelijk kunnen hebben. Sinds ik me in geld verdiep, kom ik vaker dingen tegen die anders zijn dan ik mijn hele leven heb gedacht. Ik vraag niet verder door en neem me voor om verder te gaan uitpluizen hoe geldschepping precies werkt.

De functies van geld

We gaan lunchen. Er zijn STRO-medewerkers uit het buitenland die meelunchen. Geïnteresseerd vraag ik ze naar hun praktijkwerk in onder meer Brazilië en Uruguay, waar ze samenwerken met partners van STRO. In latere gesprekken zullen Henk en ik het hier ook nog over hebben, heeft hij toegezegd. Na dit levendige intermezzo blijven Henk en ik zitten voor het tweede deel van ons gesprek.

Henk begint. 'We hadden het over de vraag wat geld is. Nu kunnen we door naar de vraag: waar gebruiken we geld voor? Welke functies vervult het in onze samenleving? Ik begin met de drie meest genoemde 'functies' van geld.

Geld is onze *rekeneenheid*. Dat is zoiets als wat de centimeters voor de timmerman zijn. Het is de meest basale functie van geld: een manier waarop we waarde of schulden uitdrukken. Zonder een rekeneenheid kunnen marktpartijen moeilijk met elkaar onderhandelen. Geld geeft ons een helder idee van de relatieve waarde van alle verschillende goederen en diensten. Je kunt natuurlijk een andere rekeneenheid hebben, als je maar allemaal begrijpt hoeveel dat waard is: een brood zou ook een rekeneenheid kunnen zijn, maar broden zijn zo verschillend. Een sigaret en een liter benzine zijn al meer gestandaardiseerd, dus daarmee heb je al een beter idee van de waarde.

Je begrijpt direct wat ik bedoel als je in het buitenland bent, waar alle prijzen staan uitgedrukt in een munteenheid die je niet kent. Je slaat aan het omrekenen en het duurt even voordat je weer een gevoel krijgt voor hoe duur of goedkoop je iets vindt. Je moet wennen aan de rekeneenheid. Dat zag je ook toen we van de gulden naar de euro overstapten en iedereen terugrekende naar guldens om in te kunnen schatten hoe 'duur' iets eigenlijk was, ondanks de verleidelijk laag ogende prijs.

Geld is ook het *betaal- en ruilmiddel* waarmee we kunnen afrekenen. Als ruilmiddel smeert het de economie. Zonder deze smeerolie komt het raderwerk tot stilstand. Vooral bij complexe ruil tussen meer partijen is deze functie erg handig. Je hoeft geen producten of diensten terug te krijgen van degene die iets van jou koopt; je krijgt geld, dat je weer bij anderen kunt besteden. Op die manier is complexere handel mogelijk. Dat is belangrijk, want zo kunnen mensen en bedrijven zich specialiseren. En dankzij hooggespecialiseerde bedrijvigheid kunnen we een beter bestaan opbouwen. Zo hoeft niet iedereen elke dag vele uren per dag zijn eigen voedsel te verbouwen of eigen werktuigen te maken. Ieder bedrijf, maar ook ieder land, kan zich specialiseren en zijn producten en diensten verhandelen, zodat we samen meer kunnen bereiken. We hebben geleerd te denken dat economie gaat over het veroveren van markten en het overwinnen van concurrenten. Maar dan zien we wel over het hoofd dat de echte welvaart het gevolg is van taakverdeling en samenwerking.

In principe biedt specialisatie mensen de mogelijkheid om werk te doen dat goed bij hen past en waarin ze zich kunnen ontplooien. In mijn ideale maatschappij dwingen de sturingsmechanismen af dat geld gebruikt wordt om machines te kopen die het werk doen dat mensen niet graag doen, omdat dát de meeste winst oplevert. Dat verhoogt de kwaliteit van het bestaan.'

De spaarfunctie van geld

Henk vervolgt zijn visie op de functies van geld. 'De derde functie die geld heeft, is de *spaar- of oppotfunctie*. Met behulp van geld verzamelen we koopkracht voor in de toekomst. Natuurlijk moet geld zijn waarde dan wel behouden. Dat gebeurt als de rente minstens zo hoog is als de inflatie.

Maar de functie van geld als spaarmiddel is strijdig met die van geld als betaalmiddel. Waar de betaalfunctie de economie smeert, kan de oppotfunctie de economie verlammen. Dat zien we vooral gebeuren tijdens een crisis. Als het economisch minder gaat en er ook nauwelijks inflatie is, is het voordeliger voor bedrijven en consumenten om het geld op te potten of via speculatie aan de crisis te verdienen dan om productief te investeren. Zo wordt een economische teruggang steeds groter.

Desondanks wordt de oppotfunctie niet ter discussie gesteld. Dat is misschien ook niet zo vreemd, want die oppotfunctie is rechtstreeks verbonden met de mogelijkheid om geld dwars door tijd en ruimte als machtsfactor in te zetten. *Geld is dan een claim om, op een nog niet bepaald moment op een nog niet bepaalde plaats, macht uit te gaan oefenen.* En dat staat uiteraard nauwelijks ter discussie. Misschien is het dan ook eerlijker om dit de machtsfunctie te noemen.

Ik denk ook dat de machtsfunctie in de praktijk de dominante functie van geld is. Er wordt zelfs een premie op machtgeld gezet: wie er veel van heeft, kan anderen dwingen om via rentebetalingen macht in te leveren...'

Ik val Henk in de rede. 'Nu ga je te ver. Ik zie sparen als een heel belangrijke functie van geld. Ik wil kunnen sparen voor mijn pensioen, voor mijn kinderen, voor als mijn wasmachine en stofzuiger tegelijk kapot gaan, of voor als ik een keer een mooie reis wil maken of mijn baan wil opzeggen. Daar is toch niets mis mee? Het gaat mij niet om macht, maar om toekomstplannen. Ik zet het op de bank en die kan het weer uitlenen aan mensen die het nu goed kunnen gebruiken, totdat ik het zelf weer nodig heb.'

Henk houdt voet bij stuk. 'Kijk ook even naar de grote lijn. Dat spaargeld van jou is maar een heel klein deel van het geld. Laten we zeggen: de vlag op de modderschuit. Je kunt je afvragen of dat sparen niet op een andere manier te regelen is, zonder dat we de hele wereld tot een strijdtoneel maken.'

Dit bevalt me helemaal niet. Henk ziet me stuurs kijken. Sparen is me dierbaar. Hij gooit het over een andere boeg.

'Ik geef je een voorbeeld. In de Middeleeuwen ontdekten moderne burchtheren dat het hebben van veel geld slimmer was dan het hebben van een groot leger. Immers: wie genoeg geld had, hoefde maar net genoeg soldaten in dienst te hebben om in geval van nood zijn kasteel te verdedigen en het te kunnen behouden totdat zijn huurlingen hem zouden komen ontzetten. Soldaten huren was veel goedkoper dan permanent heel veel soldaten te hebben. Die brachten hoge kosten met zich mee. Wie zo op zijn kosten kon besparen, kon zijn rijkdom en macht verder laten aangroeien en dan eisen gaan stellen aan anderen door te dreigen met geweld door huurlingen. Het feit dat iedereen wist dat een rijke kasteelheer op ieder moment een enorm leger kon inhuren, zorgde ervoor dat de meeste mensen maar liever deden wat hij wilde. En dat hielp hem dan om nog weer rijker te worden.'

Ik ben even stil en zeg dan: 'Natuurlijk zijn er mensen die misbruik maken van hun geld en de macht die daarbij komt kijken. Dat zal altijd zo blijven. Maar dat is toch nog geen reden om de spaarfunctie af te schaffen, als dat al kan? Sparen maakt het mogelijk om je leven beter te plannen. Met democratie, cultuur en regelgeving kunnen we ervoor zorgen dat er geen misbruik van wordt gemaakt.'

Henk houdt voet bij stuk. 'Je belast de democratie wel met hele moeilijke taken! Ik hoop dat je ziet dat je zo de deur wagenwijd openzet voor dingen die jij zeker ook niet wilt. Misschien is het goed om eens na te gaan of een gewone burger het echt nodig heeft om op een bankrekening geld te sparen dat anonieme mensen in een schuldverhouding tot hem brengt.

Er zijn zoveel andere manieren om te sparen en je toekomst te plannen. Waarom staren we onszelf blind op geld als spaarmiddel? Het gaat ons toch niet om het geld zelf, maar om de onderliggende waarde die we willen 'sparen' voor de toekomst? Investeer je geld in een duurzaam huis, ga relaties aan met mensen in je buurt, zoek iemand die een huizenruil met je wil doen voor je vakantie, word onderdeel van een zorgnetwerk. Betaal een boer in de buurt een stukje van zijn lasten voor de grond, zodat hij minder aan de bank hoeft te betalen en jou ergens in de toekomst een seizoen lang groente levert. Er zijn zat alternatieven, zoals het oorspronkelijke Islamitische financieren trouwens ook heeft laten zien. De nadelige effecten van de machtsfunctie van geld zijn veel groter dan de positieve.'

Het betoog van Henk gaat er bij mij niet in. Het doet me denken aan mijn tijd in Ecuador, waar zich min of meer afspeelde wat Henk nu schetst. Door de hoge inflatie en de onzekere politieke situatie vertrouwden Ecuadorianen veel minder op geld als spaarmiddel dan wij in Nederland. Het geld dat ze verdienden, gaven ze direct weer uit aan dingen die in de toekomst van pas zouden komen, of geld op konden gaan brengen. Van geld dat ze over hadden, bouwden ze bijvoorbeeld een verdieping op hun huis – voor hun eigen kinderen en hun toekomstige families, of om te verhuren. Het gastgezin waar ik bij inwoonde had zijn geld geïnvesteerd in een eigen belwinkel; dat was een vorm van pensioen, voor wanneer hun werk in de fruitgroothandel fysiek te zwaar zou worden. Slim, maar ook risicovol. Hoe weet je of belwinkels in de toekomst nog nodig zijn, als de technologische ontwikkeling zo snel gaat? Geld is in die zin veiliger – mits het zijn waarde behoudt. Je hoeft dan nog niet te kiezen waar je het aan uitgeeft. En dus kunnen je behoeftes ook nog veranderen. Hoewel – is die flexibiliteit dan misschien niet juist een deel van het probleem? Want als jij niet kiest, wie kiest er dan waar het geld voor wordt gebruikt? Wanneer ik het spaar, moet er toch iets mee gebeuren. Maar wat ermee gebeurt, weet ik eigenlijk niet.

Terwijl ik hierover na zit te denken praat Henk verder: 'Ik wil sowieso vraagtekens zetten bij het idee dat we *in geld* kunnen sparen. Stel dat we vanaf vandaag allemaal ál ons geld gaan sparen. Niemand geeft of leent nog iets uit. Dan komt onze economie knarsend tot stilstand. En omdat er dan ook niets meer wordt geproduceerd, verouderen de productiemiddelen en kunnen we in de toekomst minder verdienen. Zo worden we dus armoedzaaiers met een spaarrekening.

Maar in een economie waar niets gebeurt, heeft ook ons spaargeld geen enkele waarde meer. Om sparen waarde te geven is er economische activiteit nodig en daarvoor moeten mensen hun geld laten rollen. Al die dingen hangen met elkaar samen en we moeten leren om dat als één geheel te zien. We sparen immers schuldbewijzen, want via de bank is iemand jou geld schuldig. Hoe onevenwichtig die relatie ook lijkt, in werkelijkheid is die tweezijdig, want om het schuldbewijs waarde te laten houden, mag het niet te slecht gaan met degene die de schuld heeft.'

Hij is even stil en voegt er dan aan toe. 'Dat je spaargeld niet stil in een kluis ligt, gaf je zelf al aan.'

Ik knik. Toen ik klein was, dacht ik dat het spaargeld de kluis niet uitkwam. Met dank aan de Donald Duck, waarin oom Dagobert letterlijk zwom in zijn geld en baantjes trok in zijn geldpakhuis. Mensen die geld nodig hebben voor hun bedrijf, of om een huis te kopen, lenen geld. Daarom dacht ik altijd dat het heel sociaal was om te sparen. Wat ik nu begrijp is dat ook dit verhaal niet helemaal klopt. Ondernemers hebben mensen nodig die hun producten kopen; zo houden we onze economie op gang. In die zin is je geld uitgeven misschien wel socialer. Bovendien brengen banken nieuwe leningen in omloop zonder dat ze daar eerst spaargeld voor nodig hebben – al speelt het wel een rol.

Henk wil verder praten maar bedenkt zich. 'Ik wil vandaag nog even doorpakken om duidelijk te maken wat volgens mij geld eigenlijk nog meer is. Ik stel dus voor dat we het onderwerp spaargeld even parkeren en dat ik doorga met een vierde functie van geld. Die is namelijk verweven met de machtsfunctie. Misschien begrijp je dan waarom ik jouw spaargeld maar ondergeschikt vind.'

Functie vier: een middel om rijker te worden, vooral door speculatie

Een vierde functie? Ik ken er maar drie. Henk ziet me denken.

'Die vierde functie staat niet in de studieboeken, maar in de praktijk draait het daar bij het meeste geld wel om. Want in dit tijdperk van meer-en-meer is het niet voldoende dat geld zijn waarde behoudt. Rijke mensen verwachten dat hun vermogen meer waard wordt. Gezien de omvang van de financiële industrie die zich hieromheen heeft ontwikkeld moeten we deze functie van geld nu echt wel onderscheiden: tegenwoordig is *niet-productieve geldvermeerdering en speculatie zo belangrijk geworden dat het nu misschien wel de belangrijkste functie van geld is.* Belangrijk in de zin van invloedrijk. En om compleet te zijn pak ik er direct een vijfde functie bij: *geld als middel voor bedrijven en landen om zich tegen speculatie te verdedigen.*

De hoeveelheid geld in de financiële markten is de laatste veertig jaar exponentieel gegroeid, veel sneller dan de reële economie. We hebben het over een enorme hoeveelheid geld die niet wordt gebruikt als transactiemiddel bij normale handel, maar voor het manipuleren van markten, overheden en bedrijven. Deze nieuwe geldfunctie heeft alles te maken met de ontwikkeling van de computertechnologie. Sinds de jaren zeventig van de vorige eeuw is het mogelijk geworden om geld in milliseconden te verplaatsen en in te zetten om de financiële werkelijkheid in markten op slag te doen veranderen.'

Ik val hem in de rede. 'Ik kan haast niet geloven dat dit klopt. De hoeveelheid geld groeit toch omdat de economie groeit? Mijn spaargeld wordt – indirect weliswaar – gebruikt om leningen te verstrekken aan anderen, die er nuttige dingen mee doen. De economie groeit daarvan en ik pik er een graantje van mee omdat ik mijn geld ter beschikking stel.'

'Nee,' zegt Henk. 'De totale hoeveelheid geld is de afgelopen decennia veel harder gegroeid dan de economie. Een groot deel van dat nieuwe geld is niet ingezet voor de betaling van nuttige dingen, maar voor speculatie. En de winsten die in het proces van speculatie worden gemaakt, leveren lang niet altijd een bijdrage aan het economischer maken van de productie. Vaak gaat speculatie ten koste van mensen en bedrijvigheid; het is zelfs een proces dat waarde kan vernietigen.

En dat is nog niet alles. Er gaat heel veel geld naar speculatie en dat dwingt tot de verdediging tegen speculatie. Het is krankzinnig als je ziet hoeveel geld overheden en bedrijven nodig hebben om zich in te dekken tegen de risico's van speculatie. Voor hen zijn dat noodzakelijke extra kosten die niet meer toevoegen dan een verdedigingswal tegen de speculanten. Net als het geld dat rondgaat om mee te speculeren is ook dit verdedigingsgeld voor een deel niet beschikbaar voor de producten en diensten van bedrijven, want het heeft de handen vol aan het beschermen van de waarde van bijvoorbeeld nationale munten of van grondstofprijzen tegen de manipulatie. Zowel met speculatie als met het indekken daartegen is enorm veel geld gemoeid. Daarmee vergeleken stelt de hoeveelheid geld die wordt ingezet om productie en handel te organiseren steeds minder voor. Daarom denk ik dat we deze functie van ons soort geld onderhand maar eens moeten onderkennen en de (on-)wenselijkheid daarvan – en de alternatieven daarvoor – moeten beoordelen.'

Ik weet niet waar ik moet beginnen met mijn weerwoord. Henk laat me even denken. De bel van een fietser op de gracht verstoort mijn overpeinzing. Uiteindelijk vraag ik maar: 'Hoe kan de hoeveelheid geld harder groeien dan de economie?'

'Dat komt door de manier waarop geld in omloop komt en door de prikkels die daarachter zitten. De omvang van de geldhoeveelheid, dus van de totale hoeveelheid krediet die in omloop is, is niet gekoppeld aan de onderliggende groei van de productiecapaciteit of de waarde van producten, hoe logisch dat misschien ook zou zijn. Op nationaal niveau en dus ook op wereldschaal, bepalen banken hoeveel geld er in omloop is, omdat zij degenen zijn die via leningen nieuw geld in omloop brengen. Daarmee hebben we het recht om de geldhoeveelheid te bepalen in handen gegeven van commerciële bedrijven die ieder voor zich doen wat voor hen het meest winstgevend is. De geldhoeveelheid ontstaat als gevolg van de vraag naar krediet, van het vertrouwen van de banken in het onderpand van de schulden en van het vermogen van de kredietnemer om rente te betalen. Ik hoef je na de kredietcrisis toch niet te vertellen hoeveel winsten hedgefondsen hebben behaald en hoe banken steeds verder gingen met het risicovol financieren van speculatieve markten?'

Terwijl ik luister denk ik: dit kan niet waar zijn. De ene na de andere tegenwerping komt bij me op, maar een klein stemmetje zegt: je hebt toch zelf meegemaakt hoe een rendabele bank als ABN-AMRO onder druk van speculatief geld in stukjes werd geknipt...

Investering tegenover speculatie

Ik doorbreek de stilte. 'Ik zou graag wat meer bewijs voor jouw analyse zien voordat ik daarin meekan. Over sparen heb ik duidelijk andere opvattingen dan jij. Toch deel ik je zorgen, zeker over de groeiende ongelijkheid in de wereldwijde inkomensverdeling en over onze omgang met de natuur. Ik denk ook dat geld daar op de één of andere manier een rol in speelt. Of jij dat nou volledig juist hebt ontleed, weet ik niet zeker. Maar wat ik interessant vind, is wat je over speculatie vertelt. Hoe is dit volgens jou zo groot geworden? Het is toch van alle tijden, waarom loopt het dan nu zo uit de hand?'

'Inderdaad, speculeren is niets nieuws. De tulpenbubbel in de 17e eeuw is een mooi voorbeeld van hoe een aantal mensen enorm verdiende aan speculatie. Wikipedia vertelt het volgende:

Tulpenmanie was een hausse in de tulpenhandel in Holland en Utrecht die rond 1634 opkwam en waaraan begin februari 1637 een abrupt einde kwam. Het verschijnsel wordt ook tulpomanie, tulpenwoede, tulpengekte, bollengekte en bollenrazernij genoemd. In de Nederlandse Gouden Eeuw bereikten de prijzen van de nieuw geïntroduceerde tulpenbollen extreme hoogten. In januari 1637 werden tulpenbollen verkocht voor meer dan tien keer het jaarsalaris van een ervaren vakman en waren ze ongeveer evenveel waard als een Amsterdams grachtenpand. Ook werd er gespeculeerd in opties op tulpen die op dat moment nog in de grond zaten. De Tulpenmanie wordt door economen gezien als de eerste uitgebreid beschreven bubbel (speculatiegolf) in de wereldgeschiedenis. De term tulpenmanie wordt vaak gebruikt als metafoor voor een grote economische bubbel.

Het ging de mensen niet meer om de tulpen, maar puur om wat er aan de prijsstijging te verdienen was. En aanvankelijk ging dat goed. Steeds meer mensen wilden ook meedelen in de winst en dat dreef de prijzen nog verder op. Totdat het geheel als een kaartenhuis ineenstortte en de mensen die toen claims hadden uiteindelijk met waardeloze waardepapieren bleven zitten. Deze oer-Hollandse les zijn we vergeten. Sinds de jaren zeventig van de vorige eeuw is speculatie enorm toegenomen. Computers kunnen in milliseconden geld over de wereld verplaatsen om te verdienen aan prijsschommelingen van nationale munten, aandelen, opties, de prijzen van grondstoffen, en-

zovoort. We kunnen als samenleving echt niet negeren dat speculatie dankzij de IT-ontwikkelingen de wereld op ongekend grote schaal
is gaan domineren. Als de werkelijkheid verandert, moet de aanpak
van de economie en de keuze voor een bepaald soort geld opnieuw
gemaakt worden. Dat is echt nodig want als zoveel geld zich met speculatie bezighoudt, is een van de gevolgen dat vraag en aanbod uit
evenwicht dreigen te raken. Wie veel geld heeft, belegt dat nauwelijks
nog om nieuwe productiemiddelen te kopen, maar stopt het in de geld-
handel. Ook bij aandelen gaat het nauwelijks nog om de reële waarde
van aandelen, maar vooral om de koerswisselingen op de aandelen-
markt. Speculatie dus.'

Ik bekijk het genuanceerder. 'Een beetje begrijp ik ook wel dat mensen een graantje willen meepikken als ergens de prijs van stijgt. Is
dat altijd slecht?'

Henk kijkt me schuin aan. 'Graantje meepikken? De hoeveelheden
speculatief geld zijn zo groot dat ze de prijsstijgingen zelf afdwingen.
Dat heeft verstrekkende gevolgen en geldt voor vrijwel alle vormen
van speculatie. Speculatie maakt economieën instabiel. Eerst vloeit er
veel geld naar opkomende economieën, dan stroomt dat weer naar de
dollar, dan weer naar goud, enzovoort. Eén van de gevolgen hiervan
is dat importerende en exporterende bedrijven veel minder zekerheid
hebben over hun kosten en inkomsten, waardoor menig gezond bedrijf kapot gaat.

En dan is er nog een probleem waar we nu keihard tegenaan lopen.
Toen het vermogen van het rijke deel van de bevolking nog werd uitgegeven of geïnvesteerd in productieve bedrijven, bleef het voor een
groot deel als koopkrachtige vraag binnen de reële economie. Maar
nu er computers zijn die in een milliseconde hele vermogens kunnen
verplaatsen, verdien je meer met speculeren dan met productieve bedrijvigheid. Of het nu gaat om investeren in bedrijven die machines
of consumentenartikelen maken, of die werken aan iets waardevols
als ecologische transitie: het wordt allemaal afgemeten aan wat er te
verdienen valt aan de manipulatie van markten, bedrijven en munten.
Geen wonder dat we met een instabiele economie zijn komen te zitten. En geen wonder dat geld, ondanks die overvloed, maar zo moei-

lijk beschikbaar komt als koopkracht in de reële economie.

Om het tekort aan koopkrachtige vraag op te vangen dat ontstaat wanneer er zoveel geld zit in speculatie of beschermingsconstructies daartegen, moet er steeds meer worden geleend om de koopkracht op peil te houden. Tot 2008 deden particulieren dat door hoge hypotheken te nemen. Die ballon werd in 2008 doorgeprikt en nu hebben overheden het stokje overgenomen als degenen die zich steeds verder in de schulden steken om de onttrekking van geld uit de reële economie door de speculatieve sector te compenseren. Maar vroeger of later is ook dat niet houdbaar.

Wanneer het rijkste en almaar rijker wordende deel van de wereldbevolking steeds vaker kiest voor speculatie als besteding van zijn geld, raakt het evenwicht tussen vraag en aanbod van spullen en diensten steeds verder verstoord. Er ontstaat simpelweg een tekort aan koopkracht en dat is niet eeuwig op te vullen met weer nieuwe leningen. Vermoedelijk zal de groei in de armere delen van de wereld weer even ruimte bieden, maar ook dat kan niet eindeloos. Altijd staat er weer een nieuwe crisis voor de deur.'

Hij moet iets voor me verduidelijken in zijn betoog. 'Henk, wat is het verschil tussen investeren en speculeren?'

'Als we ons geld uitlenen aan bedrijven die dat productief inzetten, door er bijvoorbeeld een nieuwe machine mee te kopen of het in marketing te stoppen, dan is het doel de creatie van waarde. Dat schaar ik onder investeren. Als jouw spaargeld daarvoor wordt gebruikt, pik jij een graantje mee van iets nieuws dat zich ontwikkelt, terwijl je ook deelt in de risico's. Het bedrijf geeft dat geld direct uit, waardoor het als koopkracht beschikbaar komt.

Geld dat wordt ingezet om te verdienen aan een prijsstijging of prijsdaling van bijvoorbeeld een buitenlandse munt, olie of maïs, of aan de opsplitsing van een bedrijf, is speculatief bezig. Dat geld voegt geen waarde toe en zuigt vaak zelfs bestaande waarde weg. Het wordt heen en weer geschoven van de ene rekening naar de andere en is maar mondjesmaat beschikbaar als normale koopkracht.'

Hij pauzeert even. Op iets gemoedelijker toon praat hij door. 'Er is trouwens al lang een oplossing bedacht om die door computers mogelijk gemaakte speculatie te bemoeilijken. Hij is alleen nog niet ingevoerd: de *Tobin Tax*. Dat is een heel kleine belasting op geldtransacties. Die zou een groot deel van de flitstransacties meteen verliesgevend maken, al weet ik niet of het afdoende zou zijn om er helemaal vanaf te komen. Maar er zijn genoeg oplossingen aangedragen. Binnen de EU zijn ze al tijden aan het steggelen over een variant daarop, de *bankbelasting*.'

Ik grijp mijn kans om ook weer wat in te brengen.

'Er spelen ook andere dingen. Nu doe je alsof de Grieken zelf geen schuld hebben aan alles wat daar gaande is. Maar er is ook een reden dat investeerders hun geld daar hebben weggehaald. De Grieken zijn teveel schulden aangegaan, hebben dat geld niet goed geïnvesteerd en de boekhouding te rooskleurig voorgesteld. Dat hebben ze aan zichzelf te wijten, al vind ik het verschrikkelijk welke gevolgen dat nu voor de gewone burger heeft. Een heel land wordt de armoede ingetrokken. Maar je kunt onverantwoordelijk gedrag toch niet belonen? Dan gaat iedereen dat doen!'

Henk kijkt me aan en zegt: 'En wat hebben we hier in Nederland gedaan? Dat is niet zo heel erg anders. We zijn teveel schulden aangegaan, omdat we dachten dat de waarde van onze huizen zou blijven stijgen. Daarom zitten we nu met enorme hypotheekschulden. Niemand zei er wat van, want iedereen profiteerde mee. Daar hebben we achteraf gezien ook spijt van, maar nu is het te laat. Als je altijd rentedragend geld moet lenen om je economie draaiend te houden en je moet zoals Griekenland ook nog concurreren met rijkere en meer ontwikkelde Europese landen met wie je je munt deelt, dan biedt het huidige geldsysteem gewoon te weinig keus. Wij zitten er in Nederland nog warmpjes bij. Maar vergis je niet: wanneer de rente hier oploopt tot Griekse hoogte, blijft er weinig van onze welvaart over. Wij kunnen ook slachtoffer worden van de speculatie. Ik vind het ongelooflijk dat we ons zo ondergeschikt hebben laten worden aan de financiële markten en vooral dat we erin berusten.'

Terwijl ik ons gesprek op mijn laptop probeer samen te vatten, schenkt Henk nog wat thee in en pakt het verhaal weer op.

'Kijk er eens wat meer van een afstandje naar. Je ziet dan direct dat de keuze voor dit soort geld een grote ethische en morele dimensie heeft. Er zijn nu mensen in Griekenland die hun zorg niet meer kunnen betalen omdat Griekenland zijn schulden aan rijkere landen moet terugbetalen. Het land ligt in puin en het geldsysteem heeft daarbij niet geholpen – om het voorzichtig uit te drukken. En de gemiddelde Griekse burger begrijpt niet eens wat er aan de hand is, laat staan dat hij er schuld aan heeft.

Maar er is ook een positieve kant aan, want deze situatie opent veel mensen de ogen en biedt een enorme kans om alternatieven op te bouwen. In de getroffen landen móeten de mensen wel op zoek naar alternatieven. Maar leuk is anders, op deze manier.'

Henk leunt naar achter in zijn stoel en zegt:

'De onderliggende dynamiek van ons geldsysteem wordt steeds zichtbaarder en dat is niet zo gek. We bevinden ons op het hoogtepunt van onze afhankelijkheid van dit geld – of op een dieptepunt, het is maar hoe je het bekijkt. Daarom hebben de financiële sector en mensen met geld zo ontzettend veel macht. Geld heeft bijna overal de traditionele, cultureel bepaalde organisatievormen in de samenleving verdrongen. De culturen waarin de status van mensen afhing van hun vrijgevigheid zijn bijna van de aardbodem verdwenen. Bijna alle samenlevingen worden tegenwoordig door geld gestuurd. Maar organiseert het geldsysteem de wereld wel zo goed? Ik vind van niet! Als je het vergelijkt met wat er in wezen mogelijk is, faalt het grandioos. Mogelijkheden blijven onbenut: grondstoffen worden inefficiënt gebruikt en problemen worden doorgeschoven. En niet alleen in arme landen, hier net zo goed! We zitten gevangen in de bestrijding van symptomen. In dit geldsysteem is noch het hebben van zinvol werk, noch het zuinig omgaan met de natuur en eindige grondstoffen hoofdzaak, maar slechts een bijeffect. Als we geluk hebben tenminste.'

Hij pauzeert en kijkt me aan.

'Begin je te begrijpen waarom we bij STRO naar andere geldsoorten zoeken? Als je weet dat er alternatieven zijn die wél bijdragen aan welvaart en duurzaamheid, dan kun je niet anders meer dan je daarop richten. Maar regeringen negeren zelfs de alternatieven die het makkelijkst in te voeren zijn, zoals een belasting op het ongebruikt laten

van geld, een eigen wisselkoers voor iedere regio met een eigen economische structuur, de Tobin tax op speculatieve transacties enzovoort.
Daarom zoekt STRO naar manieren om deze veranderingen van onderop kansen te geven. Al valt het budget van ons innovatieprogramma in
het niet bij wat er in één enkele minuut aan speculatiegeld rondgaat,
toch komen we, met dank aan onze donateurs, sponsors en partners,
stap voor stap dichter bij échte vernieuwing van het geldsysteem.

Natuurlijk vragen wij ons af waarom hier zo weinig mensen mee
bezig zijn. Ik denk dat een belangrijke reden is dat maar weinig mensen zich realiseren dat er überhaupt verschillende soorten geld bestaan en dat er mogelijkheden zijn om zelf vorm te geven aan alternatieven. Via voorbeeldprojecten hopen we dat zichtbaar te maken en
met dit boek hopen we veel meer mensen bij ons werk te betrekken.
Met wat meer steun kunnen we onze projecten een stuk professio-
neler opzetten, met ervaren managers, garantiefondsen, enzovoort.'
Daarover lees je meer in het deel 'Met uw hulp nu de doorbraak' ach-
teraan dit boek.

Het scrabblewoord: vermeerdermiddel

Het regent pijpenstelen als ik na afloop van het gesprek met Henk de straat op stap. In mijn jas gedoken word ik bijna omver gereden door een fietser. 'Maakt niet uit,' mompel ik in gedachten verzonken. Ik probeer het gesprek van de afgelopen uren een plek te geven. Er zijn een paar spreekwoorde-lijke klompen gebroken. Wat moet ik met al deze nieuwe kennis? Waar kan ik met Henk mee in zijn redenering en waar niet? Ik haal de afgelopen uren in mijn hoofd weer terug.

De definitie van geld – dat was nog makkelijk. *Geld is wat we algemeen accepteren als betaling voor goederen en diensten en als aflossing van schul-den.* 'Gestold vertrouwen' wordt het ook wel genoemd. Als we er niet meer in geloven dat andere mensen iets als 'geld' zullen accepteren, dan is het snel afgelopen. Vertrouwen is de basis van geld. Zonder vertrouwen ben je nergens. Dat is helder.

We vertrouwen op een geldsysteem waarin banken bepalen wie er een lening krijgt en daarmee waar het geld als eerste aan wordt uitgegeven. De vraag is of dat goed uitpakt. De manier waarop geld in omloop wordt gebracht, door instellingen – commerciële banken – die bezig zijn daar zelf zoveel mogelijk aan te verdienen, is volgens Henk mede oorzaak van de problemen waar we nu mee zitten.

Dan de eerste twee functies van geld: rekeneenheid en betaalmiddel. Daar wijkt de analyse van Henk niet veel af van de norm. Bij de derde functie wel: geld als spaarmiddel. Voor hem jagen spaartegoeden de geld-schepping aan en is geld allereerst een schuld die iemand is aangegaan. Dan klinken ook spaartegoeden ineens een stuk minder positief. En dan de vierde functie die hij benoemde: speculatie. Ik plak er in gedachte de term *vermeerdermiddel* op. Goed scrabblewoord trouwens.

Ik heb echt moeite met zijn kijk op sparen, besef ik. Ik ben opgegroeid met het idee dat sparen goed is. Het klinkt degelijk, zuinig en verantwoor-delijk en ja, zelfs duurzaam! Door te sparen voor later laat je zien dat je je behoeftes kunt uitstellen. Dat je niet als een soort shopverslaafde door de Koopgoot loopt om allerlei troep te kopen die je door reclameborden en verkopers wordt aangepraat, om die vervolgens ongebruikt op zolder te leggen om ze jaren later tot vuilnis te zien verworden. Als je spaart, doe je dat allemaal niet. Je kunt jezelf beheersen. Je zet geld opzij om later een grote aankoop te kunnen doen, of om te investeren in de opleiding van je kinderen. In ruil voor jouw spaargedrag krijg je een vergoeding, want andere mensen kunnen je geld ondertussen goed gebruiken. Logisch toch?

Henk reduceert deze logica tot één van vele. Voor hem is het minstens zo belangrijk wat er al doende met de koopkracht gebeurt. Als je geld niet onder je matras legt maar op de bank zet, zorgt de bank er weliswaar voor dat het weer terug in circulatie komt, maar daarmee wordt de ontvanger op een indirecte manier mijn schuldenaar. Een schuldenaar die rente moet betalen voor zijn toegang tot geld. Daarmee dwingt mijn spaargeld hem als het ware tot economische groei, waaruit die rente betaald moet worden. Als ik het in plaats daarvan gewoon bij de lokale winkelier had uitgegeven, had die winkelier het geld niet hoeven te lenen en er ook geen extra financiële kosten bijgekregen. Als je het bekijkt op het niveau van de samenleving zit er misschien toch wel wat in Henks gedachte dat teveel sparen destabiliserend kan werken. Zelfs de heer Rutte maakte zich daar zorgen over. Of we alsjeblieft willen gaan shoppen.

Allemaal goed en wel, maar ik kan mijn behoefte om te sparen niet zomaar bij het grofvuil zetten. Er moet toch een balans te vinden zijn, waarbij spaargeld en rente geen probleem zijn omdat er ook nog genoeg geld circuleert? Moet het altijd uit de hand lopen? Er is vast een middenweg. Sparen maakt investeringen mogelijk en die zijn toch zeker ook nodig?

Maar ook bij investeringen hebben we tegenwoordig een probleem. Wanneer het slecht gaat met de economie, worden er hogere rentes geëist. Dus *juist* op het moment dat bedrijven behoefte hebben aan lagere financiële kosten en soepelere voorwaarden, worden hun kosten hoger en krijgen ze vaak helemaal geen leningen! Datzelfde geldt voor landen: toen Zuid-Europa goedkoop geld nodig had, werd het geld dáár duurder en hier goedkoper. Geen wonder dat het vervolgens meestal misgaat. Het is een vorm van negatieve terugkoppeling die een neerwaartse spiraal op gang brengt.

Toen Henk stelde dat sparen meer en meer is ontaard tot speculatie – vermeerdering zonder een productieve bijdrage te leveren – werd ik helemaal ongemakkelijk. En wat me nog meer dwarszit: waarom begrijp ik niet precies hoe dit werkt?

Intussen heb je bij de meeste banken geen idee wat er gebeurt met al het geld dat ze beheren, zelfs niet met je eigen spaargeld. Al kun je dat natuurlijk ook bewust sturen. Dat is waarom ik zo'n fan ben van crowdfun-

ding. Bij crowdfunding is het transparant waar je geld aan wordt uitgegeven. Of neem banken als Triodos en ASN, die transparant maken waar jouw
spaargeld voor gebruikt wordt. Maar bij de meeste banken heb ik geen
flauw idee hoe ze mijn geld gebruiken.

Geld concurreert met wat van waarde is

Op het nippertje spring ik in de trein terug naar Amsterdam. Als ik zit, klap
ik mijn laptop open en zoek ik het boek op dat ik vorig jaar over het geldsysteem heb geschreven op basis van vele interviews. Tijdens het gesprek
moest ik denken aan een uitspraak in één van die interviews. *We moeten
geen geld sparen, maar de aarde sparen.* Het wordt me steeds helderder
wat dat betekent. Geld sparen concurreert in zekere zin met 'dingen van
waarde' sparen. Als het rendement op geld belangrijker is dan waar dat
geld voor wordt gebruikt, dan ontstaat er een paradoxale situatie. Het zou
namelijk zo maar kunnen dat ons spaargeld niet wordt gebruikt om de dingen te ontwikkelen die we in de toekomst graag van ons geld zouden willen kopen. Dan zitten we straks bijvoorbeeld met een prachtig rendement
van een vastgoedproject, maar willen we er zelf niet in wonen. Raar toch?
Het kan zelfs zo zijn dat datgene wat we in de toekomst van ons spaargeld
zouden willen kopen – een ruime woonplek met schone lucht, een veilige
buurt met sociale cohesie, goed onderwijs voor onze kleinkinderen, goede
zorg – door diezelfde geldvermeerdering al verdwenen is.

   *Geld concurreert met wat van waarde is, in plaats van dat het een weer-
gave van die waarde is.* Een interessante gedachte. Maar vooralsnog wel
heel apart. Wat me in ieder geval duidelijk wordt, is dat ik geld en waarde
in mijn hoofd heel consequent moet gaan scheiden. De rechtstreekse koppeling die ik altijd heb verondersteld, zou wel eens anders kunnen werken.
Wat heb ik aan mijn rendement als ik straks niet kan kopen wat ik graag
wil? De oplossing is om meer te gaan denken in 'de dingen die ik nodig
heb' in plaats van in 'de hoeveelheid geld die ik nodig heb'. Hoe kan ik
ervoor zorgen dat mijn geld, als ik het zelf niet gebruik, wordt ingezet voor
dingen die ik van belang vind? Kan ik beïnvloeden dat banken leningen
uitzetten voor zaken die ik belangrijk vind?

Als ik vanaf Amsterdam-Zuid door het Vondelpark naar huis fiets, valt er
een soort last van me af. Wat een heerlijke gedachte is het om niet meer

te denken in geldtermen, maar in wat ik nodig heb voor een fijn leven. En dan te kijken hoe ik dat ga organiseren. Hoewel misschien 'idealistisch', is er ineens veel meer mogelijk wanneer ik het zo bekijk. Wat ben ik blij dat ik in deze materie mag duiken. Het is net alsof ik langzaam uienschillen afpel naar de kern van waar ik alles over wil weten: een duurzame, sociale economie en de rol van geld daarin.

Groningen, 1999: Studeren

Een paar weken nadat ik op het vliegveld van Quito werd uitgezwaaid door mijn gastgezin en 'mijn' schoenenpoetsers, begon ik aan mijn studententijd in Groningen. Ik was een typische eerstejaars met een grote rugzak, hoewel wat molliger dan gemiddeld vanwege de grote porties rijst die ik in Ecuador drie keer per dag voorgeschoteld had gekregen. Mijn ouders woonden nog in Japan. Ik werd lid van een studentenvereniging omdat ik in Nederland maar weinig mensen kende. Per abuis werd ik door de gemeente Groningen voor een inburgeringcursus uitgenodigd. Dat sloot mooi aan bij hoe ik me voelde. Ik miste een stuk Nederlandse culturele vorming. Ik herkende Johan Cruijff niet eens als hij op televisie was. 'Onder welke steen was ik opgegroeid?' vroegen mijn kersverse vriendinnen zich af. Van de krant begreep ik alleen de buitenlandpagina's. Al stond er 'Nederland' op mijn paspoort, het was duidelijk dat er nog werk aan de winkel was om me hier thuis te kunnen gaan voelen.

Mijn studie sociologie viel me tegen. Ik besloot over te stappen naar een internationale, Engelstalige variant van de studie economie die dat jaar begon: *International Economics and Business*. Toen ik op de voorlichtingsmiddag het leslokaal binnenliep, zaten daar Duitsers, Oost-Europeanen en een paar Chinezen. Ik slaakte een zucht van verlichting en plofte tevreden in een stoel. Ik stopte met sociologie en ging fulltime economie studeren. Ik werd actief bij een internationale studentenorganisatie, AIESEC, waar ik internationale stageplaatsen voor studenten zocht. Zo kreeg ik het in Groningen alsnog geweldig naar mijn zin.

In het derde jaar van mijn studie economie schreef ik samen met een Chinese studente een stuk over de bankensector van China en Japan. Het wekte mijn interesse in de rol van banken bij het functioneren van de economie. Wat ik er fijn aan vond was hoe concreet het was: een economie heeft geld nodig en banken zorgen ervoor dat geld wordt uitgeleend aan ondernemers met goede plannen. Voor ontwikkelingslanden zag ik er helemaal het belang van: als er zo weinig geld is, moet je in ieder geval zorgen voor een goedlopend distributiesysteem voor geld. Als iedereen het onder zijn matras legt, heb je er niets aan. Met betrouwbare banken kun je zorgen dat de economie stabiel groeit. Ik besloot me verder in deze instellingen te gaan verdiepen.

Via een professor bemachtigde ik een stageplek bij de Verenigde Naties in New York. Daar werkte ik in een team voor het 'Internationale Jaar van het Microkrediet' en kreeg ik een inkijkje in de internationale wereld van bankieren en armoedebestrijding. Ik werkte mee aan een onderzoek naar het verbeteren van de toegang tot financiële dienstverlening in ontwikkelingslanden, één van de projecten van het Microkredietjaar. Terug in Nederland studeerde ik op ditzelfde onderwerp af. Het werd me duidelijk dat ik verder wilde in de bankensector. Sommigen van mijn collega's bij de VN hadden bij investeringsbanken gewerkt; dat had me nieuwsgierig gemaakt. Als ik kon gaan begrijpen hoe banken werkten, had ik iets in handen waarmee ik een bijdrage kon gaan leveren aan armoedebestrijding en ontwikkeling.

Na een aantal sollicitatiegesprekken ging ik in op het aanbod van ABN AMRO om in een strategieteam vlak onder de Raad van Bestuur te komen werken. Het leek me de perfecte plek om een bank te leren begrijpen en daarbij was het een uitdagende functie. In augustus 2006 begon ik aan de Zuidas als Investment banking trainee.

Over verschillende soorten geld

Donderdagochtend, kwart voor tien. Ik zit tegenover Henk en steek van wal. 'Waar je me de vorige keer van overtuigd hebt, is dat we heel veel verschillende dingen willen met geld, die misschien niet allemaal te combineren zijn. En die elkaar soms zelfs tegenwerken. Dat kan inderdaad beter. Maar ik zie de oplossing niet zo één-twee-drie. En ik kan het nog niet in verband brengen met jullie zoektocht naar andere geldsoorten. Wil je dan voor iedere functie een ander soort geld? Is dat überhaupt mogelijk?'

Dat zijn weer veel vragen tegelijk, besef ik direct. Maar het is ook zo'n groot onderwerp!

Groei of bloei: het is het een of het ander

Henk denkt kort na en kiest zijn startpunt. 'Ik denk dat het belangrijk is om onderscheid te maken tussen economische *groei* en economische *bloei*. Mijn stelling is dat als geld uit het niets wordt gecreëerd en vervolgens rente moet opbrengen, de samenleving een keuze opgedrongen krijgt tussen *groei* en crisis. Òf er is groei genoeg om de rente te betalen, òf er is niet genoeg groei en dan zijn er problemen. Mijn doelstelling is een *economie van het genoeg* (zie voetnoot op p. 56). Daarbij krimpt de omvang van de economie en daalt bijvoorbeeld ook de mate van milieugebruik, maar op een manier waarbij de kwaliteit toeneemt. Zoiets lukt niet door rentedragend geld te scheppen want dat vormt het startsein voor een eindeloze noodzaak tot nieuwe geldschepping, waarvoor de economie voortdurend moet blijven groeien. De druk op onze samenleving om de economie te laten uitdijen is dan groot: méér, sneller en liefst met hetzelfde rentepercentage als wat er vorig jaar opgebracht moest worden. Bovendien blijven vermogens zich door de rente onvermijdelijk concentreren: geld stroomt weg van wie al een tekort heeft naar mensen die al zoveel hebben dat ze het niet meer uit weten te geven.

Als ik even voorbijga aan het risico dat dit geld voor destructieve speculatie wordt ingezet, zoals tegenwoordig veel gebeurt, wordt het geïnvesteerd in snellere, nieuwe en uiteindelijk méér productie. En die moet natuurlijk wel door de consument worden gekocht. En die moet dus nieuwe behoeftes worden aangepraat waarmee die telefoon van drie jaar geleden alweer in de prullenbak kan. Zulke groei is echter niet duurzaam, niet sociaal en niet stabiel.

Aan de andere kant hebben we economische *bloei*. Die kan ontstaan als we de geldschepping weghalen uit de sfeer van winstmakers en als we instrumenten gebruiken om de marktrente rond de nul te houden. Dan hoeven we niet meer een groot deel van ons inkomen als rente af te dragen aan de allerrijksten. We besteden het of we investeren het in onze omgeving. Het geeft bedrijven de kans om zich te ontwikkelen zonder de dwangmatigheid die ze in de huidige economie kennen. En dat leidt dus tot wat ik economische bloei noem. De jacht op plekken om te investeren wordt minder intensief. De kansen van ondernemende mensen om klanten te vinden worden groter. Zij hoeven de resultaten van hun onderneming namelijk niet meer als rente naar de bank te brengen. Daarmee wordt het ontplooien van talenten leidend, in plaats van de druk om geld te laten vermeerderen. Deze bloei verloopt volgens een natuurlijk groeiproces. In het begin is er een snelle toename van de productie. Er lekt minder geld weg naar de financiële sector, waardoor er verhoudingsgewijs meer geld beschikbaar is als koopkrachtige vraag. Intussen ontstaat er nieuwe werkgelegenheid, omdat die alleen zichzelf hoeft terug te verdienen en niet ook nog eens de rente. Na zo'n fase van versnelling worden gaandeweg alle kwaliteiten optimaal toegepast. Als de rente dan laag blijft zwakt de groei af tot op het niveau van een natuurlijke vernieuwing rond het vervangingstempo, doordat economische afschrijving gaat domineren.'

Ik schuif onrustig in mijn stoel. 'Het klinkt aantrekkelijk, maar eerlijk gezegd kan ik me de economie lastig voorstellen zonder rente, of met een rente die altijd rond de nul schommelt.'

Henk antwoordt. 'Ik maak onderscheid tussen *economische* en *financiële* logica. Economische logica is inherent duurzaam: je probeert met zo min mogelijk arbeid en grondstoffen zoveel mogelijk te creëren. Financiële logica probeert met zo min mogelijk geld zoveel mogelijk geld te verdienen. In de praktijk betekent dat, dat natuur en arbeid goedkoop ingezet worden. Het betekent dat mensen en bedrijven zich verder in de schulden moeten steken vanuit een (noodzakelijke) verwachting van nog meer waarde in de toekomst.

Bij geldschepping tegen rente is stilstand achteruitgang, want als er krimp heerst, lenen banken niet zomaar geld uit aan bedrijven of aan mensen op zoek naar een hypotheek. Rente veroorzaakt een verschuiving van koopkracht en creëert potentieel een koopkrachtlek en dat maakt de samenleving instabiel – tenzij er voldoende groei is. De rente over de overheidsschulden is bijvoorbeeld een enorme kostenpost. Dat vormt een risico voor de staatshuishouding zodra de rentes stijgen of de economische groei ontbreekt of zelfs maar beperkt is. Regeringen moeten dan bezuinigen, puur om al die rente te kunnen opbrengen en nieuw geld te kunnen lenen. Regeringen streven dus altijd naar economische groei, want zonder die groei is er binnen dit geldsysteem geen stabiele samenleving mogelijk. Met die groei zijn we weliswaar de hele aarde aan het opeten, maar binnen dit geldsysteem kunnen we in wezen niet anders.'

Ik onderbreek Henk in zijn verhaal. 'Wil je dan helemaal geen groei meer?'

'Dat ligt gecompliceerd. Ik geloof in *natuurlijke* groei, in groei van onze kwaliteiten, maar niet in de *exponentiële* groei waartoe we vanwege die rente worden gedwongen. Exponentiële groei is de groei van een kankergezwel. Het groeit op termijn uit de hand. Ik zet liever in op groei van de kwaliteit van leven, waarbij nieuwe technologie wordt toegepast om het verbruik van natuurlijke hulpbronnen steeds kleiner te maken, zodat natuurwaarden weer kunnen groeien. Zodat we meer tijd krijgen om ons sociale bestaan te ontplooien en we bevrijd worden van de tijdstress die ondanks, of misschien wel door, de huidige soort technologische 'vooruitgang' het leven van veel te veel mensen beheerst.

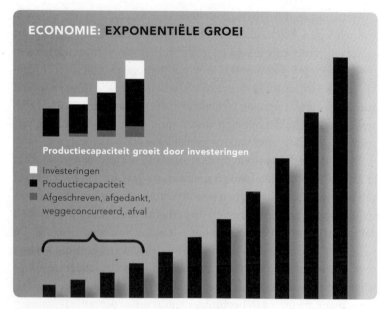

In onze economie worden ontvangen rente, winsten en grondrente steeds opnieuw speculatief of productief belegd, want de consumptie van de rijkste 1% zit aan zijn top. Zo ontstaat er een versnellende, exponentiële groei. Deze groei is onderin de opgaande lijn links, voordat hij op de draagkracht stuit.

Als een populatie of een ecosysteem zijn eigen levensvoorwaarden aantast, stort hij in en moet daarna vaak verder bij een draagkracht van lager niveau.

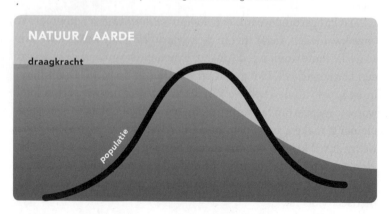

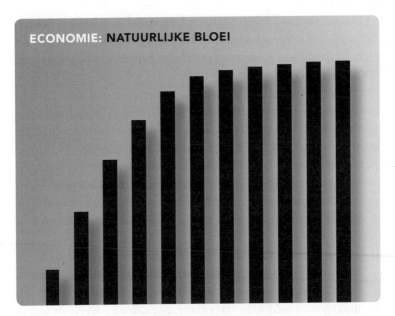

Elk organisme maakt deze natuurlijke groeicurve door. Bij een foetus verdubbelen de cellen zich eerst snel. Gaandeweg vlakt de groei af. Uiteindelijk komt hij tot staan. De curve onderaan laat zien dat het met populaties en ecosystemen net zo gaat. Als consumenten niet langer rente hoeven te betalen, zullen ze in eerste instantie wel 30% extra te besteden hebben. Bedrijven zullen daarop inspelen en kunnen hun productiecapaciteit snel vergroten. Na verloop van tijd is het effect van deze verruiming van bestedingsmogelijkheden uitgewerkt. De economie stabiliseert zich en bloeit. De rijkste 1% van de bevolking mist hier zijn rente-opbrengsten. Hun beleggingsfondsen krijgen het geld niet meer binnen waarmee ze de exponentiële economische groei van productiemiddelen (p. 80) financierden.

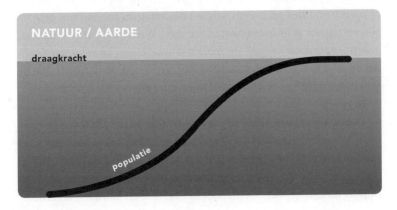

Natuurlijke groei is onmogelijk zolang we een geldsysteem hebben dat gebaseerd is op een spiraal van het scheppen van nieuw geld als rentedragende schuld en vervolgens het scheppen van nog meer geld om die renteschuld te kunnen betalen. De geldschepping introduceert zo een noodzaak tot economische groei, niet omdat die groei zo goed is voor individuele mensen of voor de hele samenleving, maar omdat de rente betaald moet worden. Als er in dit rentesysteem geen groei is, worden veel mensen automatisch steeds armer.

Bovendien verdwijnt de koopkracht naar de speculatieve sector en wordt de economie ook daardoor instabieler. En dus is het groei of crisis, een dwangmatige situatie die in ons systeem is ingebouwd door steeds nieuw geld in omloop te brengen als rente-eisende schuld.'

Ik probeer te begrijpen wat Henk wil. 'Wil je dan een renteverbod?'

'Een renteverbod kun je proberen, maar dat werkt niet. Het probleem zit hem in het *scheppen van geld* als rente-eisende schuld en in de marktverhoudingen die daar het gevolg van zijn. Het is de tegenstelling van schaarste aan geld bij de mensen met schuld tegenover overvloed eraan bij de beleggingsfondsen.

Op zich is rente slechts de prijs van geld die voortkomt uit die marktverhoudingen: rente is een resultante van vraag en aanbod. Een verbod op rente zónder een aanpak van de geldschepping waarbij marktverhoudingen ontstaan die de prijs van geld naar nul brengen, betekent alleen maar dat hetzelfde onder een andere naam blijft gebeuren. STRO heeft daarom oplossingen gezocht èn gevonden, waarbij er marktcondities gecreëerd worden die vraag en aanbod van geld tegen een lagere prijs in evenwicht brengen. We hopen dat een massaal gebruik van onze aanpak de marktverhoudingen zo zal veranderen dat de prijs van geld permanent richting nul gaat. Ik denk dat dan de groeidwang uit het systeem verdwijnt, met alle voordelen van dien.'

Ik zucht.

Het is weer zover. Ik zit nog geen half uur op het kantoor van STRO en ik heb weer het gevoel dat ik zonder zwemdiploma in het diepe deel van het zwembad ben gesprongen. En het golfslagbad staat aan. Ik kan nog net mijn hoofd boven water houden, twee wijsvingers in de lucht. Blijven watertrappelen! Henk ziet het aan me en komt me tegemoet.

Goudgeld en graangeld

'Laten we eerst maar eens de geschiedenis induiken. Jaren geleden kwam ik een prachtig onderzoek tegen van Hugo Godschalk. Het heette *Die geldlose Wirtschaft. Vom Tempeltausch zum Barter-Club.** Hugo beschrijft momenten in de geschiedenis waarop verschillende geldsystemen naast elkaar bestonden. Gedurende die periode realiseerden mensen zich dat er verschillende geldsoorten mogelijk zijn. Mogelijk zagen ze zelfs de effecten van elk soort geld op de samenleving. Ik heb het dan over het oude Soemerië, zo ongeveer waar nu Irak ligt. De eerste keer dat uit historische bronnen is op te maken dat er verschillende geldsoorten naast elkaar bestonden, is zo'n 4500 jaar geleden. Dat waren goudgeld en graangeld, twee totaal verschillende soorten geld.

Het goudgeld was ingevoerd door de Soemerische priesterklasse. Het goud had van zichzelf al waarde voor sieraden. Die waarde groeide toen goud geëist werd voor belastingen en tempelgiften en er ook steeds vaker gevraagd werd om schulden met goud af te betalen. Zoals je weet onderscheidt goud zich van heel veel andere natuurlijke materialen op aarde doordat het niet roest of in kwaliteit vermindert. Waar heel veel goederen en materialen in de loop van de tijd in kwaliteit en dus in waarde achteruitgaan, behoudt goud zijn waarde juist. Deze eigenschap, in combinatie met de brede acceptatie van dit geld door de priesters en de machtige staat, maakte goudgeld zeer aantrekkelijk voor vermogende mensen. Het gaf hen de mogelijkheid om macht als het ware op te potten en door tijd en ruimte heen te verplaatsen, zodat die macht ingezet kon worden op het meest profijtelijke moment en op de plek met de grootste opbrengst. Ik vermoed dat in de op goud gebaseerde economie de schuldenaren gedwongen konden worden rente te betalen met als onvermijdelijk gevolg dat er al gauw een tekort ontstond, wat de waarde verder opstuwde.

Die rente ontstond doordat eigenaren van goudgeld een betere onderhandelingspositie hadden dan bijvoorbeeld boeren, die geld nodig

---

*   Hugo Godschalk, *Die geldlose Wirtschaft. Vom Tempeltausch zum Barter-Club*. Ökonomie Alternativen 1, Basis-Verlag, Berlin 1986.

hadden voor zaaigoed. De boeren moesten het zaaiseizoen benutten en konden daar niet mee wachten. Hetzelfde gold voor mensen die belastingen moesten betalen of een offer aan de goden brengen. Al die mensen kwamen dus naar de onderhandelingstafel om snel zaken te doen, terwijl de geldbezitter het zich kon permitteren om te wachten. Het goud zou volgend jaar nog steeds glanzen. En dus kon hij zijn positie gebruiken om een forse rente te eisen, hoger dan alleen een vergoeding voor het risico dat ze het niet zouden kunnen terugbetalen.

Dat klinkt herkenbaar, toch? Zo werkt het in onze economie nog steeds. Mensen met geld hebben een goede onderhandelingspositie. Behalve tijdens een crisis en dan doen ze er alles aan om de oude situatie te herstellen.

Er was in die tijd nog een andere geldsoort, die je vreemder in de oren zal klinken. Er bestond giraal geld, gebaseerd op *graan*. Dat werkte als volgt: Nadat boeren hun graan hadden geoogst, konden ze het overschot opslaan in speciale ruimtes bij de tempel van een van de grotere religies. De hoeveelheid graan die ze afleverden bij de tempel werd op hun eigen 'girorekening' bijgeschreven. Later kon de boer het graan dan opnemen als voedsel, maar hij kon ook een deel ervan overmaken als betaling naar een ander. Dat ging net als in de betaalrekeningen die we nu kennen.

De eigenaren van het graan betaalden wel *bewaarkosten* aan de tempel. Ook verloor het graan aan gewicht door indroging. Deze kosten en dit verlies werkten voor de eigenaren als een soort negatieve rente. Als ze veel meer graan hadden dan ze zelf op konden maken, betaalden ze jaarlijks aanzienlijke sommen geld om het in bewaring te houden. Je begrijpt wel wat dit betekende in de onderhandelingen tussen iemand met veel graan op zijn rekening en iemand die graan(geld) nodig had. Door de eigenschappen van het graangeld hadden ondernemers die geld wilden lenen een veel steviger onderhandelingspositie dan de bezitters van geld. De vermogende graaneigenaar was meestal tevreden met garanties dat hij over een aantal jaren *dezelfde hoeveelheid graan* terug zou krijgen als die hij nu uitleende. Deze marktsituatie blokkeert dus de vermeerdering van dit soort geld.

In het Soemerische rijk, waar deze twee geldsoorten naast elkaar bestonden, heerste een geduchte oppositie tegen het goudgeld. Als je bedenkt dat men een beter alternatief kende, is dat niet zo vreemd. Dat is vandaag de dag wel anders. Toen wisten de mensen nog dat er verschillende soorten geld mogelijk waren. De boeren en ondernemers die goudgeld nodig hadden voor hun belastingen, begrepen heel goed dat ze voor een lening een veel groter deel van hun oogst en hun winst moesten afstaan dan in het geval ze graangeld leenden. Goudgeld creëerde een ongelijk speelveld en concentratie van macht, terwijl het graangeld een veel evenwichtiger groei teweegbracht.'

Op een iets andere toon praat Henk verder. 'Wat ik een mooi detail vind, is dat deze geldsoorten bij verschillende godsdiensten hoorden. Het goudgeld hoorde bij een strenge, straffende godsdienst, terwijl het graangeld paste in een Moeder Aarde-achtige religie, die uit een matriarchale traditie voortkwam.'

Hij pauzeert en schenkt nog wat thee in.

'Dit voorbeeld illustreert mijn kernpunt heel mooi. Op dit moment kennen de meeste mensen eigenlijk alleen maar geldsoorten waarbij de geldbezitters hun geld behouden of zien aangroeien, waarbij de rente over langere periodes de inflatie compenseert. Stabiel geld met voorspelbare kosten, zoals bij de graangiro, is een voor vrijwel iedereen onbekend fenomeen.

Dat was 4000 jaar geleden in Soemerië anders. Toen werd men geconfronteerd met de gevolgen van een ongebreidelde technologische en economische ontwikkeling. Heftige milieurampen zoals de verwoestijning van geërodeerde hoogvlaktes, de overstroming van vruchtbare polders en de verzilting van de landbouwgebieden die wat verder van de rivier af lagen, deden de samenleving imploderen. Mogelijk legde men verband tussen deze rampen en het soort geld en was men daarom fanatiek tegen rente. Dat is nu niet meer na te gaan.

Zeker is dat het concept van de graangiro zich verspreidde naar Egypte, waar het tot in de Romeinse tijd een belangrijke economische functie bleef vervullen. Pas tegen het eind van de Romeinse overheersing van Egypte was het graangeld verdwenen. Zo'n 4000 jaar geleden begonnen de farao's de graanopslag centraal te regelen en organiseerden zij ook de centrale administratie van tegoeden. Een praktische reden voor het bouwen van opslagvoorzieningen was dat de graanoogsten wisselden met de hoeveelheid water in de rivier de Nijl. Voorraden uit vette jaren konden dan in slechte jaren de mensen redden van de hongersnood. Naast dit algemene belang waren de graangiro's voor de farao's ongetwijfeld ook een gemakkelijke mogelijkheid om belasting te innen. Te hoge belastingen zal dat graangeld echter niet populair hebben gemaakt. Over wat de bevolking ervan vond is eigenlijk heel weinig bekend. We hebben er alleen de papyrusrollen van die de bankadministratie vormden. Ook weten we dat de Romeinen hun eigen (goud)geld hadden en de belastingbetaling daarin afdwongen.

Godschalk beschrijft hoe het concept van op goud gebaseerd geld zich verspreidde, waarbij het goud in de tempels steeds als onderpand diende voor geldschepping tegen rente. Op basis van het goud werd rentedragend geld in omloop gebracht met een goddelijke goedkeuring. Het Nederlandse *God zij met ons* was toen nog: 'schuld aan de Goden'. Ik vermoed dat het bijbelse verhaal van het Gouden Kalf daaraan refereert. In elk geval blijkt uit historische bronnen dat het goud ook de Joodse tempels ging domineren en dat in het jaar 30 op het tempelplein nieuw gecreëerd geld tegen rente uitgeleend werd. Met als ultieme dekking het tempelgoud en de zegen van God volgens de Hogepriesters. Als je dit weet kan je je afvragen of het toeval was dat Jezus op het hoogtepunt van zijn publieke invloed, toen hij met zijn aanhangers Jeruzalem binnentrok, direct naar het Tempelplein ging en daar de geldleners wegjoeg. Bijna iedereen denkt dat dit privépersonen waren, maar wie Godschalks boek heeft gelezen beseft dat dit mensen in dienst van de tempel waren, die de gelduitgifte regelden. Kennelijk was dit voor Jezus de ultieme verloedering van waar hij in geloofde. Maar deze bankactiviteit was voor de hogepriesters een uiterst winstgevende activiteit. Als we één en één optellen is het dus geen wonder dat deze priesters om de dood van Jezus vroegen.'

Ik kijk Henk vol ongeloof aan.

'Ik zie het aan je,' zegt Henk. 'Net als de meeste mensen denk je waarschijnlijk dat op het tempelplein het spaargeld van rijke mensen werd uitgeleend. Maar dat is historisch onjuist en daarmee mis je waar het werkelijk om gaat: de schepping van geld tegen rente, met het tempelgoud als onderpand. Net zoals we nu denken dat banken puur spaargeld uitlenen waarbij niemand zich afvraagt waar dat spaargeld dan oorspronkelijk is ontstaan.

Het verhaal van zo'n ander soort geld houdt overigens niet op bij de graangiro. Er zijn meer voorbeelden. In Noordwest-Europa gebruikten de Hanzesteden *Bracteaten-geld*. Dit geld werd om de zoveel tijd ongeldig verklaard. Door het te laten ommunten kreeg het zijn waarde terug, maar daarvoor moest je wel tot een kwart van de waarde aan belasting betalen. Net als bij de graangiro liep iemand met veel geld dus het risico daar een flink deel van kwijt te raken als hij of zij het niet op tijd uitgaf. Dat drukte uiteraard de marktrente tot op, of zelfs onder nul. Daardoor was het in de middeleeuwen mogelijk om de prachtige gebouwen en kerken te financieren waar je nu nog van kunt genieten.'

'Dat heb ik allemaal niet in mijn studie economie gehad,' mompel ik. 'Als ik dit zo hoor, had ik beter geschiedenis kunnen studeren om te begrijpen hoe geld werkt. Ik vind het maar raar dat ik hier niets over heb geleerd. Klopt het wel? Waarom is dit soort dingen dan niet door economen opgepikt? Ik heb deze uitleg van de relatie tussen rente en machtsverhoudingen nooit eerder gehoord.'

Het wondereiland Barataria

'Er zijn wel economen die zich hiermee bezighouden, maar die zitten niet in de *mainstream* zoals degenen van wie jij waarschijnlijk in je studie les hebt gehad. Iets meer dan een eeuw geleden dook dit soort denken weer op bij een econoom. Dat was Silvio Gesell, over wie Keynes schrijft dat hij verwacht dat Gesell uiteindelijk bekender dan Marx zal worden. Gesell was een Duits-Argentijnse econoom en zakenman. Hij bepleitte *Freigeld*: geld waarover je maandelijks een liquiditeitsbelasting moet betalen, een negatieve rente vergelijkbaar met de opslagkosten van de graangiro. Die kosten maken dat geldbezitters hun geld maar al te graag willen uitlenen en daar geen, of hooguit een lage rente voor zullen vragen. Dat stimuleert de economie en maakt ondernemen aantrekkelijk. In zijn parabel *Het wondereiland Barataria* legt Gesell aan de hand van een fictieve eilandeconomie uit, waarom geld zonder rente effectiever is.* Dat boekje geeft STRO sinds jaar en dag in Nederland uit. Ik zal het verhaal kort voor je samenvatten.'

'De bevolking van het eiland Barataria bestond uit een bemanning die na een schipbreuk was aangespoeld. De kapitein bestuurde vanaf de eerste dag het eiland met strakke hand. Hij was een goede planner en een eerlijke man en zag kans een zekere welvaart te organiseren.

Maar een eiland is veel groter dan een schip en de kapitein kon niet overal tegelijk zijn. Zo kwam het dat veel zaken na verloop van tijd begonnen te verslonzen. Op een gegeven moment was het voor iedereen duidelijk dat een centraal bestuurd eiland niet werkt. Men besloot om geld te gaan gebruiken om de economie van het eiland te organiseren.

Omdat er geen goud op het eiland was, koos men papiergeld, dat door voorraden aardappels was gedekt. Tenslotte hadden aardappelen echte waarde. Op het eiland vormden ze een belangrijke bron van voedsel. Maar na twee jaar ontstond er een probleem: de hoeveelheid aardappelen in de voorraadschuren bleek niet meer overeen te komen met de hoeveelheid uitgegeven geld. Dat kwam door natuurlijke processen zoals rotting en vraatschade. Daarmee verdween het vertrouwen in het geld: aan verrotte aardappels had men immers niets.

Na lang overleg besloot men de papieren biljetten te vervangen door de nootjes van een prachtige naaldboom die op het hoogste punt van het eiland groeide. Er was er maar één op het eiland en het was nog niemand gelukt om een tweede boom te kweken. Er werd een hek om de boom gezet en het papiergeld werd omgewisseld voor notengeld. De waarde van de noten hing af van hun gewicht. Een probleem was echter dat het gewicht van de noten in de loop der tijd af zou nemen, doordat de olie die erin zit langzaam verdampt. Zo dreigde dus hun prijs te dalen, waarmee de totale hoeveelheid geld gaandeweg minder

---

*   Sylvio Gesell, *Het wondereiland Barataria.* heruitgave Stichting STRO 1992 (oorspronkelijk verschenen in 'Der verblüffte Sozialdemokrat', 1922).

zou worden. Gelukkig was er elk jaar een nieuwe oogst aan noten, die de hoeveelheid geld die nodig was voor de organisatie van het eiland op het peil kon houden. Er werd afgesproken dat de voormalige scheepskapitein de oogst elk jaar zou binnenhalen en het geld zou besteden aan gemeenschapsvoorzieningen. De mensen die veel noten spaarden en ongebruikt lieten, zouden dan de gemeenschaps-investeringen financieren doordat hun vermogen aan oude noten gaandeweg afnam. Dat vonden de Baratariërs redelijk. De groep met veel geld maakte voor hun bedrijvigheid tenslotte het meeste gebruik van wegen en andere voorzieningen.

De beslissing om noten als ruilmiddel te gebruiken pakte goed uit. De economie floreerde als nooit te voren.

Na verloop van tijd stelde iemand nóg een verbetering voor: om de noten niet langer in gewicht, maar in aantal af te rekenen. Dat zou aan het geld immers nóg een voordeel toevoegen: dat je het ook zou kunnen *sparen*. Het aantal verandert namelijk niet.

Je begrijpt wat er gebeurde: rijke mensen gingen noten sparen en dat pakte niet goed uit. Wat bijna niemand in de gaten had gehad, was dat de economie altijd een enorme oppepper had gekregen door-dat de rijke mensen hun geld sneller hadden besteed aan producten, diensten en kunst om het gewichtsverlies vóór te zijn. Nu gingen ze sparen in plaats van geld uitgeven, waardoor bedrijven hun klandizie verloren. Doordat de spaarnoten niet langer beschikbaar waren voor de handel, ontstond er een tekort aan geld. Mensen die iets wilden ondernemen maar daar geen geld voor hadden, begonnen het noten-spaargeld van rijke mensen te lenen tegen rente. De verschillen in rijk-dom namen daardoor snel toe. Doordat er minder klanten met geld waren en de rijken daardoor steeds minder aan bedrijven durfden te lenen, nam de productie snel af en kromp de economie.'

Henk haalt adem en vat zijn vertelling voor me samen.

'De les hier is dat het afnemende *gewicht* aan noten een evenwich-tige, bloeiende economie oplevert. Net zoals het graangirosaldo ook langzaam verminderde. Het *aantal* noten neemt niet af; dat blijft ge-lijk. Rijke mensen kunnen er bij waardevaste noten voor kiezen om ze een tijdje bij zich te houden. Dat leidt tot een schaarste aan notengeld in de economie en dus krijgt geld een prijs: er moet rente voor worden betaald. Zo ontstaat een snelle concentratie van vermogen en daartegenover armoede en een instabiele samenleving.'

Terwijl ik driftig meeschrijf is me iets in zijn verhaal niet duidelijk. 'Henk, stel dat de waardevaste nootjes bij aanvang eerlijk verdeeld zouden worden, zou het dan niet toch tot een stabiele situatie kunnen leiden? Gaat het niet gewoon mis door een scheve verdeling in het begin?'

Henk schudt zijn hoofd. 'Helaas niet. Bij geld dat zijn waarde op termijn behoudt, loopt het in het begin eventjes gelijk op. Maar na een tijdje treden er externe gebeurtenissen op. Van de één mislukt de oogst, een ander wordt ziek en er zijn verschillen in capaciteiten waardoor de één meer verdient dan de ander. Een volgende generatie begint daardoor al met verschillen in rijkdom. Als er dan rente betaald moet worden en er machtsverschillen ontstaan, komen sommige mensen in een negatieve spiraal terecht en andere in een positieve. Sommige mensen hoeven niet meer te werken voor hun geld, andere komen vast te zitten in schulden die ze niet meer kunnen afbetalen. En voor je het weet, ben je in precies dezelfde situatie beland als op Barataria: een concentratie van vermogen en daarnaast armoede en plekken waar geld ontbreekt, zodat mensen zich niet meer kunnen ontplooien. En daarop volgen dan speculatie, crises en natuurvernietiging.'

Ik besluit eerlijk te zijn. 'Ik vind dat je prachtige voorbeelden geeft en ik begrijp het verschil. Graan en noten krimpen en dwingen rijke mensen om hun geld te laten rollen. Dat leidt misschien tot betere uitkomsten dan goudgeld en het geld dat we vandaag de dag hebben. Maar wees realistisch. Als je mag kiezen tussen een geldsoort die zijn waarde behoudt en een geldsoort die dat niet doet, dan kies je toch voor die eerste? Ik vind het niet zo gek dat het goudgeld is blijven bestaan en dat het doel van de centrale banken is dat het geld zijn waarde behoudt. Niet omdat ik zo nodig veel macht wil hebben. Het is gewoon veiliger om te kunnen sparen voor later! Het voelt als een degelijker keuze. Begrijp je wat ik bedoel? Zie jij een regering daar tegenin gaan? En hoe ga je ervoor zorgen dat mensen en masse kiezen voor geld dat op termijn minder waard wordt?'

Ineens verandert Henk van toon. 'Ja, dat is nou precies ons werk. Wij zijn beter geworden in het overtuigen van overheden om het juist anders te doen. De huidige crisis geeft daarbij sterke argumenten. Maar goed, in overtuigen stoppen we niet de meeste energie. Het goede nieuws is dat wij een opzet hebben ontwikkeld om tot een ander soort geld te komen. Onze aanpak haakt aan bij het eigenbelang van mensen en levert een betaalmiddel op dat kosten met zich meebrengt als je het ongebruikt laat. En om je gerust te stellen: je kunt in onze geldmodellen wel degelijk sparen, maar dat levert uitsluitend behoud van waarde op, geen rente. In dat geval sluist de bank jouw geld als rentevrije lening door naar wie daar behoefte aan heeft en dan betalen diegene en diens leveranciers de heffing. Deze aanpak is gebaseerd op het eigenbelang van mensen die gewoon hun geld uitgeven. Voor hen levert het een voordeel op om hun geld te verplaatsen naar een betaalnetwerk met een omloopheffing. En wanneer het daar eenmaal is ingebracht, laten de marktposities niet toe dat mensen die veel bezitten rijker kunnen worden zonder iets te doen. Zo zijn de machtsverhoudingen uit het geldsysteem te halen. (Zie hierover ook p. iii, 164 en 278, en vooral het andere deel van dit boek.)

Wat ook meespeelt is dat we binnen de bijbehorende betaalsystemen transacties kunnen faciliteren zonder daar traditioneel geld voor nodig te hebben. Ons onderzoek naar een ander soort geld is niet alleen gericht op consumenten maar ook op ondernemers, want ook die hebben geld nodig. In tegenstelling tot de geldbezitters hebben ondernemers er immers wél baat bij dat de prijs van geld, de rente, lager wordt. En als ondernemers onze netwerken met ander geld kiezen en daardoor minder geld hoeven te lenen, vermindert de vraag naar geld op de gewone markt en kan de rente structureel dalen. Zo hopen we een stap te zetten in de richting van een bloei-economie.'

Ik kan niet mee in zijn redenering. 'Je hebt me nog niet overtuigd van het probleem van rente. Volgens mij belicht je het van één kant. Het heeft ook voordelen wanneer de 'prijs van geld' hoog is. Het zorgt

92 *Een ander soort geld*

ervoor dat we kritisch kijken naar wat we ondernemen, of we bereid
zijn om ons geld uit te lenen en dat ik kieskeuriger word over waar
ik zelf geld voor zou lenen. Als geld te goedkoop wordt, word ik daar
misschien wel te gemakkelijk in.'

Rente werkt juist niet als het echt nodig is

Henk fronst zijn wenkbrauwen. Mij overtuigen is blijkbaar moeilijker dan hij dacht.

'Voordat ik ga vertellen dat rente binnen het huidige systeem belangrijk is en ook voordelen heeft, eerst je punt 'als geld goedkoop
wordt'. Ik vertaal dat even naar een argument dat economen vaak
hanteren. Zij stellen dat lagere rente groei stimuleert. Onder bepaalde
omstandigheden is dat ook zo. Maar niet in een crisis. Een lage rente
is dan geen reden voor mensen om te gaan lenen en kopen, ze willen
juist van schulden af. In de afgelopen jaren moesten centrale banken
daarom actief geld in circulatie brengen, want rentes rond nul hielpen niet.

Als er geen crisis is en rentes wel hoog zijn, is de rentelast een hete
aardappel die almaar wordt doorgeschoven. Banken geven alleen geld
aan mensen die zij in staat achten om die rente uit de economie bij
elkaar te harken. En dan wordt of het geld weggezogen uit zwakkere
regio's of de economie moet genoeg groeien zodat de rijkste 1 procent
van de bevolking haar rendement kan krijgen, zonder dat dat tot verarming elders leidt.

Als er geen crisis is en de *markt*rente zou dichtbij nul komen, zou
dat niet zijn omdat niemand iets durft te ondernemen, maar simpelweg doordat er een evenwicht is tussen vraag en aanbod. Er is dan
geen stoelendans nodig waarbij een aantal mensen zonder geld komt
te zitten. Als ondernemers in gebieden met werkloosheid goedkoop
aan geld kunnen komen helpt dat de lokale capaciteiten te ontplooien.
Tegelijk zullen weinig banken consumenten steeds meer willen lenen
als er geen groeiverwachting is.

Omgekeerd dwingt rente tot *exponentiële groei*. Daarbij hoopt zich
veel geld op bij de rijksten die weinig anders kunnen dan het beleggen
of ermee gaan speculeren. De meest gunstige situatie is dan dus dat

er geïnvesteerd wordt. Maar volgens mij is het nu wel mooi geweest met 'nog sneller nog meer producten'. Het milieu kan het niet aan, onze cultuur kan het niet aan en er is geen verbetering wat betreft de armoede en ontplooiingskansen. De 1 procent rijken zal zich moeten realiseren dat de kwetsbaarheid van een hoog-technologische samenleving groot is. Het uitsluiten van grote groepen mensen in een technologisch hoog ontwikkelde samenleving leidt niet tot de veiligheid die we allemaal willen.

Even helemaal los daarvan ben ik het met je eens dat een positieve rente, als marktfenomeen, logisch is als je het huidige systeem van geldschepping accepteert. Het is dan zelfs noodzakelijk. In het huidige geldsysteem kunnen we niet zonder rente en is een renteverbod niet mogelijk. Rente zorgt ervoor dat mensen het geld niet uit de economie halen maar aan anderen ter beschikking stellen. Dat is absoluut nodig, want anders stagneert de hele economie. Het is dé oplossing die de tegengestelde belangen tussen geld als ruilmiddel en geld als spaarmiddel overbrugt, door het spaarmiddel terug in omloop te verleiden.

Rente is dus een *kortetermijnoplossing* om geld in omloop te houden. Gedurende een crisis, als geld niet langer rolt, biedt deze oplossing echter geen soelaas en zakt de rente zo ver weg dat het beloningseffect verdwijnt. Keynes noemde dit de *liquiditeitsval*. Als het economisch slecht gaat, wil iedereen zijn geld vasthouden. Niemand doet extra inkopen, niemand investeert en de vraag naar geld neemt af. Daardoor zakt de prijs van geld. Als de rente dan te laag wordt, verdwijnt het beloningseffect voor mensen die geld over hebben. Voor hen is het dan slimmer om hun geld gewoon bij zich te houden en op hun geld te blijven zitten. Zelfs banken lenen in die situatie geen geld meer uit, maar stallen het liever bij de Centrale Bank. Dat hebben we in de afgelopen jaren veel zien gebeuren. Dus eigenlijk is rente een oplossing die juist niet werkt als het echt nodig is. Dat lijkt me toch een goede reden om eens rond te kijken naar alternatieven.'

'Nu begrijp ik je niet meer. Zeg je nou dat een lage rente niet altijd goed is?'

'Wat ik zeg is dat een lage rente in het huidige geldsysteem betekent dat iedereen op zijn geld is gaan zitten en niemand elkaar meer vertrouwt. Dan is het dus verbonden met de ellende van een crisis. Waar je naartoe moet is een situatie waarin een rente van rond de nul samengaat met een bloeiende economie. En dat is nu precies wat je bereikt als er kosten zitten aan het ongebruikt laten van geld, zoals een belasting. We zagen deze oplossing goed functioneren bij de opslagkosten bij de graangiro. De verdamping bij het notengeld was een ander voorbeeld.'

Henk denkt na. Hij zit duidelijk te bedenken hoe hij mij dit onderwerp, waar hij al meer dan twintig jaar mee bezig is, zo duidelijk mogelijk aan mijn verstand gepeuterd kan krijgen. Hij heeft er baat bij als ik het helder kan opschrijven, want als hij dit gesprek met iedereen moet voeren is hij nog wel even bezig. Ondertussen vraag ik me af waar ik aan begonnen ben. Dit is veel complexer dan ik dacht toen ik besloot dat ik dit boek 'wel eventjes' zou gaan schrijven.

Dan gooit Henk het over een andere boeg: 'Ik wil je het liefst zo snel mogelijk vertellen over onze oplossingen. Ik weet zeker dat je daar enthousiast van wordt en dan gaat dit hele onderwerp ook veel meer leven. Echt, een groot deel van het pleidooi vóór rente is gebaseerd op een bepaalde manier van denken, waarbij de structurele negatieve effecten van rente worden genegeerd, omdat de noodzaak van rente op korte termijn zo duidelijk is. Verander je dat specifieke uitgangspunt, dan ontstaat er een andere werkelijkheid. Dan valt die noodzaak van rente weg en kan je je afvragen waarom de rente hoog gehouden zou moeten worden.'

Zijn ogen lichten op. Hij staat duidelijk te popelen om te vertellen over het werk van STRO.

'Is het goed als ik de rentekwestie even laat rusten? Dan vertel ik je eerst over een innovatie van STRO waarbij ook noten de basis voor geld vormen.'

Ik heb wel behoefte aan wat praktijkvoorbeelden. Waar hebben al deze analyses van STRO en hun zoektocht naar een ander soort geld toe geleid. Dus zeg ik: 'Kom maar op.'

Olie uit noten als onderpand voor lokaal geld

'In 2007 zijn we in Honduras, het armste land van het Zuid-Amerikaanse vasteland, in één van de armere provincies gaan proberen om de lokale economie op een duurzame manier aan de praat te krijgen. Dan draait het om vragen als: Hoe zorgen we ervoor dat er werk en inkomen komt? Kunnen we de lokale koopkracht stimuleren met lokaal geld op een manier die rentevrij is? Het project waarmee we dat wilden bereiken werd door onze partners 'Gota Verde' ofwel 'Groene Druppel' gedoopt. Op dit moment hebben we er al een paar jaar geen bemoeienis meer mee. Eigenlijk zijn we ermee gestopt door geldgebrek, een paar jaar voordat het er echt stevig stond. Toen konden we alleen maar hopen dat financieel sterkere partners die we erbij betrokken hadden het op een goede manier konden doorzetten.

Het project draait om een specifieke boom: de jatropha. Dat is een kleine boomsoort die zaden produceert waar plantaardige olie uit te persen is, terwijl er van de plant ook biologische bestrijdingsmiddelen te maken zijn. De olie is als biobrandstof in dieselmotoren te gebruiken. Toen we het project opstartten ging 40 procent van de bestedingen in de regio op aan de aankoop van fossiele brandstof van buiten de regio.

Het project begon met het overdragen van technische kennis over jatrophabomen aan boeren die ze wilden gaan planten. We zorgden ervoor dat specialisten hun kennis deelden met het ministerie van landbouw, dat vervolgens de lokale training verzorgde. De boompjes werden ingezaaid op arme grond, als hagen en op hellingen die gevoelig voor erosie zijn. Het zijn handige boompjes omdat het vee er niet van eet. De boeren bedachten er zelf nóg een toepassing voor en lieten ze tussen de maïs groeien om zo met hun schaduw te voorkomen dat de maïs uitdroogt. Ecologisch gezien levert dat een meer evenwichtige landbouw. Bovendien deden de boeren zo aan risicospreiding in hun productie: wanneer de jatropha wat minder zou opleveren, zouden zij inkomsten uit maïs kunnen halen en vice versa.

De jatrophabomen zorgen ook voor andere soorten werkgelegenheid. Zo worden de zaden lokaal geperst tot biodiesel en passen lokale monteurs de automotoren aan.

We begonnen het programma met microkredieten voor boeren die jatrophabomen gingen aanplanten. De afspraak was dat zij de kredieten in natura konden terugbetalen, namelijk in noten. Het microkrediet werd in de vorm van lokaal geld verstrekt via een coöperatie van boeren, die ook de persing en verkoop van de olie verzorgt. Deze coöperatie bracht dit lokale geld in omloop in de vorm van waardebonnen, met de toekomstige opbrengst van de jatropha-olie als onderpand. De uiteindelijke dekking was een terugbetaalverplichting in biodiesel. Ook het restproduct van de persing, dat waarde heeft als bodemverbeteraar, vormt een deel van de dekking.

De bedrijfjes die bij de verwerking van de jatrophanoten betrokken zijn, maar ook andere bedrijven, accepteren dit lokale geld en gebruiken het onder elkaar. Zo circuleert het in de regio en stimuleert het de onderlinge handel. Er zijn bovendien ook cursussen gegeven over het belang van lokaal kopen en een aantal bewoners is een nieuw bedrijfje gestart.'

Dan is Henk even stil. Ik verwachtte eigenlijk dat er nog meer zou komen. 'Wat jammer dat jullie geen geld meer voor dit project hadden, maar goed dat het is doorgegaan.' Ik probeer hem een beetje op te beuren.

'Ja, geld dat is gebaseerd op claims op de productie van biobrandstoffen, waardoor de lokale bedrijvigheid beter is te organiseren, is heel interessant. En de leningen in dat geld waren rentevrij, want het wordt niet tegen rente gecreëerd. De productie zelf is het geld.'

Terwijl ik luister, waan ik me in Honduras bij een bijeenkomst van lokale ondernemers. Wat doet dit initiatief met hun leven? Het lijkt erop dat ze nieuwe kansen krijgen in een gebied met weinig economische mogelijkheden: nieuwe kennis, technologie, impulsen om elkaar beter te vinden en samen te werken. Toch had ik een ander soort voorbeeld verwacht. De vraag die bij me opkomt stel ik maar meteen hardop: 'Is dit nog wel 'geld'?'

'Hoe bedoel je?' Henk moet even schakelen.

'Wat ik zeg. Is dit nog wel 'geld'? Je zet me hiermee aan het denken over wat wel geld is en wat niet. Ik heb het gevoel dat dit project

Gota Verde draait op de productie van lokale brandstof en de vraag daarnaar. Omdat iedereen brandstof nodig heeft, gaat iedereen aan de slag en durven de boeren samen te werken. Maar is het nog wel 'geld'? Is het niet gewoon vertrouwen in de samenwerking, met een verdeling achteraf?'

Henk kijkt me vragend aan. 'Waarom zou dat geen geld zijn? De claims op toekomstige opbrengsten worden ook gebruikt door bedrijfjes die niets met de biobrandstof zelf te maken hebben. Voor hen is het wel belangrijk te weten dat heel veel mensen in hun omgeving nu en in de toekomst brandstof nodig hebben voor hun dieselmotoren en dat er dus vraag naar dat geld zal zijn.'

Ik denk hard na. Even terug naar de basisfuncties van geld: ruilmiddel, middel om een prijs te bepalen en spaarmiddel. O ja, en vermeerdermiddel. Het scrabblewoord. Wat doen die waardebonnen precies? Ze vormen een ruilmiddel tot aan het moment dat ze in biodiesel worden omgezet. Inderdaad is het dan in de tussentijd een ruil- en betaalmiddel, want je kunt er lokale producten en diensten mee kopen. Hun bruikbaarheid is wel beperkt tot de regio, dus beperkter dan 'gewoon' geld. Ze zijn een claim.

'En als de waardebonnen eenmaal zijn ingeruild voor diesel, en dus uit de circulatie worden gehaald, is er dan nog wel genoeg lokaal geld?' vraag ik.

Het antwoord verrast me:

'Jatropha groeit niet zo snel. De echte oogst kwam pas nadat wij vertrokken waren, omdat we geen geld meer hadden om het project te begeleiden. Toen wij er nog wel waren, was de productie van biodiesel voldoende om te laten zien dat het werkt, maar de opbrengst is inmiddels vele keren groter. De donoren die het project overnamen hebben geen ervaring met lokaal geld en stellen biodiesel daarom centraal. Dat is jammer, want toen we daar weggingen werkte het lokale geld leuk, zelfs met nog heel weinig lokale olieproductie. Dat was dus puur op basis van het vertrouwen dat er in de toekomst meer olie zou zijn.'

Ik formuleer zorgvuldig. 'Het lijkt een aantal functies van geld te vervullen. Maar mijn intuïtie zegt: het voelt niet echt als 'geld' als je het zo uitlegt. Het lijkt erop, dat er gewoon verschillende onderdelen van een productieketen samenwerken om verschillen tussen kosten en baten in de tijd te overbruggen. Iedereen heeft belang bij een goede oogst en productie van jatrophanoten en iedereen profiteert daar uiteindelijk ook van. Is dat dan wel volwaardig geld?'

'Je hebt gedeeltelijk gelijk met je analyse. Het verschil is echter dat een hoop andere bedrijfjes en ook consumenten erop aanhaakten. Wordt het daarmee niet *juist* geld?'

Ik aarzel. 'Ik weet het niet. Het strookt gewoon niet helemaal met mijn ervaring met geld. Meestal concurreren we voor geld, dan kost tijd geld, je betaalt rente, je hebt een centrale bank nodig want er moet gecontroleerd worden of het geld wel stabiel is...'

'Wat je nu opnoemt heeft allemaal te maken met de geldsoort die we gewend zijn te gebruiken. En het jatrophageld functioneert anders. Het wordt niet door een bank in omloop gebracht, maar door een coöperatie, uit de gemeenschap zelf. Als de mensen daar om zich heen kijken, zien ze op de hellingen de waarde toenemen. Bovendien zit er geen rente aan vast en dat verandert de dynamiek. Daarmee bouw je een samenwerkingsmodel, in plaats van een concurrentiemodel dat is gebaseerd op machtsverschillen. De hoeveelheid geld mag de waarde per eenheid niet verminderen, dus moet het beperkt worden uitgegeven. Maar dat hoeft niet per se door een centrale bank te gebeuren. Die boeren begrijpen heus wel dat zij zichzelf in de vingers snijden als ze meer geld in omloop brengen dan de opbrengsten die ze kunnen verwachten. En die verwachtingen moeten ze samen bepalen.'

Henk knijpt zijn ogen een beetje dicht en leunt naar achter; een lachje speelt om zijn lippen. Ik kijk hem onderzoekend aan. Wat zou er komen?

'Misschien is het een goed idee om dit geld wat verder te vergelijken met ons gangbare geld. Net als gewoon geld wordt dit lokale geld in omloop gebracht op basis van een lening. Maar als het gewoon geld was geweest, had de bank daar rente over berekend. Die rente zou hoger zijn dan nodig, omdat de bank daar zijn machtsoverwicht ten opzichte van de boeren inzet, boeren die immers onder tijdsdruk staan om te gaan zaaien. De bank kan wachten, de boer heeft nu geld nodig en pas later heeft hij olie. Het is net als met het goudgeld in Soemerië. De boer zou de bank dan ook een flinke rente hebben moeten betalen. Vaak is er in zulke gemeenschappen niet eens een bank en dan zou de boer dus afhankelijk zijn geworden van een plaatselijke geldschieter, een woekeraar. Dat is meestal geen pretje. En hoe dan ook: normaal gesproken heeft de boer geen andere keus dan dat geld te lenen, hoe slecht de voorwaarden ook zijn! De geldschieter is oppermachtig en gebruikt die positie om via rente een fors deel van de toekomstige oogsten in te pikken. Als gevolg daarvan blijft de boer door de hoge afdrachten gevangen in zijn armoede.'

Hij pauzeert even. Ik grijp mijn kans.

'Nu moet je wel volledig zijn. Rente ontstaat niet alleen uit machtsverschil, het is ook te verklaren omdat je bijvoorbeeld risico loopt met je geld en omdat de bank kosten maakt om jou je lening te verschaffen.'

Henk knikt. 'Natuurlijk, daar refereerde ik aan toe ik zei: hoger dan nodig. Maar zelfs de risicodekking kan anders. Ik geef daar later meer geavanceerde voorbeelden van, maar wat betreft Gota Verde worden het risico en de kosten door de gemeenschap als geheel gedragen. Dat zal ik uitleggen.

Het geld dat wij in Gota Verde hebben geïntroduceerd werkt meer volgens de logica van het graangeld. Iedereen deelt in het risico, want het onderliggende onderpand van de waardebonnen is de opbrengst van de oogst zelf. De uiteindelijke vereffening geschiedt na het verwerken van de oogst, door de bonnen te besteden aan de olie en de bodemverbeteraar. Zowel qua risico als qua logica is het een veel evenwichtiger model.'

Ik typ snel mee. Het is fijn om een voorbeeld te behandelen. Daar word ik enthousiast van. Het theoretische verhaal is lastig, maar hier gaat het om iets concreets. Door mensen te laten zien dat het ook anders kan heeft het invloed, in ieder geval op het leven in hun gemeenschap.

Dan stop ik met typen; er komt weer een tegenwerping bij me op. 'Wat je beschrijft is een gesloten circuit. Het is een kringloop binnen een lokale gemeenschap die gesloten wordt omdat mensen waarde-

bonnen accepteren als betaling. Als geldvorm is het daardoor beperkt.
Je kunt het niet gebruiken in de handel met de rest van de wereld. Behalve biodiesel, compost en zeep heeft deze gemeenschap ook andere
producten nodig. Televisies, mobiele telefoons, cement, medicijnen
– om maar wat dingen te noemen. Daar is 'gewoon' geld voor nodig.'

Henk knikt. 'Natuurlijk, je hebt gelijk. Maar als dit project echt een
flinke schaal bereikt, komt de 40 procent van de inkomsten vrij, die
nu de regio uitstromen voor de aankoop van fossiele brandstoffen.
Zelfs als daarvan slechts een deel gebruikt wordt om kapitaalgoederen mee te kopen, krijgt de lokale productie een stevige oppepper.
En natuurlijk hoop je dat er uiteindelijk een cluster van bedrijvigheid
ontstaat die groot genoeg is en iets te bieden heeft op de regionale of
nationale markt.

Belangrijk is dat je nu een middel hebt om de onderlinge handel
mee te regelen, terwijl dat er eerst niet was. Natuurlijk, de aankopen
van mobiele telefoons en medicijnen worden er niet anders door. Dat
is prima; je hoeft ook niet alles lokaal te doen. Als je er maar voor zorgt
dat de talenten en capaciteiten binnen de gemeenschap ten volle worden benut, voordat het geld daarbuiten wordt uitgegeven. Daarvoor is
een ruilmiddel nodig dat de lokale economie faciliteert en dat niet te
snel weer uit de lokale kringloop verdwijnt, omdat dan veel potentie
onderbenut blijft. Daar kan Gota Verde aan bijdragen. Het is precies
het andere soort geld waar wij steeds naar op zoek zijn: geld dat ervoor
zorgt dat de lokale capaciteit wordt benut zodat er een gezonde basis
komt voor handel buiten de regio.'

Hij neemt een slok thee en praat verder.

'Gota Verde was geen eindstation. Maar het was belangrijk voor
de oplossingsrichtingen die we daarna insloegen. En het systeem is
gemakkelijk aan mensen uit te leggen; het is bijna tastbaar. Heel anders dan geld dat zich dankzij onze software anders gaat gedragen.
Maar daar zullen we het later nog over hebben.'

Rente! Rente?

In de trein terug naar Amsterdam ben ik in gedachten verzonken. Heb ik nou begrepen wat Henk bedoelt met het verschil tussen groei en bloei? Kan ik een rentevrij geldsysteem voor me zien? Ik hoor Henk bijna in mijn hoofd zeggen dat ik me druk maak om een beetje rente-inkomsten op spaargeld en ondertussen bakken rente betaal die verborgen zit in de prijs van producten, in de belastingen en in de huur die we betalen. Gaat het nou om rente of om macht? Misschien zit mijn weerstand er inderdaad wel in dat ik nog niet zo snel een alternatief van de grond zie komen. Het klinkt me utopisch in de oren dat de economie zo te organiseren zou zijn dat de rente rond de nul blijft schommelen. En ik zie de noodzaak van de afschaffing van rente ook niet zo scherp als Henk. Oei! Ik hoor Henk al zeggen: niet afschaffen, maar voorwaarden creëren waarmee de marktrente dichtbij nul blijft. Maar voor mij voelt de nadruk op rente als een dogma, een wet. Rente heeft toch ook goede kanten?

Intussen begrijp ik wel dat Henk zich vooral druk maakt over de opbrengsten als beloning voor de macht van degene die het geld schept, niet over de kosten die de bank zelf maakt of de risico's van wanbetaling. Toch merk ik dat ik in mijn gedachten die kosten niet los kan zien van rente. Nog steeds in gedachten verzonken stap ik aan de Zuidas uit.

In de hal van station Amsterdam Zuid word ik wakker geschud wanneer ik een vriendin tegenkom die ook bij een bank werkt, net als ik tot voor kort. Ze heeft een nieuwe baan, waarin ze zakelijke klanten met 'slechte' leningen onder haar hoede krijgt. Het wordt haar werk om te bekijken of een bedrijf dat geld geleend heeft en failliet is gegaan een doorstart kan maken. Maar bovenal om de kansen zo groot mogelijk te maken dat de bank zijn uitgezette leningen terugbetaald krijgt. Deze afdeling groeit bij iedere bank momenteel het snelst van allemaal. Ik feliciteer haar, we nemen afscheid en ik loop naar de fietsenstalling om mijn fiets te pakken.

Het gevoel dat me bekruipt terwijl ik naar mijn kantoor fiets, is niet nieuw. Op een persoonlijk niveau ben ik altijd heel blij voor mensen als ze enthousiast zijn over een nieuwe uitdaging in hun leven, zoals een baan waar ze veel van leren, waar ze een goed inkomen uithalen en waarin ze een nieuwe stap in hun loopbaan zetten.

Op een ander niveau vind ik dit confronterend. Ik zie ons allemaal als kleine radertjes in een enorm uurwerk dat we met ons talent, onze energie, tijd en beslissingen in beweging houden. We moeten voortdurend kiezen, in de supermarkt net zo goed als achter ons bureau op kantoor. Al maken we er met ons eigen radertje het beste van, we begrijpen niet precies hoe het totale systeem werkt. De klok die we gaande houden lijkt bovendien steeds vaker te haperen. Maar er zelf uitstappen, de klok van een afstandje bekijken en het eens grondig anders inrichten: hoe doe je dat? We zijn te druk, de hypotheek moet betaald worden en waar begin je? De kans dat wij in ons eentje een verschil kunnen maken, lijkt zo klein. Genoeg goede redenen om gewoon door te gaan in de tredmolen. Maar in mijn achterhoofd zeurt het: *er is zoveel meer mogelijk dan dit!*

Als ik aan het Museumplein weer achter mijn bureau zit, zie ik dat Henk me al een mail heeft gestuurd. Ik lees:

Onderwerp: *exponentiële groei in een eindige wereld*

'Ha Helen,

Om je te helpen begrijpen wat de invloed is van rente op ons geldsysteem en dus op onze samenleving, een voorbeeld. Of eigenlijk, een rekenopdracht.

Stel dat één van jouw voorvaderen in het jaar nul een gouden dukaat van 20 gram op een spaarrekening heeft gezet met een vaste rente van 4 procent per jaar. Jij ontvangt nu deze dukaat, plus de rente, als erfenis. Hoeveel goud kun je dan claimen?

Groet, Henk

P.S. Voor de duidelijkheid: ik heb het over cumulatieve rente. Dus de renteinkomsten worden elk jaar aan de hoofdsom toegevoegd. Jij boft maar met zo'n bet-bet-bet-voorvader. Succes met het berekenen hoe rijk je bent en alle geluk met die rijkdom! Denk daarbij ook nog even aan de figuur op p. 80-81.'

Leuk! Een puzzel. Ik open een excelbestand en voer de cijfers in. 20 gram, dus 0,02 kilo goud. En dat tegen 4 procent samengestelde rente gedurende meer dan tweeduizend volle jaren. Ik maak de som. Ik druk op enter.

Ik controleer hem nog een keer. Heb ik iets fout gedaan?

Ik schrijf het dan maar helemaal uit tot 1000 jaar, 1000 rijen diep en ter vergelijking zet ik daarnaast de cumulatieve som van alleen de jaarlijkse rente op het beginbedrag van 0,02 kilo. Dan kom ik uit op 1,6 kilo goud anno nu. Dat klinkt redelijk.

Bij de berekening van de rente-op-rente is er kennelijk iets fout gegaan. Dit jaar, 2012, zit ik al op 373.343.560.391.842.000.000.000.000.000.000 kilo goud. Hoeveel is dat? Heel veel meer dan het volume van de aarde. Het lijkt me te veel.

Maar als ik die 1000 rijen afloop is er toch een moment waarop de twee rijen van elkaar gaan afwijken en dat gaat steeds sneller. Er lijken geen rare fouten in te zitten. En inderdaad heeft de goudberg een volume dat veel groter is dan de aarde zelf. Henk heeft dus een voorbeeld gekozen dat helemaal niet kan. Vrij onzinnig dus. Of betekent het dat het onzinnig is om te verwachten dat rente kan samengaan met een stabiele wereld? Wat moet ik hiermee?

Ik besluit het na te kijken. Thuis zoek ik het *corporate finance* boek van mijn studie economie. Toen ik begon met dit vak bedrijfsfinanciering, zag ik niet in wat het te maken had met mijn behoefte om via economie de wereld een stukje beter te maken.' Echt zo'n vak voor mensen die bakken met geld willen verdienen,' dacht ik toen. Nadat ik er een onvoldoende voor had gehaald, ben ik er met frisse tegenzin toch maar eens echt voor gaan zitten. En toen ik de logica eenmaal doorhad, bleek het verbluffend simpel en nog leuk ook.

Het boek ruikt wat muf. Het staat vol aangestreepte zinnen – roze en geel. Ik blader er doorheen; kijk met andere ogen dan tien jaar geleden. Al gauw besef ik dat die krankzinnige uitkomst allang bekend is bij de auteurs van dit boek. Ze hebben hele pagina's besteed aan het effect van samengestelde rente, ofwel *compound interest*. Er staat zelfs een voorbeeld in dat lijkt op de gouden dukaat, over Manhattan Island, New York. Volgens de auteurs is dat in 1626 gekocht voor $24, een lachertje als je dat vergelijkt met de landwaarde van heel Manhattan vandaag de dag. Maar als je die $24 in 1626 tegen 8 procent (samengestelde) rente per jaar op de bank had gezet, had je nu veel meer geld gehad dan als je alle grond in Manhattan vandaag nog zou verkopen. Al is 8 procent rente per jaar gedurende bijna 400 jaar ook niet zo realistisch. Dat is natuurlijk het lastige van dit voorbeeld en ook van dat van Henk: het houdt geen rekening met inflatie, of met financiële crises die om de zoveel jaar optreden als je je geld 400 of 2000 jaar lang op de bank laat staan. In de praktijk bestaat zoiets dus niet. Rentewinst zit hem vooral in de korte termijn; het is dan weliswaar niet astronomisch, maar nog steeds aanwezig.

Eigenlijk zeggen deze auteurs dus hetzelfde als Henk, alleen verbinden ze er een totaal andere conclusie aan. Ze beoordelen rente als positief en raden mij als student aan om gebruik van deze logica te maken en er geld mee te verdienen. *Time value of money:* zorg ervoor dat je het begrijpt en gebruik het om je geld of je bedrijf meer waard te maken. Dat is de boodschap. Geen woord over de onmogelijkheid ervan op lange termijn of de maatschappelijke en ecologische consequenties. Achteraf gezien gaat dit hele boek over geld verdienen door geld heel goed te begrijpen. Ik geloof niet dat ik daar toentertijd problemen mee had. Eigenlijk nog steeds niet. Ook Henk probeert het geld heel goed te begrijpen, maar dan om alternatieven mogelijk te maken. Het gaat hem niet om zijn eigen rijkdom, maar om de ecologische onmogelijkheid en de onnodige armoede.

Zuidas, 2006:
Bij de bank

Een week voordat ik aan mijn eerste baan begon, stapte ik 's nachts slaapdronken uit een stilstaande vrachtwagen vol bananen. Ik schatte de hoogte niet goed in waardoor ik struikelde en mijn enkel verzwikte. Dat was in Ecuador, waar ik die zomer meewerkte aan een project bij een plattelandsbank. Vanwege deze sprong in het diepe begon mijn eerste dag als *Investment Banking Trainee* bij ABN AMRO niet alleen in een nieuw mantelpak, maar ook op krukken. 'Ieder nadeel heb z'n voordeel,' had ik ondertussen van Johan Cruijff geleerd, want niet in staat zijn om je eigen kopje koffie te dragen bleek de perfecte manier om nieuwe contacten te leggen. Met een groep internationale trainees kreeg ik in zes weken de *basics* van Investment Banking voor mijn kiezen. Ik vond het leuk en het viel me op dat er anderen waren die cijfertjes nog veel leuker vonden dan ik. Mijn interesse was breder, maatschappelijker.

Na zes weken opleiding ging ik aan de slag in een strategieteam voor de Raad van Bestuur. We berekenden winstverwachtingen bij verschillende strategische scenario's en de opbrengsten van aankoop en verkoop van bankonderdelen. Voor een starter zoals ik, was het een droombaan. Samen met een paar andere jonge bankiers werkte ik hard, meestal ook in de avonduren, om met echt goede analyses en presentaties te kunnen komen. De lat lag hoog en ik leerde pijlsnel.

Toen ik bij ABN AMRO begon was er al iets aan de hand. De prijs van het aandeel was aan het stijgen; eerst langzaam, later sneller. Eerst dachten we nog dat dit goed nieuws was – een stijgend aandeel. Later bleek het echter slecht nieuws te zijn: activistische aandeelhouders waren zich aan het inkopen. ABN AMRO ontving een brief waarin stond dat de bank alle opties moest onderzoeken om zich in zijn geheel of in stukken te verkopen aan de hoogste bieder en zo de aandeelhouders aan het hoogste rendement van hun geld te helpen. Al snel werd duidelijk dat er drie banken van plan waren om samen de hoogste bieder te worden en daarna de buit te verdelen: RBS, Fortis en Santander. Ik wist niet wat ik hoorde; het leek wel een slechte film. Was dit echt het beste scenario?

In de maanden die hierop volgden werkte iedereen op onze afdeling keihard om de bank zoveel mogelijk in één stuk bij een nieuwe eigenaar te krijgen. Er was geen weg terug: de bestuursvoorzitter had in de pers verkondigd dat ABN AMRO geen zelfstandig bestaansrecht meer had. Ik kon mijn oren niet geloven. Deze bank, die de afgelopen jaren gewoon netjes winst had gemaakt, al was het structureel minder dan ING, had geen zelfstandig bestaansrecht meer? Waarom niet? Ik kon het niet rijmen met mijn drijfveer om hard voor dit bedrijf te knokken. In mijn beleving was ABN AMRO een nuttige bank die als smeerolie voor onze samenleving fungeerde. Ondernemers en particulieren konden er hun geld veilig stallen en anderen kregen er toegang tot geld. Geen bestaansrecht? Zelfs als we quitte hadden gedraaid, had ABN AMRO wat mij betreft nog zelfstandig bestaansrecht. Voor mijn gevoel kreeg iedereen wat hij nodig had: klanten kregen leningen en (spaar)rekeningen, werknemers kregen salaris, leveranciers kregen hun geld betaald. Was dat niet voldoende?

Ik zag echter één partij over het hoofd. De geldschieters. Nee, ik bedoel niet de rekeninghouders, al hebben zij hun geld inderdaad ook bij de bank gestald. Ik bedoel de aandeelhouders. Zoals ik al snel leerde waren de meeste aandeelhouders van ABN AMRO uitsluitend geïnteresseerd in het bedrag dat aan het einde van het jaar onderaan de streep overblijft. Sterker nog, omdat we aandeelhouders de belangrijkste mensen lijken te vinden, zetten we zelf gewoonlijk hun bril op wanneer we de waarde van een beursgenoteerd bedrijf bepalen. De waarde wordt afgemeten aan datgene wat er 'onder de streep' staat. Vanuit een puur financieel gemotiveerde aandeelhouder maakt het niets uit wat er daarboven allemaal gebeurt, of er nou pannenkoeken, kunstheupen, rode olifantjes in bikini's of risicovolle hypotheken worden verkocht. Wat onder de streep staat, telt. Natuurlijk hebben we inmiddels ook duurzaamheidrapportages, waarin een bedrijf laat zien welke maatschappelijke impact het heeft. Maar dat verandert hier niet zoveel aan. Het geld dat door aandeelhouders in een bedrijf wordt gestopt, moet genoeg opbrengen. Anders heeft de onderneming geen bestaansrecht. Dat is wat ik bij ABN AMRO van dichtbij leerde.

Dit gegeven is mij sindsdien in een soort verbijstering bijgebleven. Hoe langer ik erover nadenk, hoe boeiender het wordt. Natuurlijk, geldbezitters die in een bedrijf of een bank investeren, lopen risico en verwachten daar een vergoeding voor. Maar dat is toch niet het enige dat telt? Waarom zou ik de waarde van de bank niet berekenen aan de hand van de meerwaarde die deze biedt aan klanten, werknemers, de samenleving als geheel? De waarde van de bank is toch voor iedereen verschillend en misschien niet eens altijd in geld uit te drukken?

Voor mij was de waarde van een bank dat hij de maatschappij dient. Maar er was een kloof tussen mijn persoonlijke visie op de waarde van de bank en de berekeningen die ik er als werknemer maakte. Dat soort berekeningen zouden de toekomst van ABN AMRO gaan beslissen, omdat ze gingen over het maximaliseren van de aandeelhouderswaarde – en die telde uiteindelijk het meest. Ik maakte modellen, berekende kapitaalratio's, stelde financiële analyses op en maakte presentaties. Maar fundamentele vragen stelde ik daarbij niet. Er zat een gapend gat tussen mijn intentie om de maatschappij te dienen en dat waarmee ik mijn lange dagen op kantoor vulde. Maar tijd om daarover na te denken had ik niet. Ik was als radertje in een grote machine terechtgekomen en moest hard werken om hem bij te houden.

De overtuiging waar ik me aan vasthield was dat ABN AMRO wat mij betreft wél een zelfstandig bestaansrecht had. Dat sterkte mij om al mijn energie te steken in het 'redden' van de bank, zelfs ten koste van mijn sociale leven en mijn gezondheid. Het lot van ABN AMRO, waar we als team keihard voor knokten, lag nu in handen van de aandeelhouders. Die stemden massaal voor de hoogste bieder en daarmee voor opsplitsing van de bank. De redding mislukte, mijn afdeling werd opgeheven. Toen ik in de maanden daarna uitgeblust thuis op de bank zat, vroeg ik me af waar het precies was misgegaan, zowel persoonlijk als met de organisatie waar ik me zo voor had ingespannen. En wat me nu te doen stond.

Rente en het kortetermijndenken

Weer in Utrecht loop ik van Hoog Catherijne naar de Oudegracht. Naar aanleiding van de rente-op-rente-rekensom hebben Henk en ik de afgelopen weken een mailwisseling gehad. *Wie gelooft dat we eeuwig door kunnen gaan met exponentiële groei in een eindige wereld is óf een dwaas, óf een econoom.* Dit citaat van Kenneth Boulding was min of meer het hoofdonderwerp. Ik bracht er dingen tegenin: er zijn altijd momenten waarop het beoogde rendement niet wordt gehaald of dat er iets mislukt, er komt altijd wel weer een crisis waarin al het geld verdampt, dus zo'n vaart loopt het in de praktijk niet met die exponentiële groei en groei kan wel degelijk goed zijn. Maar Henk heeft overal antwoord op. Het feit dat er crises optreden komt juist *doordat* er zoveel rendement verwacht wordt. Bij een groeiende geldhoeveelheid die we lastig kunnen reguleren, nemen we steeds grotere risico's om rendement te verwezenlijken en soms gaat dat goed mis. Zoals in 2008. Volgens Henk zouden degenen die de rekenkundige onmogelijkheid van eeuwige rente op rente nastreven de kosten van inflatie en crises maar moeten betalen, in plaats van die op de samenleving af te wentelen. Hij ziet wel dat geld uitlenen een vak is en dat ook de risico's afgedekt moeten worden, maar stelt dat je dat aspect los kunt koppelen van de rente.

Ik heb betoogd dat ik een bepaalde mate van rente wel rechtvaardig vind. Daarbij denk ik aan de kosten die worden gemaakt om te beslissen wie er een krediet krijgt en aan compensatie voor geld dat je misschien niet terugkrijgt en voor inflatie die er bijna altijd wel is. Dat er crises optreden kan ook komen doordat we kuddedieren zijn en elkaar nadoen, wat tot rare marktbewegingen leidt. Het gaf de aanleiding om in dit gesprek eens stil te staan bij de vraag: wat is rente nou precies en waartoe dient het?

Wanneer we bij STRO op onze vertrouwde plekken aan tafel zitten, steekt Henk van wal: 'Wat mij betreft is de rente die wordt gevraagd voor het in omloop brengen van geld, het meest ingrijpende kenmerk van het soort geld dat nu domineert. Hier hangt mee samen dat banken het monopolie hebben om voor eigen gewin meer geld te scheppen en dat de rentedruk van het eerder in omloop gebrachte geld de markt altijd weer dwingt om te groeien en te verhinderen dat de marktrente naar nul zakt.

In dit verband is het ook ongelofelijk dat de samenleving zich zo laat chanteren. Geld krijgt zijn waarde doordat we het als samenleving accepteren en de staat het als belasting eist. Het krijgt dus waarde vanuit de hele gemeenschap. Waarom we dan accepteren dat een groep mensen het ongestraft naar zich toe kan trekken en uit roulatie kan halen of voor speculatie gebruiken wanneer hen dat zo uitkomt – het is mij een raadsel. Of misschien beter gezegd: het laat zien hoezeer we gehersenspoeld zijn. En dan wordt die asociale manier van doen ook nog eens goed beloond, in plaats van beboet. Op die manier is rente voor mij dus de omgekeerde wereld en ik denk dat het puur een kwestie is van macht en privileges dat het ongebruikt laten van geld niet belast is. Voor de Nederlandse samenleving zou dat heel wat effectiever zijn dan de vermogensbelasting. Want wanneer het niet gebruiken van geld zou worden belast, zouden rijke mensen hun geld proberen uit te lenen en als ze dat allemaal doen, drukt dat uiteraard de rente. En dat zou de samenleving twee keer geld opleveren, want naast de belastinginkomsten voor de overheid zouden ondernemers veel meer mogelijkheden krijgen.

Veel rentebetalingen zijn echter onzichtbaar en als we ons er al bewust van zijn, negeren we die gewoonlijk. We zijn rente als een soort natuurwet gaan zien. Net zo'n natuurwet als de groei van grote steden en de versnelling van de technologische ontwikkeling. Die worden allebei aangejaagd door investeringsgelden en de roep om daar weer méér geld van te maken. De drijfveer is dus groei, niet bloei.'

Rente, wat is dat eigenlijk?

Ik zucht. 'Je maakt je nu wel kwaad, maar we zouden bij het begin beginnen. Laten we het straks over groei en bloei hebben. Nu eerst even over rente, graag. Wat is het eigenlijk?'

Henk praat rustig verder. 'Wat mij betreft is rente niets anders dan
de prijs van geld en die is het gevolg van vraag en aanbod. Maar vaak
wordt de term rente gebruikt voor de vergoeding die de bank vraagt
voor een lening en die is opgebouwd uit drie verschillende elementen.
Dat versluiert de discussie. Om tot een beter organiserend principe
voor onze samenleving te komen, moeten we eigenlijk die drie elementen uit elkaar halen.

Ten eerste is rente de marktprijs van geld. We komen nog terug
op de geschiedenis hiervan, maar we hebben het over een markt die
door de staat wordt gemonopoliseerd, ten gunste van de banken. Net
als bij andere markten waar monopolies gelden, drijft dit de prijs van
geld op zonder dat er meer waarde voor in de plaats komt.

Daarnaast berekent de bank een compensatie voor het risico dat
ze het geld misschien niet terugkrijgen, omdat degene die het leent
het niet kan terugbetalen. Dat risico is er tot op zekere hoogte altijd
en als kostenpost is dit dus onvermijdelijk en ook redelijk. Maar ook
hierbij is veel meer mogelijk dan men denkt; we beschrijven dat in
het deel 'Met uw hulp nu de doorbraak'.

Onder normale omstandigheden zijn deze risico's maar een klein
deel van de totale kosten die de bank vraagt. De kans dat iemand een
hypotheek niet terugbetaalt en dat het huis en de grond ook niks meer
waard zijn, is niet erg groot. Toch betaal je nu via de rente in dertig jaar
de prijs van je huis twee tot drie keer. Als die rente puur een gerecht-
vaardigde risicopremie zou zijn, zou dus tweederde van de huizen met
bewoners en al in de afgrond moeten verdwijnen. Dat risico is echter
niet meegenomen, dus er zitten ook andere componenten in rente.

Een derde post die vaak wordt aangevoerd om rente te rechtvaardi-
gen is de compensatie voor de verwachte inflatie. Dit vind ik een cirkel-
redenering. Rente is immers ook één van de *oorzaken* van inflatie. Als
de geldhoeveelheid onder de heersende rentedruk wel móet groeien
met de rente van vorig jaar, dwing je in wezen af dat de toename van
de geldhoeveelheid die boven de productie uitstijgt zich in inflatie
vertaalt. En dan houdt de rente de inflatie in stand, die de rente weer
in stand houdt. Dat is niet slim.

Een ingewikkelder verklaring voor rente is het belonen van mensen die afzien van het gebruik van hun geld nú. Veel economen den-

ken dat mensen hun geld liever nu willen uitgeven, in plaats van de toekomst. Dit argument lijkt me feitelijk niet juist. Ik zie in elk geval heel veel mensen die hun geld niet nu willen uitgeven, maar het willen sparen voor hun oude dag.'

Henk pauzeert even. 'Doordat het staatsmonopolie op geld is uitbesteed aan particuliere banken, wordt alles wat banken rente noemen op één hoop gegooid. Daardoor lijkt het alsof die banken daarmee alleen maar hun spaarders beschermen tegen inflatie en reële risicopremies vragen.

Economen hebben hele discussies gevoerd over het idee van rente als premie voor het tijdsvoordeel van geld waarover een lener onmiddellijk kan beschikken. Ooit schafte de Rooms-Katholieke kerk het renteverbod gedeeltelijk af, omdat het redelijk werd geacht dat spaarders meeprofiteerden van de waarde die ondernemende burgers met behulp van hun geld wisten te creëren. Deze gedachte is echter nooit beschouwd tegen de achtergrond van een geldmarkt waarop vraag en aanbod met elkaar in evenwicht zijn en de rente dus op de nullijn ligt. In die situatie kun je namelijk niet verwachten dat ondernemers hun geldschieters een groter aandeel van de gemaakte winst geven dan de premie voor het risico dat hun bedrijf failliet gaat. Waarom meer weggeven dan wat je bij de bank moet betalen?

Maar dat verandert doordat het monopolie op het scheppen van geld wel tot te hoge rentes en te hoge winsten *moet* leiden...'

Ik probeer Henk in zijn gedachtegang te volgen. 'Dus je stelt dat de kosten voor geld onevenredig hoog zijn doordat er voor het *geld zelf* geen vrije markt bestaat? Geldschieters halen winst uit het bezit van iets dat kunstmatig schaars wordt gehouden, ook al zijn het niet meer dan 'bites' in een computer. De winst die zij eraan overhouden is groter dan het risico dat zij werkelijk lopen plus de inflatiecorrectie. Bedoel je dat?'

'Exact. Dat is de kern van de machtsverhoudingen in het geldsysteem en de reden waarom we zoveel rente betalen. Daardoor raakt geld ook steeds ongelijker verdeeld. Dat heeft dan weer tot gevolg dat de economie de capaciteiten van de armsten niet georganiseerd krijgt. En tot overmaat van ramp is de economie die hieruit voortvloeit inherent instabiel.'

'Wacht even, je hebt me niet overtuigd. Hoe ga je bewijzen dat deze component inderdaad bestaat? Je argument gaat ervan uit dat *geld schaars* is. Maar er is immers ook inflatie en dat komt volgens mij omdat er *teveel* geld is. En we waren eerder al tot de conclusie gekomen dat er teveel geld is, veel meer dan voor de economie nodig is! Hoe kun je dat met elkaar rijmen? Hebben we volgens jou te weinig geld of juist teveel?'

Concentratie van vermogen

'Allebei,' glimlacht Henk. 'Er is te veel geld, maar een heel groot deel daarvan bevindt zich sterk geconcentreerd in speculatieve fondsen binnen de financiële sector. En daardoor is er op veel plekken juist te weinig geld. In elk geval niet beschikbaar voor investeringen die wel zichzelf terugverdienen en daarbij ook werk en inkomen leveren, maar die niet winstgevend genoeg zijn om ook de geldschieter te betalen. Dit soort investeringen gaat dan niet door en de werkloosheid die daardoor blijft bestaan, wordt door ons allemaal geaccepteerd als overmacht. We zijn het volkomen normaal gaan vinden dat er werkloosheid is, terwijl de rente boven nul gehouden wordt. In wezen is dat misdadig: heel veel mensen zijn onnodig arm doordat ze geen toegang hebben tot geld als organisatiemiddel. En dat is enkel omdat ze de premie niet kunnen opbrengen om de rijken aan extra inkomsten te helpen. De uitsluiting van deze mensen is ook nog eens een inefficiëntie van de manier waarop we onze economie hebben ingericht.

Intussen is het grootste deel van alle geld dat in omloop is niet beschikbaar voor de werkelijke economie, waarin consumenten en bedrijven elkaar betalen voor verleende diensten en geleverde producten. In arme regio's stokt de economie doordat er nauwelijks geld wordt besteed en er dus ook niets te verdienen valt. Rijke landen kunnen in 'vette' jaren een eventueel tekort aan geld nog wel aanvullen met nieuwe kredieten, maar arme regio's krijgen niet genoeg geld in omloop, omdat banken hen geen geld durven te lenen.'

Henk heeft iets bij me losgemaakt. Zonder mijn enthousiasme te verbergen zeg ik: 'Wat ik interessant vind is dat je de 'markt' voor geld beschrijft. Ik heb geld altijd gezien als iets neutraals, wat de markt voor andere producten en diensten faciliteert.'

Ik wacht even, waarna het volgende kwartje valt. 'Als je geld als markt gaat zien, dan is het een heel raar product. De prijs van het product 'geld' wordt uitgedrukt in geld zelf. Dat is hetzelfde als zeggen: je mag een aardappel van me lenen, maar ik wil er twee aardappels voor terug. Dus in de transactie van dit product wordt meer vraag naar het product gecreëerd dan dat er eerder was.'

Henk lacht: 'Ja, geniaal he? Ik had het graag zelf bedacht.'

Ik pauzeer om even te bedenken waarover ik door zal vragen. Ik besluit terug te komen bij de drie onderdelen van rente. 'Volgens mij mis je een onderdeel. Er worden ook gewoon kosten gemaakt om geld veilig over te maken en leningen toe te kennen. Een bank is een ICT-bedrijf met een ingewikkelde informatiestroom rond alle bedragen die er worden overgemaakt en de risico's die er worden gelopen. Dat kost allemaal geld en ik vind het terecht dat banken daar een prijs voor vragen.'

'Ook dat zijn inderdaad kosten, maar daar betaal je meestal apart voor,' zegt Henk. 'Je betaalt maandelijkse kosten voor het aanhouden van je rekening. En bedrijven betalen kosten voor de verrichte transacties. Als particulier betaal je weinig, maar het ontvangende bedrijf betaalt voor jouw overboeking. Dus je hebt gelijk, er zijn kosten en die worden ook doorberekend. Ook bij het beoordelen van aanvragen voor leningen. In onze eigen oplossingen maken we ook kosten voor het ontwikkelen en onderhouden van onze ICT-structuur. Die kosten staan echter op zichzelf en ze zijn bovendien verwaarloosbaar in verhouding tot wat er aan rente wordt berekend voor het scheppen van geld. Zelfs bij een hypotheek waarvan de afsluitprovisie meestal een bepaald percentage bedraagt zijn de kosten van geld vaak zo hoog dat je, zoals ik zei, in dertig jaar je huis minstens twee keer terugbetaalt!'

De telefoon gaat. Henk excuseert zich en neemt op. Het is een journalist die hij geduldig te woord staat. Mij komt dat wel goed uit, want zo kan ik dit alles weer even laten bezinken. Ik vind het maar vreemd. Al heb ik zelf nooit een hypotheek gehad, ik kan me voorstellen dat het aanbieden van een hypotheek in het begin tijd en geld kost, voor het inschatten van het risico en de taxatie van het huis. Maar daarna heb je er als bank dertig jaar geen omkijken meer naar. Toch is dit ongeveer de hoogste kostenpost van vrijwel elk huishouden in Nederland. Je hoort het mensen zeggen: 'Ik wil wel minder werken, maar dan kan ik mijn hypotheek niet meer betalen.' Bij bankmedewerkers zijn er nog extra consequenties: de korting die je als medewerker op je hypotheekrente krijgt, vervalt wanneer je ontslag neemt. Als bankmedewerkers grapten we daarom wel over 'gouden handboeien'.

Waarom is een hypotheek dan zo duur? Komt dat door het risico dat hij niet wordt terugbetaald? In wezen is een hypotheek juist een vrij veilige lening; tenslotte dient het huis als onderpand. Een bank beschikt daarmee over een continue inkomstenstroom van alle klanten met een hypotheek en wanneer die eenmaal zijn afgesloten hoeft men daar eigenlijk vrijwel niets meer voor te doen. Het enige grote risico is dat veel huiseigenaren op hetzelfde moment in de problemen komen als de huizenprijzen dalen, zoals nu het geval is. Maar zelfs dan nog gaat het slechts om het gedeelte van de hypotheek dat 'onder water staat' en vaak weten huiseigenaren de restschuld met spaargeld of salaris alsnog af te betalen.

Eigenlijk weet ik wel waarom hypotheken zoveel rente vragen. Dat komt door de *time value of money*: de tijdswaarde van geld. Geld vandaag is meer waard dan geld over dertig jaar en dus laat een bank zich compenseren voor uitgeleend geld dat pas over dertig jaar terugkomt. Die compensatie is vanwege de inflatie die er tijdens de looptijd optreedt – en die volgens Henk zelf ook met rente verknoopt is – en vanwege het feit dat een bank zijn uitgeleende geld nu niet kan gebruiken om het ergens te investeren waar rendement te halen valt.

Binnen de bank wordt met 'kapitaalkosten' gerekend om te beslissen of een investering al dan niet verantwoord is. Elke investering moet in de berekeningen minstens de betreffende kapitaalkosten opbrengen. Ik denk terug aan de modellen die ik voor de bank heb gemaakt. Onderaan alle modellen stond de post 'kapitaalkosten'. Het viel me toen al op dat het getal dat ik daar invoerde een enorme invloed had op de waardes die er uit het model kwamen. Hoe hoger de kapitaalkosten, hoe minder interessant de geldstromen in toekomstige jaren worden en hoe belangrijker de inkomsten in de eerste paar jaar.

Ik concludeer dat er bij een marktrente die gemiddeld boven nul staat, een bijzondere relatie tussen geld en tijd bestaat. Als klant betaal je de bank eigenlijk niet voor de kosten om de hypotheek te verschaffen, maar voor de tijd waarin je dit geld wilt blijven gebruiken.

Een duurzaam huis bouwen of een doorsnee huis

Henk is klaar met zijn gesprek met de journalist en hangt op. 'Ik heb een idee,' zegt hij duidelijk geamuseerd. 'Laten we eens testen hoe rente jouw keuze bij het bouwen van een huis zou beïnvloeden. Vind je dat wat?'

'Prima.' Ik heb nog nooit een huis gekocht, laat staan een huis laten bouwen.

'Wat zou je ervan vinden om een 100 procent duurzaam huis van uitstekende kwaliteit te bouwen? Een huis waar jij en je kinderen en volgende generaties de komende tweehonderd jaar energieneutraal en comfortabel in kunnen wonen?'

Ik lach. 'Dat zou ik inderdaad een heel interessante optie vinden.'

Henk kijkt vrolijk. 'Prima, dan gaan we dat voor je regelen. We gebruiken goede bouwmaterialen, investeren in warmte-koudeopslag, zonnepanelen, een warmtepomp en hoog comfort. We leveren een huis op dat comfortabel is en heel lage onderhouds- en energiekosten heeft. En dit huis is ook beter voor het milieu omdat het nauwelijks energie verbruikt en niet elke zoveel jaar gesloopt hoeft te worden en vervangen door een nieuw huis met weer nieuwe bouwmaterialen. Alleen maar voordelen. Natuurlijk is het bouwen van dit huis wel duurder dan een minder duurzaam huis. Maar het gaat veel langer mee, dus op de lange termijn ben je wel goedkoper uit.'

'Goedkoper en duurzamer, dat klinkt goed! Is het echt goedkoper?' Het klinkt iets te mooi om waar te zijn.

Henk: 'Laten we dat eens uitrekenen en vergelijken met een kwalitatief minder huis. Ons uitgangspunt is dat het duurzame huis € 400.000 kost en 200 jaar mee gaat. Per jaar betaal je dus eigenlijk € 2.000 afschrijving, plus een klein bedrag aan onderhoud en misschien nog iets aan energie.

Een huis van lage kwaliteit kost € 200.000 en gaat 66 jaar mee. Per jaar betaal je dan € 3.030 aan afschrijving. Daar komt dan nog het onderhoud bij en een stevige energierekening.

De conclusie is dat een duurzaam huis dus per jaar gerekend goedkoper is. Daarnaast is het comfortabeler en produceer je niet iedere 66 jaar bouwafval met bijbehorende sloopkosten. Je kunt dus drie keer zo lang in het duurzame huis wonen! En dan bespaar je ook nog een hoop aan energiekosten. Ben je er nog steeds in geïnteresseerd?'

'Ja, natuurlijk. Dat zou een droomscenario zijn. Het enige punt is: ik heb geen € 400.000, dus dat geld moet ik eerst lenen.'

Henk veinst geschoktheid. 'Ai. Dan wordt het lastiger. Daar was ik eigenlijk al een beetje bang voor. De meeste mensen hebben geen vier ton rondslingeren. Ja, dat verandert de zaak toch wel. Dan moet je dus naar de bank voor een hypotheek. Wedden dat je na één gesprek toch voor het goedkope huis kiest?'

'Ondanks al mijn goede bedoelingen, bedoel je?'

'Dit gaat niet over goede bedoelingen, weet je nog? Het is een rekensom. Denk even aan je eigenbelang. Als je een lening neemt van vier ton tegen een rente van 5 procent betaal je het eerste jaar € 20.000 aan rente, naast de € 2.000 voor afschrijving. Samen € 22.000.

Bij het goedkopere huis betaal je weliswaar hogere afschrijvingskosten van € 3.030, maar de rente van 5 procent komt neer op € 10.000 per jaar. Je jaarlasten zijn nu dus 'slechts' € 13.030. En nu zien we dat het duurzame huis niet € 1.000 per jaar goedkoper is, maar € 9.000 per jaar duurder. Dankzij ons op rente gebaseerde geldsysteem.'

Ik vul hem aan. 'Omdat je voor het kwaliteitshuis over langere tijd meer geld nodig hebt en daarover zoveel rente moet betalen, pakt het een stuk duurder uit. De duurzaamheid van het huis werkt dus tegen je. Op die manier kan dus vrijwel niemand de verstandige economische keuze voor een duurzaam huis maken.'

Ik ben even stil.

'Hoe laag moet de rente zijn om het duurzame huis toch te kunnen kopen?'

'Bij 1 procent rente is het effect nog maar klein. Dan zou je het met veel goede bedoelingen redden om het duurdere, duurzame huis te kopen. Tenminste als je zoveel geld kunt lenen! Maar 1 procent rente voor een banklening? Dat kun je natuurlijk wel schudden. Misschien van je ouders, maar dan dwingt de fiscus je om te rekenen met een rente van misschien wel 4 procent.

Maar stel eens dat de marktrente 0 procent zou zijn, dan zie je *dat zelfs mensen die alleen hun financiële eigenbelang nastreven* automatisch duurzame keuzes gaan maken, omdat die tot lagere maandlasten leiden. Stel dat zo'n lage marktrente samenvalt met een belastingsysteem waarin niet arbeid maar het verbruik van grondstoffen is belast, dan zouden ook mensen zonder enige vorm van milieubewustzijn duurzame keuzes gaan maken. En bedrijven ook, niet te vergeten. Puur uit eigenbelang. In die zin biedt de huidige lage rente kansen, ook al is het crisistijd. Je ziet dat mensen uit financiële overwegingen zonnepanelen aanschaffen, domweg omdat hun spaargeld dan beter rendeert dan op de bank.'

Ik doe een poging om alles samen te vatten. 'Wat je me duidelijk wilt maken is dat rente investeringen op de lange termijn onevenredig duur maakt als ze met geleend geld gefinancierd moeten worden. En dat is met grote langetermijnprojecten bijna altijd het geval. De kosten van geld zorgen er dus voor dat we daar niet voor kiezen en in plaats daarvan voor kortetermijnoplossingen gaan, waarvan de investering zich sneller terugverdient. En net zo wordt een pensioenfonds in wezen door de rentedruk en kapitaalkosten gedwongen om op de lange termijn te beleggen voor *geld*, niet voor *onderliggende waarde*.'

Financiële en economische logica is niet hetzelfde

'Precies,' zegt Henk. 'Laat ik je nog een voorbeeld geven dat de onzinnigheid helemaal duidelijk maakt. Het zou zo maar eens financieel de beste keuze kunnen zijn om alle bomen op aarde te kappen, het hout te verkopen en het geld op de bank te zetten om er rente voor te vangen.'

'Dat gaan we natuurlijk nooit doen.'

'Dat mag je hopen. Iedereen begrijpt onmiddellijk dat het nooit echt de beste keuze kan zijn, omdat een kale planeet rampzalig is. In het *economisch* denken wordt welvaart niet louter bepaald door wat we nú kunnen verdienen, maar ook door onze productie- en dus verdiencapaciteit op termijn. Wat anderen ons ook voorrekenen, we begrijpen heus wel dat we niet beter af zijn als we echt alle bomen kappen.

Toch is dat hoe men in de *financiële* wereld rekent. Daarbij laat men in het rente-rekensommetje ook nog eens allerlei toekomstige kosten weg. Dat heet 'externaliseren'. Die kosten moet het nageslacht maar opbrengen. De financiële wereld rekent met een verwachting van de waardeontwikkeling van geld. In die manier van denken wordt ergens waarde aan onttrokken en omgezet in geld. En naarmate dat financiele denken steeds meer terrein wint, zelfs in crisistijd, schuiven we steeds meer op in de richting van die kale planeet.'

Enigszins triomfantelijk voegt hij eraan toe: 'En daarom zijn wij zo blij dat we een doorbraak hebben gevonden naar een nieuw duurzamer soort geld!'

Ik kan het nog niet geloven. Is het mogelijk dat een doorbraak naar een meer duurzame wereld wordt bemoeilijkt door rente, door de kosten van geld? Zit de financiële logica de meer verantwoorde economische logica in de weg? En als dat werkelijk zo is, hoe komt het dan dat er niet meer mensen zijn die zich hier druk over maken? Staat dit bijvoorbeeld op de agenda van milieuorganisaties?

Alsof hij mijn gedachten kan lezen voegt Henk er nog aan toe: 'Kijk, dit is natuurlijk niet het enige. Externalisering van kosten is ook zoiets. Als voorbeeld: kernenergie is rendabel te krijgen doordat de eigenaren van kerncentrales zich niet hoeven te verzekeren tegen de aansprakelijkheid als het echt mis gaat en er een stuk van de aarde onbewoonbaar wordt. Als ze zich daar wel voor zouden moeten verzekeren, worden kerncentrales veel te duur. Maar nu staat de samenleving garant. En precies zo staat de samenleving garant voor het overnemen van de verantwoordelijkheid van bankeigenaren wanneer hun banken dreigen om te vallen. Die eigenaren worden domweg niet verplicht om tegen dat risico een verzekering af te sluiten. De rentedruk vormt inderdaad slechts een deel van het probleem, net als de genoemde afwenteling van kosten, het gebrek aan milieueisen en nog zo het een en ander. Maar dat maakt het niet minder noodzakelijk om een ander soort geld in te voeren.'

'Toch worstel ik nog met de koppeling van geld aan tijd,' zucht ik en ik leun achterover. 'Zoals ik het nu begrijp is het logisch dat bedrijven hun kapitaalkosten zo snel mogelijk willen terugbetalen en dat duurzame investeringen daardoor buiten de boot vallen. Onze *ecologische urgentie* concurreert met de *financiële urgentie* die in ons systeem ingebakken zit. Werken ze elkaar dan echt tegen?'

Dan herinner ik me ineens één van de interviews die ik vorig jaar hield. 'Wacht eens even. Lage kapitaalkosten maken dat we goedkoop of gratis kunnen lenen. Is dat niet juist de hele reden dat we een kredietcrisis hebben? Iedereen heeft te gemakkelijk geld kunnen lenen en daarom zitten we nu met de gebakken peren. Ik begrijp je betoog tot zover wel, maar leidt renteloos geld niet ook tot overconsumptie en niet-duurzaam gedrag en tot zeepbellen in bijvoorbeeld huizenprijzen?'

Het wonder van Wörgl en het begrijpen van groei

Henk grinnikt. 'Allereerst: we hebben het nu over een marktrente die rond de nul zit. Dat is een specifieke economische werkelijkheid en niet een ideologische keuze. Maar los daarvan maakte ik dezelfde denkfout twintig jaar geleden ook. Pas toen ik erachter kwam dat *groei* en *bloei* twee verschillende dingen waren, besefte ik dat de redenering niet klopt. Ken je geschiedenis van het Oostenrijkse stadje Wörgl – wat trouwens geen fabeltje is maar echt gebeurd?'

Natuurlijk ken ik die. Theatermaakster Dette Glashouwer gebruikt Wörgl als beeld in haar voorstelling over geld. Die voorstelling heb ik minstens vijftig keer gezien. Ik was Dettes zogenaamde bankier en zat geregeld haar aandeelhoudersvergaderingen voor. Dus ik kan de show letterlijk navertellen. Ik zie weer voor me hoe Dette het publiek meeneemt, in de kleine circustent op festival De Parade. Het vaste deuntje begint, ze staat bovenop een reiskoffer in een zwart kostuum met een grote witte kraag en een breed omrande hoed en met rode lipstick op. Met opgeheven handen staat ze daar; ik waan me op een 'middeleeuws' plein. Ze begint:

'Het is 1929 en de crisis breekt uit. We zijn in Oostenrijk, in het stadje Wörgl. De werkloosheid is er gigantisch en de economische misère groot, maar daar woont een burgemeester: burgemeester Unterguggenberger. Michael Unterguggenberger.

Hij heeft gehoord over complementair geld: geld waar geen bank tussen zit, waarvoor geen rente wordt gerekend, waar geen bank aan hoeft te verdienen. Dit geld moeten ze onderling laten rouleren en steeds binnen een maand uitgeven. Zo houden ze elkaar aan het werk.

Nou, dat gaat het stadje Wörgl uitproberen. Het werkt fantastisch! Binnen een jaar is niemand meer werkloos. Met dat lokale geld worden zelfs zwembaden aangelegd, skipistes gebouwd en nieuwe wegen geplaveid. Het 'Wonder van Wörgl' wordt het genoemd! Grote economen komen langs om dit wonder te bestuderen en politici overal vandaan willen het imiteren.

Maar dan worden de banken bang. Bang om hun macht te verliezen. De regering grijpt in. 'Valsemunterij!' noemen ze het en het experiment wordt in de kiem gesmoord. Het wordt verboden.'

Ik kijk Henk trots aan: Ik ken Dettes tekst nog uit mijn hoofd.

Henk moet lachen. 'Ja, in een notendop is dat het verhaal. Begrijp je nu ook waarom ik dacht dat Wörgl *groei* was en niet *bloei*?'

Ik knik. 'Laat me raden. Nieuwe wegen, nieuwe skipistes: niet helemaal wat je je bij duurzame ontwikkeling voorstelt. Het lijkt wel alsof er door de snelle circulatie van geld geen tijd meer is om na te denken over duurzame keuzes en er in het wilde weg ongerichte groei plaatsvindt. Dat is precies mijn angst bij renteloos geld. Waarom maak jij je daar geen zorgen over?'

Henk: 'Op een gegeven moment viel er bij mij een kwartje. Ik leerde ooit bij economie dat lage rente de groei aanwakkert. Dat is het laatste wat ik wil en dus was ik niet geïnteresseerd in het idee van een belasting op het ongebruikt laten van geld. Maar ik vergat één ding: bij een hoge rente groeit de geldstroom van iedereen naar de rijkste 1 procent en voordat de computers speculatie zo rendabel maakten, leidde dat weer tot investeringen en dus tot voortgaande groei.

Ik ging het van de andere kant bekijken: de cijfers wezen op een exponentiële groei. Dus werd er voor enorme bedragen geïnvesteerd. De centrale vraag is dus: waar komt het geld voor die investeringen vandaan? Hoe wordt die groei eigenlijk gefinancierd?

De studieboeken vertellen dat investeringen voortkomen uit besparingen op consumptie. Ik heb dat destijds geïnterpreteerd als spaargeld. Pas heel veel later realiseerde ik me dat jouw en mijn spaargeld maar een zeer beperkte bron van investeringsgelden opleveren. Ik bedacht dat ik beter precies andersom kan denken en me eerst moest afvragen wie de investeerders eigenlijk wel zijn. Ik realiseerde me dat geld zich ophoopt bij de rijkste 1 procent van de bevolking en dat er naar deze groep mensen zoveel geld toestroomt dat ze dat geld nooit geconsumeerd krijgen. Daardoor blijft bij hen een berg geld liggen en de beheerders van dat geld zoeken dus belegging. Bij deze groep vinden de 'besparingen' plaats. Besparingen die dus niet gebaseerd zijn op een keus voor zuinigheid, uitstel van aankopen of op de behoefte aan inkomen in de toekomst. Nee, het is puur een gevolg van de super-sterke concentratie van rijkdom. Onlangs nog was in het nieuws dat de rijkste 85 mensen bijna net zoveel bezitten als de armste 50 procent van de wereldbevolking. En hun vermogen blijft maar groeien. Door die stroom wordt er ieder jaar weer zoveel productiecapaciteit bijgebouwd en blijft de afvalberg maar groeien. Het was indertijd voor mij echt een doorbraak in te zien dat de economie groeit, omdát het geld zich ophoopt bij mensen die weinig anders kunnen doen dan rendement ervoor zoeken. Daarbij raken de twee gevolgen van rentedruk volkomen met elkaar vervlochten: dankzij de rente concentreert het geld zich bij die rijkste 1 procent en tegelijk dwingt rente mensen en bedrijven, die dat geld van de allerrijksten lenen om extra productie te maken, om bovenop hun eigen kosten ook de rente te verdienen. Economische groei maakt deze situatie en de tegengestelde belangen minder zichtbaar. Weliswaar leidt een lage rente aanvankelijk tot groei maar dat duurt maar kort, terwijl een hoge rente geld concentreert dat belegd moet worden en dus – even afgezien van het risico dat het geld voor speculatie wordt gebruikt – de basis vormt van een doorgaande groei, die in absolute omvang almaar versnelt!'

Het duizelt me. Henk ziet het en probeert het opnieuw.

Bloei door renteloos geld

'Denk even met me mee, op de lange termijn. Als de rente altijd heel laag is, of geld zelfs langzaam waarde verliest, wordt geld niet meer gezien als een middel voor het vermeerderen van geld, maar als middel voor het uitwisselen en scheppen van waarde. Dat maakt dat we eventueel andere keuzes gaan maken. Dan zetten we de kwaliteit van leven centraal en gebruiken we geld als middel om daarin te investeren. Ineens spreekt dat dan vanzelf! Geld verliest immers langzaam zijn waarde als je het niet uitgeeft. Daarmee wordt het net als andere dingen in de wereld. We verdienen er niet meer automatisch meer geld mee, maar kunnen er wel mee investeren in een huis dat 'eeuwig' meegaat en geen energie kost, of in een project, een bedrijf of een organisatie die het op een later tijdstip terugbetaalt. We gaan selecteren op wat ons persoonlijk waarde oplevert. We gaan ons richten op resultaten van goed ondernemerschap in plaats van op de 'contante waarde' van de geldstromen. Dit leidt tot natuurlijke groei in plaats van tot gedwongen groei. Dan concurreert geld niet meer met dingen van waarde. Geld *faciliteert de organisatie* van dingen van waarde. Dan kan de mensheid genieten van zijn verworvenheden en daar rustig op voortbouwen, in een tempo dat de cultuur en het sociale krachtenveld kunnen bijhouden. Dat noem ik economische *bloei*.'

Het klinkt mooi. Maar werkt het ook echt zo? 'Je hebt me nog niet overtuigd dat dit ook in Wörgl gebeurd zou zijn als ze het experiment daar hadden doorgezet. Je kunt toch niet voorkomen dat mensen geld verdienen met hun geld?'

'Waarom niet? Waarom zou de gemiddelde prijs van geld niet nul kunnen zijn? Dat is iets anders dan *rendement*. Het is wel met elkaar verbonden, maar bij rendement staat tegenover de mogelijke winst van je geld het risico dat je het kwijtraakt. Op basis van macht en monopolie worden zoveel mogelijk risico's uitgebannen en wordt rendement gegarandeerd.

Wat Wörgl betreft: het vervangen van een brug, het plegen van extra onderhoud aan wegen en gebouwen zijn niet per se voorbeelden van exponentiële groei, maar wel een benutting van ongebruikte capaciteit van werkloze mensen. En dát is een voorwaarde voor economische bloei.

En met je stelling dat je niet kunt voorkomen dat mensen aan geld verdienen, zeg je eigenlijk dat de prijs van geld altijd positief is, dus boven nul. Maar terwijl de centrale banken uit alle macht proberen te voorkomen dat de reële rente negatief wordt, gebeurt dat soms toch. Dus wat zou er niet allemaal mogelijk worden als er een heffing op geld komt, of als het monopolie op het scheppen van geld wordt opgeheven? Er zijn geen onderzoeken die erop duiden dat dat niet zou kunnen, terwijl er wel praktijkvoorbeelden van bekend zijn. De vraag is wat er dan gebeurt. Draait de economie dan nog wel zoals 'we' dat willen? Wat gebeurt er met de sociale en de machtsverhoudingen? Hoe ontwikkelt de cultuur zich? Wat gebeurt er met de verhoudingen tussen landen?

Deze concentratie van geld – waarbij enorme kapitalen beschikbaar komen die de economie exponentieel laten groeien – bestond al ten tijde van Marx. Die noemde – en roemde! – het kapitalisme daarom als de meest progressieve organisatievorm uit de geschiedenis, waarin vermogen accumuleert en zo de technologische ontwikkeling financiert. De superdynamische groei waar het kapitalisme toe leidde was in zijn tijd nog positief, maar op het moment dat de ecologische stabiliteit wordt bedreigd vind ik dat geen gewenste ontwikkeling meer. Ik denk ook dat culturen de kans ontnomen wordt om zich te handhaven in plaats van te verworden tot een monocultuur van consumentisme. Wat mij betreft hebben we technologische innovatie nodig die is gericht op het verkleinen van de ecologische voetafdruk in plaats van op het vermeerderen van investeringsgeld, zoals bij rente-eisende geldschepping.'

Henk ziet me vragend kijken. 'Als je nog een voorbeeld wilt: kijk naar de natuur. Natuurlijke groei laat eerst een versnelling zien en vlakt daarna af tot hij vrijwel tot stilstand komt (zie de illustratie onderaan op pp. 80-81). Zoals een baby snel groeit en dan gaandeweg volwassen wordt. Dat is een gezonde en natuurlijke ontwikkeling. De situatie in Wörgl waarbij in één keer rentevrij geld beschikbaar kwam, begon dus met een groeispurt. Vergeet niet dat er veel mensen werkloos waren en bedrijven veel overcapaciteit hadden. Het rentevrije geld gaf de mogelijkheid om dat potentieel te benutten. Ons nieuwste rentevrije kredietmodel, waarover ik je nog zal vertellen, groeit in het begin ook snel, maar op het moment dat bedrijven al hun capaciteit benutten, is die groei afgelopen. Dan wordt het groei in het tempo van menselijke ontwikkeling. Daarom noem ik dat bloei.'

Barrières voor innovaties

Groei... bloei... bloei... groei... Ik loop een rondje hard in het park op het ritme van die twee woorden. Klopt het wat Henk zegt? Er zijn zoveel sturingsmechanismen die een rol spelen. Wat is daarin de rol van rente? Wat heeft rente te maken met machtsverschillen? Is geld eigenlijk één grote inzamelingsmachine voor een kleine, steeds rijker wordende groep mensen? En leidt die ophoping van geld inderdaad tot niet-duurzame groei? Het zou wel ontzettend veel verklaren. Toch blijf ik voorzichtig. Waarom eigenlijk? Henk heeft er over nagedacht en STRO ontwikkelt op basis van deze analyse nieuwe geldsoorten die ze ook echt in de praktijk brengen. Maar zolang dat nieuwe geld de wereld nog niet heeft veroverd, kan ik niet zeggen of het echt een alternatief is voor het bestaande geld. En er is nog genoeg tegen zijn analyse in te brengen.

Het verleidelijke is wel dat zijn manier van denken antwoord geeft op vragen waar ik al heel lang mee rondloop. Maar ik kan gewoon niet geloven dat deze puzzel helemaal klopt. Hoe kan het dan dat ik hier nu pas van hoor? En dat het niet al groter is opgepakt? Zou het te anders zijn? Onrealistisch? Te excentriek? Ziet Henk iets over het hoofd of ben ik gewoon nog niet klaar voor deze uitleg? Zit ik vast in een verouderd denkpatroon, of is Henks afwijkende gezichtspunt een dogma? Ben ik een product van de gevestigde orde en kan ik niet meer anders denken over zoiets als rente, of is het terecht dat ik niet in Henks redenering meega? Of ligt de waarheid misschien ergens in het midden?

Als ik dieper graaf, kom ik bij mezelf ook nog iets anders tegen. Zullen mensen me nog wel serieus nemen als ik me bij deze analyse aansluit? Wie rente ter discussie stelt, lijkt ons kapitalistische systeem aan te vallen waarin het draait om macht en materie. In de visie van Henk staat de mens centraal. Als mens lijkt me dat een goede zaak. Maar mag een econoom wel zo denken? Ik moet oppassen mijn geloofwaardigheid niet in het doucheputje te zien verdwijnen. *'Dat kan niet!'* hoor ik mensen al smalend roepen, een tikje meewarig dat ik ergens op mijn avontuurlijke zoektocht naar noodzakelijke vernieuwingen op een dwaalspoor terecht ben gekomen.

Zulke reacties heb ik trouwens al eens meegemaakt. Die keer waren ze ongegrond. Toen ik voor het eerst een lans brak voor het fenomeen *crowdfunding*, wat in die tijd nog niemand kende, duurde het lang voordat

mensen begrepen waar ik het over had en waarom dat interessant was –
ook voor banken. Ik heb toen in de praktijk ervaren hoe dat is: het ongeloof
waar innovatie en verandering in het begin op stuiten. Vernieuwing komt
vaak uit hoeken waaruit we die niet verwachten, die de meeste mensen
ook niet op hun netvlies hebben. Zo kwam crowdfunding bijvoorbeeld uit
de muziekindustrie. Om werkelijk met iets nieuws te komen, moet je dieper
graven dan anderen, terwijl je van te voren niet weet hoe iets zich zal ontwikkelen. Dat is het risico van radicale innovaties en daar kun je het werk
van STRO wel onder scharen. Het is écht iets anders, maar op voorhand
weet je niet of het echt wat zal gaan worden.

Een jaar voordat ik dit gesprek met Henk aanging, werkte ik behalve aan
crowdfunding ook aan *social entrepreneurship*. Dat gaat over een andere
manier van ondernemen en financieren, waarin meer soorten waarde
meetellen dan alleen de financiële. Ook *people* en *planet* krijgen daarin
een plek. Waarom kan dat niet gewoon de oplossing zijn? Ik ben er nog
steeds erg enthousiast over en merk dat steeds meer mensen zich ermee
bezighouden: het groeit als kool.

In gedachten leg ik die vraag aan Henk voor. Wat zou hij erop zeggen?
Waarschijnlijk dat dit inderdaad heel belangrijk is, maar dat er op systeemniveau meer ruimte voor gemaakt moet worden, omdat het anders
beperkt blijft. Sociale ondernemers zoeken naar een gulden middenweg
maar zolang ze in het huidige geldsysteem blijven functioneren, zullen ook
zij niet onder de groeidwang van geld uit kunnen komen. Ze zullen dan
ook blijven worstelen met twee strijdige uitgangspunten. Aan de ene kant
de bijdrage die ze met hun onderneming willen leveren aan een gezonde
toekomst en aan de andere kant de noodzaak om geld te lenen voor hun
huis of hun bedrijf en om dat met rente terug te betalen. Daarbij: het is niet
voor iedereen weggelegd om sociaal ondernemer te worden. Je moet een
maatschappelijke drijfveer voor een betere wereld hebben, waarmee je het
bestaande systeem gaat uitdagen, en het moet economisch ook haalbaar
zijn in de branche waarin je zit. Je kunt niet verwachten dat iedereen die
drive heeft. Veel mensen willen gewoon geld verdienen en het maakt niet
uit waarmee, als ze er maar van kunnen leven. Wat dat betreft moet de
verandering veel sneller gaan dan het tempo waarmee mensen sociaal
ondernemer worden. Maar hoe?

Toch lijkt het soms alsof steeds meer mensen in mijn omgeving vanuit hun eigen passie willen gaan opereren. Anderen zeggen weer dat we collectief in ons bewustzijn aan het veranderen zijn. Het schijnt dat als er vijf procent van de mensen echt anders gaat denken, er een *tipping point* wordt bereikt en de rest ook snel volgt. Zou dat waar zijn?

Mijn rennen op de cadans van groei-bloei heeft me in de buurt van de vijver gebracht. Ik doe daar wat rekoefeningen, hopend dat ook mijn ideeën loskomen. Ik heb het gevoel dat er al allerlei verandering aan de gang is, in een transitie naar een nieuw economisch tijdperk. Neem crowdfunding. Daarbij wordt op een transparante manier geld voor duurzame ondernemers ingezet. Bij crowdfunding is naast het rendement ook van belang waar het geld naartoe gaat. Soms wordt een deel van het rendement in natura uitgekeerd: dan schiet de klant het geld voor om een product te maken of een dienst te leveren. Zo beslissen we zelf voor een stukje wat er op de markt komt en is er geen bank meer nodig voor de voorfinanciering. Andere waarden dan alleen financiële gaan in onze besluitvorming weer een grotere rol spelen. Hoewel: in theorie kun je crowdfunding natuurlijk ook gebruiken om te gaan speculeren op grondstofprijzen. Dus je moet wel kiezen vanuit welke waarden je wilt gaan investeren. Die spreken nu eenmaal niet vanzelf.

Henk zoekt naar innovaties waarbij het succes van de oplossingen van STRO niet afhangt van de 'goede wil' van mensen. Daarom zoekt hij met STRO naar oplossingen waarbij iedereen wint, zelfs als je alleen vanuit eigenbelang denkt. Toegang tot goedkoop geld motiveert tenslotte ook mensen zonder uitgesproken sociale drijfveer om mee te doen aan de initiatieven van STRO. Duurzaam of niet, die mogelijkheid zal elke ondernemer als muziek in de oren klinken en zo bereik je meteen al een grotere groep mensen.

Ik draai om en ga hardlopend richting mijn huis. Ik ga zo weer verder schrijven aan het boek. Gaat het me lukken om alle puzzelstukjes bij elkaar te brengen en tot een conclusie te komen over het werk van STRO? Ik ben niet zo'n oordelaar. Ik zoek naar verbinding, naar *common ground*. Ik denk aan de mensen die ik in mijn leven om mij heen verzameld heb: leuke bankiers, gedreven duurzaamheiddenkers en fijne vrienden waarvan velen zich helemaal niet met geld of duurzaamheid bezighouden. Is er een verhaal dat al deze groepen zóu interesseren? Waar zit de overlap? In essentie zijn we tenslotte allemaal mensen met logica en gevoelens, al zijn we grootgebracht met verschillende soorten gedachtegoed en hebben we verschillende levenservaringen. Is er misschien een middenweg? Ik besef dat dat mijn aanname was toen ik besloot dit boek over STRO te schrijven. Dat ik die middenweg wel even zou gaan vinden en dat iedereen dan zou zeggen: 'Ja, zo is het. Goed gezegd.'

Ik heb zwaar onderschat hoe lastig het is om het werk en de achterliggende ideeën van STRO te beschrijven. Ik zie dat mijn mening op sommige punten verschilt van die van Henk en dat ik er gewoon nog niet uit ben wat ik er allemaal van vind.

Natuurkundigen, maar ook grote spirituele denkers en religies, stellen dat alles in alles besloten zit. Dat we niet bestaan uit afzonderlijke stukjes die samen één geheel vormen, maar dat in elk stukje het geheel aanwezig is. Daaruit zou onze verbondenheid met elkaar en met de natuur blijken. Van dat principe gaat een enorme kracht uit, die zich uitdrukt in leiderschap, succesvolle organisaties, maatschappelijke verandering en persoonlijke en spirituele ontwikkeling. Intuïtief is die verbondenheid voor mij een aanknopingspunt dat er veel meer is dan de netto contante waarde van een bedrijf en veel meer dan geld als de ultieme drijfveer. Op die manier kan ik ook uitleggen dat alles ook in mij aanwezig is. Dan moet het toch ook mogelijk zijn om tot een holistisch beeld van geld te komen?

Naarmate ik minder in geld denk, begint winst maken steeds abstracter te worden. Natuurlijk wil ik geld verdienen, ik heb het nodig om mijn leven te kunnen leiden. Maar het is geen doel op zich. Mijn doel staat niet *onder* maar boven de streep: Wat gebeurt er in mijn leven? Waar besteed ik mijn tijd aan? Dat is voor mij de essentie. Ik verlies het contact met mijn eigen passie als ik 'contant geld' in werk en leven centraal stel en dat enigszins misplaatst 'contante waarde' noem. Ik voel een logica van overvloed als ik denk in termen van delen, geven, slim organiseren en op elkaar vertrouwen – heel anders dan de logica van schaarste als ik denk in termen van geld.

Thuis trek ik mijn hardloopschoenen uit en plof ik met mijn telefoon en een glas water op de bank neer. Even de mail checken. Een bericht van Henk. Ik klik hem open op mijn schermpje.

Onderwerp: *Hoe de kosten van geld onze beslissingen beïnvloeden*

Ha Helen,

Ik heb nog een voorbeeld voor je, om duidelijk te maken hoe groot de invloed van de kosten van geld is op de beslissingen die we nemen.

In de jaren tachtig onderzochten Canada en de Verenigde Staten de haalbaarheid van een waterkrachtcentrale op de grens tussen beide landen. Milieu en duurzaamheid waren toen nog geen issue: de haalbaarheidsvraag ging alleen over rendement. Het kost veel geld om zo'n centrale op te zetten, maar de onderhoudskosten zijn laag, de brandstofkosten zijn nul en hij is lange tijd te gebruiken. De meningen over de mate van duurzaamheid van het project zijn natuurlijk verdeeld, gezien de impact op het ecosysteem in de rivierbedding, maar het gaat me er in dit voorbeeld vooral om dat dit een investering voor de zeer lange termijn was.

Op grond van hun kostenanalyse kwamen de Canadezen tot de conclusie dat de centrale niet rendabel was en ze braken de onderhandelingen af. De Amerikanen waren verbaasd: hun conclusie was juist dat de centrale wel rendabel zou zijn en ze wilden met de bouw beginnen. In overleg kwamen ze erachter waardoor hun beoordeling zo verschilde: de V.S. ging uit van een gemiddelde rente van 2,5 procent terwijl Canada met 4,1 procent rekende. Doordat de geschatte financieringskosten van de investering door de Canadezen hierdoor veel hoger uitvielen, zou de waterkrachtcentrale volgens hen nooit voldoende inkomsten kunnen genereren.

Zoals je ziet worden veel beslissingen in onze wereld gestuurd door een mechanisme waar we ons nauwelijks van bewust zijn.

Groet, Henk

Verbaasd lees ik de mail. Ik klik op 'antwoord' en tik in mijn scherm:

> *Hoi Henk,*
>
> *Dank je wel voor dit voorbeeld. Wat ik nu niet begrijp is dat je het over overheden hebt. Regeringen zijn toch ingesteld om het publieke belang te behartigen, niet de belangen van financiële markten? Publieke diensten worden gelukkig niet alleen gestuurd door geld. De overheid richt zich op wat we als samenleving nodig hebben. Die zit toch niet vast aan de logica van rentedragend geld, die jij beschrijft?*
>
> *Groet, Helen*

Ik kleed me om en schenk thee in. Al snel krijg ik een reactie. Henk overdreef niet toen hij zei dat hij vaak online is.

> *Ha Helen,*
>
> *Of ze willen of niet, ook overheden zijn in de greep van rentedragend geld. Dat komt doordat ook overheden geld lenen op de markt en daar dus rente over moeten betalen. Zolang de economie en daarmee de belastinginkomsten groeien, kan de overheid de rente op de staatsschuld betalen, maar als ze niet groeien, kan de overheid de rente op de staatsschuld alleen betalen door nieuwe schulden aan te gaan, of door te bezuinigen. Een goede reden om er alles aan te doen om economisch te groeien dus.*
>
> *Dat motief is zelfs zo sterk dat veel mensen blijven geloven dat meer groei uiteindelijk zal leiden tot lagere CO_2-uitstoot. Door te sturen met belastingen kunnen regeringen ervoor zorgen dat duurzame productie en energie de belangrijkste groei realiseren. Maar in het grotere geheel weegt dit niet op tegen de effecten van de exponentiële groei in andere delen van de economie. Een voorbeeld: stel je ontwikkelt een smartphone die nooit meer stuk gaat, zijn eigen energie opwekt en altijd up-to-date te houden is. Dan heb je duurzame productie gerealiseerd. Tegelijk neemt dan de vraag naar nieuwe producten af en krimpt de economie. Apple en Samsung zouden zo in omvang afnemen. Zo'n duurzame beweging kan de economie helemaal niet aan.*
>
> *Het is toch te gek voor woorden dat de Nederlandse economie drie keer*

*zo groot is als veertig jaar geleden, terwijl we op een aantal terreinen niet de
voorzieningen meer kunnen opbrengen die toen heel gewoon waren? 'Toen
was geluk nog heel gewoon,' zegt de tv-serie. We betalen de prijs voor het steeds
sneller opmaken van de levensvoorwaarden zonder dat dit meer geluk oplevert. Daarom denk ik dat we nu met de grootste spoed alternatieven moeten
vinden voor het in omloop brengen van geld als rentedragende schulden. Als
we armoede de wereld uit willen helpen, als we iedereen een kans willen geven
om zijn of haar talenten te ontplooien en als we de natuur willen sparen, dan
moeten we andere geldsoorten ontwikkelen.*

Groet (en weer succes met schrijven),
Henk

Met de benen omhoog op de bank staar ik uit het raam. Vroeger was alles
beter, dat geloof ik nou ook weer niet. Maar één ding ben ik ondertussen
wel met Henk eens: groei van duurzaamheid vraagt om een andere kijk op
geld en waarden. Sowieso denk ik altijd als we over groei praten: *groei van
wat*? Ik zou wel eens willen inzetten op groei van natuurgebieden, groei
van stilte, groei van vrije tijd en groei van saamhorigheid. Groei van het
aantal keer op een dag dat ik in de lach schiet. En de tegenvraag die daarbij
hoort: wat willen we laten krimpen? Vervuiling, files, aantal werkuren,
kantoorpanden. Daar zouden we het vaker over moeten hebben. Over de
keuze tussen soorten groei en krimp waardoor ons leven beter wordt.

'Wat écht opmerkelijk is aan de crisis, is dat er nauwelijks in brede kring wordt gediscussieerd. Wat is hier nu echt aan de hand? Wat zouden we van de crisis moeten leren? Zijn niet veel fundamenteler vernieuwingen nodig? Dit zeer leesbare boek daagt uit tot nadenken over zulke cruciale vragen.'

John Grin, *hoogleraar systeeminnovaties aan de Universiteit van Amsterdam*

'De voortgaande afbraak van de unieke kwaliteiten van de aarde en de toenemende ongelijkheid in de wereld hebben te maken met ons geldstelsel. Het is de hoogste tijd om dat niet langer als vanzelfsprekend te beschouwen en daar kritisch over te leren denken. De gesprekken van Helen Toxopeus en Henk van Arkel stimuleren dat kritische denken enorm en zijn daarom zeer lezenswaardig.'

Egbert Tellegen, *emeritus hoogleraar milieukunde*

'Een soort geld ontwerpen dat mensen uit eigenbelang duurzaam en verantwoord laat handelen, dat is een manier om de 'steady state' te realiseren die Machiavelli waardig is.'

Gert Jan Jansen, *Hof van Twello/auteur Kleinschaligheid als alternatief*

Bijlmer, 2008: Dialogues Incubator en Economy Transformers

Toen mijn afdeling werd opgeheven wist ik niet of ik bij ABN AMRO wilde blijven werken. Ik snakte naar meer creativiteit, meer ruimte voor een maatschappelijke visie op bankieren en meer leven naast mijn werk. Ik werd binnen ABN AMRO fantastisch gecoacht en op basis van mijn voorkeuren in contact gebracht met een afdeling, die op dat moment in oprichting was: *Dialogues Incubator*. Deze tak van de bank ging zich richten op radicale innovatie: fundamenteel andere soorten dienstverlening die in de toekomst misschien bij ABN AMRO zouden kunnen gaan horen. Deze afdeling ging *business cases* en projecten opstarten vanuit een verbonden- heid met de samenleving. Na een aantal gesprekken zei ik 'ja'. Het klikte. Een paar maanden later werkte ik als innovatiemanager in het Dialogues House van ABN AMRO in de Bijlmer.

Het was een gouden zet. Het bleek een creatieve verzamelplek voor bankiers die anders dachten. Net als ik was een aantal van hen gedreven om zich te wijden aan duurzaamheid en verandering, anderen aan online innovatie en technologie, of aan het ondernemersperspectief om binnen de bank een eigen bedrijfje te runnen. Zelf wilde ik maatschappelijk rele- vante, innovatieve vormen van dienstverlening ontwikkelen en daar kreeg ik alle vrijheid voor. Mensen die met nieuwe ideeën bij de bank aanklopten, werden naar ons doorverwezen. Ik bouwde er een netwerk op, begeleidde stagiaires bij hun stages en scripties en al met al werd mijn baan een heer- lijke uitlaatklep voor mijn creativiteit. Ik gaf workshops over innovatie en financiële dienstverlening, faciliteerde brainstormsessies en had onder- tussen profijt van mijn financiële achtergrond en van de gestructureerde manier van werken die ik in mijn eerste baan had opgedaan.

In 2008 deed ik samen met een afstudeerstagiaire mee aan een wedstrijd rond duurzame business cases binnen ABN AMRO. We noemden onze in- novatie de 'energie-bespaar-rekening'. Tijdens een brainstorm besloten we iets met het tijdsaspect van geld te doen. Zonder ooit te hebben nage- dacht over het effect van rente op duurzaamheid, bedachten we dat we nieuw spaargeld voor de bank konden aantrekken door klanten de rente vooraf uit te keren – maar dan niet in geld, maar in bespaarproducten voor energie en water. De bank kon deze producten voordelig in het groot inkopen en de klanten zouden profiteren door hun lagere kosten voor energie en water. Zo zouden we verduurzaming concreet realiseren en tegelijk meer spaargeld voor de bank aantrekken. Ons idee werd op kleine schaal binnen de bank overgenomen.

Niet lang daarna stuitte ik op het fenomeen *crowdfunding*. Ik ging naar een lezing van de ondernemer achter Sellaband, een site waarop je in bandjes kunt investeren, in ruil voor hun muziek. Als burger en consument kun je zo direct meebepalen welke producten er op de markt gaan komen. Het idee liet me niet meer los. Hoewel crowdfunding op dat moment nog totaal onbekend was, vielen er allemaal puzzelstukjes op hun plek. Ik zag voor me hoe dit heel groot zou kunnen worden en daar wilde ik bij helpen. Ik zag crowdfunding als een democratische en transparante vorm van bankieren.

Ik mocht beginnen met het schrijven van een business case voor een crowdfundingplatform. Al snel haakten er enthousiaste collega's aan. Tegelijkertijd was er ook veel weerstand: het paste niet in de bestaande wetgeving, het zou niet haalbaar zijn, niet voldoende winstgevend. Maar we bleven ervan overtuigd dat we hiermee verder moesten gaan. In 2010 gaf ik het stokje door aan een collega die het platform naar de markt zou gaan brengen.

In diezelfde periode kwam ik een oud-collega tegen die ik nog uit mijn studententijd kende. We hadden het over duurzaamheid en innovatie en zij nodigde me uit voor een workshop in de Hub, een verzamelwerkplaats voor duurzame ondernemers in Amsterdam. Ik ontmoette daar iemand die bezig was met het opzetten van een netwerk rondom 'nieuwe economie'. Ik was door de workshop meteen geïnteresseerd en ze gaf me haar nummer.

Niet lang daarna woonde ik in Utrecht een bijeenkomst van dit netwerk bij; het was inmiddels Economy Transformers gaan heten. Het raakte me hoe er in deze groep over de economie werd gepraat. Men keek op een fundamentele manier naar kansen om de economie anders op te zetten. Het was een open, optimistische, motiverende en energieke bijeenkomst, waarin het precies draaide om de dingen die mij aan het hart gingen, zoals de duurzaamheid op lange termijn. Aan het einde werd er gevraagd wat de aanwezigen zelf aan het netwerk wilden bijdragen. Ik bood aan om een bijeenkomst te organiseren in het Dialogues House. Zo raakte ik bij Economy Transformers betrokken.

Ondertussen had ik een persoonlijk visiedocument geschreven, waarover ik met uiteenlopende mensen binnen de bank in gesprek ging. Het werden inspirerende gesprekken rond mijn vraag: hoe kan ik mijn pad gaan volgen op het gebied van wat ik 'nieuwe economie' had gedoopt? Kan dat binnen de bank, of toch beter erbuiten? Ik voelde er niet zoveel voor om weg te gaan. Ik had een veelzijdige baan, een groot netwerk, een goed inkomen en leuke collega's. Mijn baan opzeggen leek me eng. Toch werd het me steeds duidelijker dat ik verandering nodig had, ook in mijn eigen leven. Ik koos voor een tussenoplossing. Ik nam een sabbatical van vier maanden op om na te denken over een volgende stap. Ik sprak met mijn manager af dat ik tijdens deze periode zou beslissen wat ik daarna zou gaan doen. Om te beginnen ging ik op reis.

De heer Steenbreek had zich intussen naar het hoofdkantoor van de Rommeldamse Bank gerept. 'Er is een crisis in de DDT,' sprak hij ernstig. 'Het kapitaal moet door een fusie gesaneerd worden, meneer Pletduiter! Orders van AWS!'

De ander verknoeide geen tijd met vragen of ander misbaar. Hij begaf zich onmiddellijk naar het beurscontrole-apparaat en haalde een handle over.

'Het is gebeurd,' zei hij eenvoudig. 'De isolatie is opgeheven, zodat de DDT kan imploderen. Houd de rode streep in de gaten, meneer Steenbreek - en zeg maar ho als het genoeg is.'

De secretaris knikte. Hij hield zijn koele blik gevestigd op de onrustig schommelende wijzers van het toestel en liet zich niet afleiden toen er een aangroeiend rumoer tot het stille vertrekje doordrong. De geharde geldbediende wist wat er gebeurde; het grote geld trok het kleine geld aan. Rinkelende munten en fladderende bankbiljetten bewogen zich in de richting van de DDT-kluis en er was niemand die het gebeuren kon tegenhouden.

November 2012

Rente en armoede

'We hebben het de vorige keer gehad over het effect van ons geld op duurzaamheid,' zegt Henk, als we weer in zijn kantoor zitten. 'Je weet wel: het voorbeeld van het duurzame huis. Maar dat is maar een deel van het verhaal. Het lijkt me leuk om aan de hand van het voorbeeld van een project in Brazilië te laten zien hoe een ander soort geld armoede kan tegengegaan, door middel van *bloei*. Dan valt de analyse direct ook meer op zijn plek.'

Fijn, weer een voorbeeld. Dat heb ik nodig. En dan komen we ook meteen terug bij de reden dat ik ooit over geld ben gaan nadenken: armoede. Waarom slapen er nog steeds kinderen in dozen onder bruggen?

Wat je ook koopt of betaalt, er zit altijd een portie rente in

Henk steekt van wal. 'Laat ik bij de kern van het probleem beginnen: rente zorgt voor een snelle concentratie van vermogen. Zoals je zag bij de gouden munt die je hebt geërfd, is het effect van samengestelde rente, oftewel rente op rente, veel groter dan je zou verwachten. Wie voldoende geld heeft en dat opzij kan zetten, ontvangt elke keer rente die bij het oorspronkelijke bedrag wordt bijgeschreven en daarover komt dan ook weer rente; zo wordt iemand dus steeds rijker, zonder er iets voor te hoeven doen. Dan komt er een punt waarop hij niet meer hoeft te werken voor zijn geld: het geld werkt voor hem. Hij komt in een positieve spiraal en als je daar eenmaal in zit, moet je wel heel gekke bokkensprongen maken om weer arm te worden. *De Bovenbazen* van Marten Toonder laat dat op onnavolgbare wijze zien.'[*]
'Behalve als het geldsysteem instort,' mompel ik.

---

[*]   Marten Toonder, *De Bovenbazen*. Bezige Bij, 1968.

Henk knikt. 'Maar rijke mensen zetten meestal een groot deel van hun vermogen om in andere eigendomsvormen, zoals grond en vastgoed, dus zij blijven ook dan meestal wel rijk.'

'Het rentemechanisme,' vervolgt Henk, 'leidt er toe dat 80 procent van de Nederlanders en meer dan 95 procent van de wereldbevolking, voortdurend geld afdraagt aan de rijkste paar procent. De enorme groei van het aantal miljonairs en miljardairs is dus niet toevallig. Die vloeit logisch voort uit de werking van het huidige geldsysteem. Zelf denk ik dat er zo weinig verzet is tegen een geldsysteem dat op rente is gebaseerd, doordat je van de meeste rente die je betaalt niet beseft dat het rente is. Laten we eens kijken hoe dat werkt.'

Hij kijkt me aan. 'Hoeveel rente denk je dat jij op jaarbasis betaalt?'

Dat is een makkelijke vraag. 'Volgens mij geen. Ik heb geen schulden. Hooguit als ik rood sta op mijn betaalrekening. Ik heb geen huis, dus ik betaal ook geen hypotheekrente, alleen huur.'

Henk grijnst. 'Mis. Je betaalt zelfs heel veel rente. Maar dat zie je niet. Die rente zit verborgen in alles wat je koopt en huurt. Ook in je huurhuis.'

Ik kijk Henk glazig aan. 'Hoe bedoel je?'

Hij schuift een printje naar me toe. 'In Duitsland heeft Helmut Creutz de volgende berekening gemaakt. Deze grafiek verdeelt de bevolking van Duitsland in tien inkomensgroepen die elk 10 procent van de bevolking vertegenwoordigen. Hij laat zien hoeveel elk van die groepen aan rente betaalt en ontvangt.'

Ik kijk naar de grafiek.

'Wat je hier ziet,' zegt Henk, 'is dat de rijkste 10 procent van de bevolking weliswaar de meeste rente betaalt – dat zie je in de tabel onderaan – maar, zoals we aan de torenhoge geldkolom zien, desondanks netto verreweg de meeste rente ontvangt.'

'Dus wat er bij een rente van 4,2 procent bij de rijkste mensen netto aan rente binnenkomt is het verschil tussen € 90.000 en € 30.000, ruim € 60.000 per jaar,' reageer ik.

Ik kijk snel de hele figuur door. Tachtig procent betaalt (veel) meer rente dan er binnenkomt. Volgens de grafiek is er dus een voortdurende geldstroom van arm naar rijk.

Ik vraag: 'Ligt dit echt zo scheef? Zit hier ook je pensioen bij? Daarin sparen we toch allemaal?'

'Ja, de rente die je pensioenfonds ophaalt en aan jouw pensioen toevoegt is ook meegerekend. Je ziet hieraan dat we veel meer rente betalen dan alleen over onze schulden. In de prijzen die we betalen voor ons onderdak, ons eten en alles wat we consumeren – overal zitten rentekosten in verborgen. Er zijn maar weinig mensen die zich dat realiseren.'

'Bedoel je dat ik rente betaal als ik bananen koop, of een nieuwe fiets?'

'Precies! De hoeveelheid rente die je betaalt, hangt af van de manier waarop er is geïnvesteerd voor de productie van je aankoop. Is het bedrijf gefinancierd met eigen geld, met geld van de bank of met geld van private investeerders? Alle financiers willen hun geld terugzien, vermeerderd met rente of dividend. En in de kostprijs van de productiemiddelen zit ook weer zo'n rentecomponent, net als in de huisvestingskosten van een bedrijf en in de producten van toeleveranciers. Bedrijven hebben nu eenmaal werkkapitaal nodig om de tijd te overbruggen voordat wij die bananen of die fiets in de winkel kopen. Kortom: hoe meer vreemd geld en hoe meer investeringen er nodig zijn voor een specifieke dienst of product, des te hoger de rentekosten.'

Henk pauzeert even voordat hij verder gaat: 'Bedrijven betalen zelfs hogere arbeidskosten doordat een groot deel van de salarissen nodig is om uit die salarissen rentekosten te betalen. De grootste rentepost daarbij is een woning. Of je die nou koopt of huurt, je betaalt altijd direct of indirect een enorme slok rente. Dat moet dus ook in het arbeidsloon zitten. Ook kopen medewerkers van bedrijven producten waarvan de kostprijs door de rentekosten hoger ligt. Zelfs in de belasting die medewerkers en bedrijven zelf betalen, zitten rentekosten, want de staat betaalt flink rente op de staatsschuld.

Zo liggen de prijzen van elk product en elke dienst door al die tranches rentekosten een stuk hoger. En daardoor vindt er een continue overheveling van geld plaats naar het allerrijkste deel van de bevolking. Dat is een soort private belasting waar we ons niet of nauwelijks bewust van zijn.'

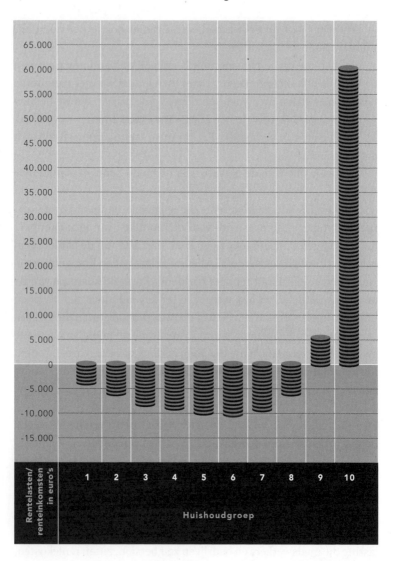

Groep:	1	2	3	4	5	6	7	8	9	10
Rente (x 1000 euro)										
-inkomsten:	0,0	0,0	0,0	0,0	0,2	1,2	3,3	7,7	23,2	90,4
-lasten:	4,1	6,8	8,3	9,5	10,5	11,8	13,2	15,1	17,1	29,4
Saldo:	**-4,1**	**-6,8**	**-8,3**	**-9,5**	**-10,3**	**-10,6**	**-9,9**	**-7,4**	**+6,1**	**+61,0**

WIE WORDT RIJK VAN RENTE, WIE BETAALT?

De armste 10% is per huishouden zo'n 4.100 Euro aan rente kwijt, de rijkste 10% ontvangt per huishouden gemiddeld 61.000 Euro (90.400 Euro ontvangen minus 29.400 Euro betaalde rente). Helmut Creutz heeft dit berekend voor Duitsland (in 2012, met de gegevens van 2007). Hij verdeelde de bevolking in 10 huishoud-groepen van 10%, oplopend van arm naar rijk (= 10 x 3,8 miljoen huishoudens). De rente is het saldo van betaalde en ontvangen rente (zie tabel). De bedragen zijn in duizend Euro per huishouden. Er is gerekend met een rente van 4,2%*.

Het patroon dat de rijksten het meeste erbij krijgen herhaalt zich binnen de rijkste 10%. Daar is de allerrijkste 1% de grootste slokop. Voor Nederland heeft het CBS in april 2014 vastgesteld dat de rijkste 1% (= 74.000 huishoudens) bijna een kwart van al het vermogen bezit. Tegelijk meldt het Corporate Europe Observatory dat de financiële sector jaarlijks 120 miljoen steekt in lobbyen in Brussel. Er zijn daar vier financiële lobbyisten op elke ambtenaar. Reken maar dat het gros voor slappere regels lobbyt. De NRC, die hierover bericht, schrijft er niet bij dat dit ten bate is van de rijkste 1%.

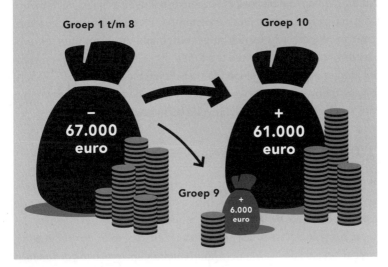

Groep 1 t/m 8

Groep 10

–
67.000
euro

+
61.000
euro

Groep 9

+
6.000
euro

* Tot zover Creutz.
Bron: www.helmut-creutz.de/grafiken/e/creutz_060.pdf

Henk zucht. 'Ik heb me wel eens afgevraagd wat er zou gebeuren als ondernemers en particulieren elke week zelf dat geld langs moesten brengen bij die paar procent van de bevolking die nu netto aan rente verdient. Volgens mij hadden we dan binnen de kortste keren een volksopstand.

Helmut Creuz heeft berekend dat er van de prijs van producten gemiddeld meer dan 30 procent bij geldschieters terechtkomt. Geen wonder dat de geldstroom naar geldschieters gigantisch groot is. En dan begrijp je ook makkelijker waarom de economie zou opbloeien als we die kosten niet meer hoefden te betalen, maar dat de groei na enige tijd zou afnemen. Rijke mensen geven een groot deel van dat geld namelijk niet uit – ze investeren het, en ook al is dat tegenwoordig steeds vaker speculatief, nog steeds zijn de geïnvesteerde bedragen zo groot dat ze een exponentiële groei veroorzaken. Tenminste zolang er koopkrachtige vraag is.

Maar als die 30 procent voor consumptie en investeringen in de eigen omgeving wordt besteed en niet langer in uitbreiding of vernieuwing van het productievermogen wordt gestoken, vlakt die groei na verloop van tijd weer af. Zonder een voortdurende aanvoer van nieuw kapitaal dat op zoek is naar investeringen krijgen we namelijk een rustiger en natuurlijker groeitempo. En de koopkrachtige vraag naar producten wordt niet langer uitgehold en hoeft dus ook niet steeds met krediet opgevuld te worden. Er komt een nieuw evenwicht tot stand en wanneer voldoende mensen zich daar hard voor maken, blijven nieuwe investeringen beperkt tot de noodzakelijke vervanging van producten en werkelijk zinvolle vernieuwing.'

Dertig procent? Dat lijkt me overdreven

Ik reageer. 'Ik kan me haast niet voorstellen dat de kosten van geld zo hoog zijn. Dertig procent? Dat lijkt me wat overdreven. Maar de essentie boeit me wel. Als ik je zo beluister, betekent dat eigenlijk dat we al het geld dat in omloop is *huren;* iedere dag weer. En al die huur, voor al het geld dat we betalen, komt uiteindelijk terecht bij de fondsen waar het geld wordt beheerd voor een klein groepje mensen, die meer rente ontvangen dan ze betalen. De rest van de mensheid betaalt huur.'

Ik leun achterover en praat verder. 'Je raakt me op een moreel punt. Als je er zo tegenaan kijkt, vraag ik me nu af of ik het terecht vind dat er geld wordt verdiend aan het bezit ervan. Als je alleen oppervlakkig naar sparen en lenen kijkt, lijkt rente logisch en eerlijk. Maar nu je dit zo vertelt, kan ik er ook anders over denken. Rente betalen over onze totale hoeveelheid geld, waarbij rijke mensen automatisch steeds rijker worden zonder daar iets voor te hoeven doen – behalve misschien een kundige vermogensbeheerder inhuren – klopt dat moreel nog wel?'

Ik probeer mijn gedachtegang verder onder woorden te brengen. 'Kijk, rente of rendement als vergoeding voor het risico dat je loopt door je geld uit te lenen, dat vind ik nog steeds terecht. Soms krijg je wat extra terug en soms raak je het kwijt. Maar als dat correct is geprijsd, zou je op langere termijn niet sneller rijker moeten worden dan het tempo van de economische groei, behalve als je een uitzonderlijke neus hebt voor goede investeringen.'

Henk blijft stil. Ik ga door. 'Bij spaargeld ligt het ingewikkeld. Je kunt rente verdienen op je spaargeld zonder echt risico te lopen. Of je geld dan ook meer waard wordt, ligt ook aan de inflatie. Maar als geld uit het niets is geschapen en intussen wel structureel rente opbrengt... wat is dan de bijdrage die dat geld geleverd heeft? Iemand anders is waarde aan het creëren door een ondernemersrisico op zich te nemen. De geldschepper profiteert daar van. Natuurlijk is er het risico dat dat geld niet terugkomt, maar toch... Is dat nou eerlijk of niet?'

We worden onderbroken door een collega van Henk, die lunch gaat halen. Ze vraagt of we straks mee-eten. Graag, want we zijn voor de lunch niet klaar met ons gesprek. De gedachte die door mijn hoofd waart, is: heeft Henk gelijk? Wordt er inderdaad door geldbezitters structureel winst gemaakt op geld, ten koste van al diegenen die niet genoeg geld bezitten? Is er sprake van dat een geldeigenaar gebruik, of misbruik van zijn machtspositie kan maken? Hoe kom ik erachter of deze machtscomponent in rente echt bestaat? Misschien zijn sommige aspecten van rente beter te verdedigen dan andere. Ik zeg nog niets.

Systematische armoede in de wereld

Henk vult de stilte op. 'Ik wil nu even niet ingaan op het morele punt. Ik wil me concentreren op het economische probleem. Concentratie van vermogen leidt namelijk tot een heel concreet economisch vraagstuk: hoe krijgen we dat geld terug in circulatie? Hoe komen we aan voldoende koopkracht om de geproduceerde goederen en diensten af te nemen?

Ik zei het al eerder: de rijkste mensen zullen door de rente-inkomsten nauwelijks méér gaan consumeren. Want iemand die echt rijk is, heeft al alles wat hij wil. Extra inkomsten gaan dus naar de financiële markten. Vroeger investeerden die markten het grootste deel van dat geld in productiemiddelen, zodat het weer via de vraag naar producten, kapitaalgoederen en diensten terug in omloop kwam. Maar sinds de komst van de computer wordt steeds meer van dit geld gebruikt om mee te speculeren. Daarmee komt het weliswaar terug in omloop, maar laat steeds speculatieve bubbels ontstaan. Die maken de economie er allerminst stabieler op. Een Duitse ex-bankier vertelde laatst in *Tegenlicht* dat tegenwoordig de gemiddelde investering in aandelen 22 seconden duurt.[*] Dat laat zien hoe de financiële sector niet langer haar geld stopt in nieuwe producten, waardoor het geld terug in omloop komt, maar in speculatieve transacties. Bovendien ontstaat er daardoor een steeds groter tekort aan geld bij consumenten. Alleen wanneer zij, of hun regeringen, zich steeds verder in de schulden steken, behouden zij voldoende koopkracht om bedrijven een markt te bieden voor hun productie.

Hoe ongelijker geld verdeeld is, hoe kleiner het percentage daarvan dat wordt omgezet in koopkracht op plekken waar mensen die koopkracht het hardst nodig hebben. De combinatie van een gemonopoliseerde geldschepping met de rente die daaruit voortvloeit, verplaatst via de rente-inkomsten ook de koopkracht juist naar de rijksten die al een overschot aan geld hebben. Hierdoor blijft er in arme gebieden te weinig koopkracht achter waar ondernemende mensen op zouden

---

[*]   Tegenlicht (VPRO), *De biecht van de bankier.* 26-01-2014.

kunnen inhaken. Die gebieden verarmen dus verder, of blijven hooguit even arm.'

Henk is even stil.

'Zo ontstaat er systematische armoede in de wereld. Het geldsysteem werkt als een soort pomp die het geld wegzuigt van waar dat
het hardst nodig is. Als lokale ondernemer kun je daar in zo'n gebied
niets tegen beginnen. Vind je het gek dat initiatiefrijke mensen in
zulke gebieden besluiten om te migreren? Ze reizen het geld ach-
terna. En de nood is vaak zo hoog dat ze er hun leven voor wagen
in gammele bootjes die hen naar het beloofde land zouden moeten
voeren...'

Dit fenomeen raakt me: mensen die hun familie achterlaten om elders aan geld te zien te komen dat ze dan naar huis kunnen sturen.
Internationale betalingen door migranten en toegang tot financiële
dienstverlening – ik ben erop afgestudeerd. Als we geloven in vrije
markten voor producten, is het niet meer dan logisch dat er ook een
vrije arbeidsmarkt is; zo heb ik dat altijd gezien. Maar hoe vrij ben je
werkelijk, als je weg moet uit je geboorteland omdat je daar je energie
en capaciteiten niet kunt omzetten in een inkomen voor je gezin?
Tegelijkertijd komt door het vertrek van juist de actieve mensen de
sociale structuur in de landen van herkomst onder zware druk te
staan. Dit zou moeten aanzetten tot breder gesteunde initiatieven
om specifiek te investeren in die regio's in de wereld waar mensen
uit wegtrekken. Toch is mijn onderliggende vraag nog dieper: vloeit
economische migratie wel voort uit geldschepping tegen rente?

Ik vraag door. 'Wat bedoel je precies met 'arme' gebieden. Gebieden
met weinig geld?'

'Armoede valt niet objectief vast te stellen. We kunnen moeilijk ons
eigen leven als maatstaf nemen. Neem bijvoorbeeld een groep mensen die geïsoleerd in het oerwoud leeft, misschien zelfs wel helemaal
zonder geld of machines. In de cijfers van economische productie
zijn zij straatarm. Intussen ervaren ze hun leven misschien wel als
heel rijk. Er is sociale warmte, hun maag is gevuld, ze hebben ruimte
om na te denken en voor ondernemende mensen zijn er uitdagingen
waarmee zij het leven extra de moeite waard maken.

Armoede heeft veel verschillende gezichten. In Nederland noemen we een gezin arm als het niet de sportclub kan betalen. In andere landen betekent armoede dat je niet naar school bent geweest, dat je in een arme wijk woont waar dagelijks geweld optreedt en waar veel ziektes voorkomen terwijl de gezondheidszorg er slecht is. Ik kwam een tijdje terug een vrouw tegen uit het arme noordoosten van Brazilië, die me vertelde dat ze weer zwanger moest worden omdat ze dan een bijstandsuitkering zou krijgen waarmee ze haar kinderen van vier en vijf te eten kon geven. Daarmee zou ze de tijd overbruggen totdat die kinderen op school zouden zitten. Dat vind ik schokkend. In sommige streken is het zelfs zover dat niemand meer van een beter leven droomt. Men wacht apathisch op anderen, omdat de hoop en de energie om te ontsnappen aan de armoede in rook zijn opgegaan.

Bij STRO kiezen we daarom voor een andere benadering van armoede. We onderzoeken hoe we mensen met een actieve persoonlijkheid en organiserende kwaliteiten kansen kunnen bieden om zich te ontplooien als ondernemer. Als die kansen er zijn, ontstaat er namelijk een aanbod van diensten, producten en werkgelegenheid, maar ook nieuwe koopkracht. Omgekeerd is een gemeenschap helemaal slecht af wanneer ondernemende mensen er geen kansen krijgen. Vroeg of laat vertrekken de actiefste mensen om hun capaciteiten elders te gelde te maken. Je herkent armoede dan ook vaak aan de emigratiecijfers.

Het bestaan van een koopkrachtige vraag die zich richt op lokale producenten is daarom essentieel. Voor ons staat centraal dat zich een gemeenschap ontwikkelt waarin ondernemende, producerende en kopende mensen op elkaar betrokken zijn. Niet voor niets heten we 'Social TRade Organisation'. Bedrijvigheid en onderlinge handel zijn belangrijk voor de sociale structuur. Dat is de basis voor ontplooiing, voor welvaart en voor de sociale samenhang in een gemeenschap. Individuen die hun capaciteiten inzetten en ontwikkelen, verbeteren behalve hun eigen situatie ook die van de gemeenschap.

Ieder individu is weer goed in iets anders. Binnen de lokale economie heb je dus specialisatie en diversiteit aan economische activiteiten nodig, om iedereen de mogelijkheid te geven zich verder te ontplooien.

Die specialisatie vergroot ook de totale productie van de lokale economie. Specialisten worden steeds beter in hun vak en kunnen via investeringen in machines of opleidingen hun productie verhogen. Zo wordt de gemeenschap langzaamaan welvarend.'

Dit klinkt me allemaal bekend in de oren. 'Tot zover niets nieuws sinds Adam Smith. Nu klink je als een doorsnee economieleraar.'

Koopkracht als voorwaarde voor economische ontwikkeling

'Dat betwijfel ik eerlijk gezegd. Tegenwoordig wordt ontwikkeling veel meer gezien als een proces van concurrentiekracht op de internationale markten en wordt de energie van de ontwikkeling van binnenuit meestal vergeten.

Dat komt doordat economen in rijke landen steeds meer het belang van koopkrachtige vraag zijn gaan negeren. Nu met de crisis zijn ze wel gedwongen hierop terug te komen, maar dat heeft zich nog nauwelijks doorgezet naar de ideeën over lokale ontwikkeling. In een lokale economie komt het proces van specialisatie alleen op gang als er voldoende vraag is naar lokale producten. Er moet lokale *koopkracht* zijn en die moet zich ook nog eens richten op lokale producten. Alleen dán heeft het zin dat ondernemers hun best doen. Alleen dán krijgen zij de kans om iets te verdienen. Hier gaat het in arme gebieden mis, omdat zonder voldoende koopkracht de specialisatie niet op gang komt.

Ook microkredieten voor ondernemers hebben geen zin wanneer zij geen klanten hebben, tenzij dat krediet leidt tot extra export en dus geld van buitenaf de gemeenschap in laat stromen.

Er komt in de meeste arme gebieden wel een beetje geld binnen, maar zelfs dat geld vormt geen basis voor lokale ontwikkeling omdat het grotendeels onmiddellijk wordt weggezogen door rentebetalingen en afbetalingen op geïmporteerde luxeproducten. Veel van die producten winnen het op prijs, kwaliteit en imago van lokale producten – àls die er al zijn.

Bovendien heeft de consument geen idee hoeveel inkomen hij

extra zou kunnen gaan verdienen als hij voor lokale producten en diensten kiest en niet voor wat van elders komt. Verder houden consumenten elkaar gevangen in een *prisoners' dilemma*. Daar zal ik een andere keer dieper op ingaan (p. 245).

We moeten ook leren denken op de schaal van arme streken, binnen een mogelijk wat rijker land. Die arme gebieden zitten dan in een grotere muntzone waardoor de waarde van de munt zich niet aanpast aan de werkelijkheid in dat gebied. We hebben in Griekenland gezien hoe rampzalig deelname in zo'n grotere muntzone kan uitpakken.

Vanuit bovenstaande analyse kijkt STRO wat er aan zulke situaties te doen valt.

Daarom hebben we de afgelopen jaren gewerkt aan sub-munten die een waarde hebben waarin de echte lokale situatie tot uiting kan komen, zodat lokale producenten de kans krijgen om een groeitraject in te gaan waarbij ze zich in een opwaartse spiraal kunnen bewegen, tot op een punt waarop ze wél concurrerend zijn – op zijn minst lokaal.

Een van de 'trucs' die we toepassen is dat we geld conditioneren om *langer* lokaal te circuleren, dus vaker in de gemeenschap van hand tot hand te gaan voordat het, net als daarvóór, aan producten van elders wordt besteed. Op die manier stimuleert het eerst de lokale handel en productie. Waar het lukt om lokale ondernemers zo meer geld te laten verdienen, is er kans dat de lokale productie verder groeit tot op een niveau waarop deze iets te bieden heeft: vroeg of laat mogelijk zelfs aan de wereldmarkt.'

Henk praat maar door.

'Het alternatief is dat de consumptie zich blijft richten op geïmporteerde goederen en diensten. Uit arme regio's komen dan hooguit nog een paar producten, bijvoorbeeld grondstoffen, maar ze komen niet los uit dat beperkte productieniveau. Dan blijft de relatie met de wereldmarkt eenzijdig en dat verkleint de kans om aan de armoede te ontsnappen. De mensen in zo'n arm land die dan profiteren, zijn degenen die zich als eigenaar van grondstoffen opwerpen. In Afrika en Brazilië wordt goed verdiend aan de verkoop van grondstoffen. Maar dat is geen duurzaam verdienmodel en voor het overgrote deel van de mensen verandert het niets aan de armoede waarin zij zitten.

Zie je waar ik heen wil? Ik denk dat ook in arme gemeenschappen er slimme ondernemers zijn die lokale niches en kansen kunnen vinden. Maar ze hebben wel voldoende lokale koopkracht nodig. En daarvoor is een nieuw soort geld nodig; geld dat niet wegstroomt en waarvan de omwisselkoers wordt bepaald door de economische werkelijkheid ter plekke. Zonder dat blijven de capaciteiten van lokale ondernemers onderbenut.'

Ik geloof dat ik begrijp waar het Henk om gaat. 'Dus je zegt twee dingen. Ten eerste dat er te weinig geld is in lokale gemeenschappen, waardoor bedrijven niet kunnen handelen en ondernemers geen klandizie kunnen vinden, doordat het geld te weinig keren rond gaat. Ten tweede dat lokale bedrijven de concurrentie met de wereldmarkt niet aankunnen, doordat ze met een wisselkoers moeten werken die niet met hun economische werkelijkheid obereenkomt.'

Henk knikt. Ik ben even stil en voeg er dan aan toe:

'Er is een *kickstart* nodig om uit de armoede te komen, waardoor lokale bedrijven kunnen verkopen en zich kunnen ontwikkelen. Ik ben wel benieuwd wat je daaraan denkt te kunnen doen. De simpelste oplossingen waar ik aan denk is het tijdelijk beschermen van lokaal ondernemerschap tegen internationale concurrentie door import te verbieden, of het stimuleren van *fair trade*, eerlijke handel, met eerlijke prijzen voor boeren.'

Henk herkent dit. 'Deze oplossingsrichting staat bekend als het beschermen van wat de *infant industry* wordt genoemd. *Infants*, in dit geval jonge bedrijfstakken, moet je als ze opgroeien beschermen tegen krachten van buiten. In de praktijk betekende dat importheffingen om het concurrenten vanuit andere landen een tijd lang moeilijker te maken om die jonge bedrijven op hun thuismarkt te beconcurreren met laag geprijsde producten. Het is heel jammer dat het idee hiervoor jaren geleden door het neoliberale denken in de taboesfeer is beland, in plaats van dat voor- en nadelen open besproken kunnen worden en dat landen sindsdien gedwongen zijn om zich open te stellen voor internationale handel. China is een van de weinige landen die zijn doorgegaan met het beschermen van de eigen industrie. In hun geval heeft het goed uitgepakt om tegen dat neoliberale denken in te gaan.'

Hij pauzeert en zegt dan: 'En fair trade, ja dat is natuurlijk gewel-dig. Fair Trade heeft met eerlijke koffie en fair trade bananen flinke successen geboekt en nu ook met chocolade. De moeilijkheid is om die energie om te zetten naar een verbetering op systeemniveau.'

Microkrediet

Ik zeg: 'En microkrediet dan? Daar ben ik zelf al jaren warm voorstan-der van, mits op een niet al te commerciële manier aangepakt. Ik heb zelf een online microkrediet-portfolio bij KIVA, waar ik geld uitleen aan microkrediet-instellingen in ontwikkelingslanden.'

'Kleine rentedragende leningen aan particulieren en kleine onder-nemers kunnen individuen helpen. Maar of het de lokale economie in arme gebieden helpt, hangt erg af van hoe microkrediet wordt vorm-gegeven. Onder de noemer van microkrediet zijn banken inmiddels steeds vaker gewoon weer bezig om een deel van het schaarse geld als rentebetalingen uit arme regio's weg te zuigen. Zelfs in de meeste ide-ele programma's let men alleen op de impact voor het lenende bedrijf en wordt het netto effect op de lokale koopkracht niet meegenomen.

Een voorbeeld. Als een bakker een krediet krijgt en hij doet het daarmee zo goed dat hij drie andere lokale bakkers wegconcurreert, dan kan hij het microkrediet netjes aflossen, inclusief de rente. De bank rapporteert dat als succes. Ik denk daar echter anders over: er zijn drie bakkers werkloos geworden en de sociale structuur is ver-zwakt, want winkeltjes in arme gebieden dragen bij aan de veiligheid en het onderlinge contact. Bovendien vloeit er via de rentekosten netto meer geld uit de gemeenschap weg. En met een beetje pech verlegt de succesvolle bakker zijn privéconsumptie naar meer luxe importpro-ducten. Dat vind ik dus geen duurzame ontwikkeling.

Ik denk dat we vragen moeten stellen ten aanzien van het effect op de hele economie: Zorgt het krediet voor meer koopkracht binnen de gemeenschap of helpt het om de bestaande koopkracht langer in de gemeenschap te laten circuleren, zodat meer mensen er een boterham aan kunnen verdienen?

Ook hierbij is de rente trouwens heel belangrijk. Misschien denk je dat de rente op kleine leningen in arme gebieden laag is, maar dat is juist niet zo. Zelfs als de internationale geldverstrekkers uit sociale overwegingen een lage rente rekenen om geld beschikbaar te stellen, dan nog betalen ondernemers lokaal percentages die wij ons zelfs niet kunnen permitteren: rentes van 20 procent en nog wel meer. Door hoge risico's, het ontbreken van een onderpand en vanwege de relatief hoge afsluitprovisie en inningskosten voor dit soort kleine leningen, vraagt de bank een hoge vergoeding. Het zijn wel plausibele argumenten, maar als het resultaat is dat daardoor meer geld vloeit naar de verre steden waar de banken gevestigd zijn, dan werken deze leningen dus averechts voor de lokale economie. Dit aspect wordt in het debat over microkrediet nauwelijks aan de orde gesteld.'

'Je zegt impliciet dat microkrediet wél werkt als de rente die ervoor betaald wordt, in de regio wordt uitgegeven.'

Als Henk reageert, is zijn toon rustiger. 'Er wordt veel geschreven over ontwikkeling en ondernemerschap, maar de beschikbaarheid van voldoende koopkracht krijgt nauwelijks aandacht, terwijl dat voor een ondernemer zo belangrijk is. Onze eigen Nobelprijswinnaar, de econoom Jan Tinbergen, hield in de jaren vijftig een pleidooi voor koopkracht in arme landen, maar dat is allang vergeten. Wel vond ik laatst een boek van de Cambridge-econoom Ha-Joon Chang die hier weer aandacht aan besteedt. Heb je zijn boek *23 dingen die ze je niet vertellen over het kapitalisme* gelezen?' *

'Ja, dat heb ik. Vooral zijn stelling dat de wasmachine de belangrijkste innovatie is van de 20ste eeuw, is me bijgebleven. Anders zouden vrouwen nog steeds de hele dag achter een wasbord staan te schrobben. Dat heb ik in Ecuador een tijdje moeten doen, waar we geen wasmachine hadden en ik ben sindsdien erg blij dat we daar als samenleving in hebben geïnvesteerd.'

---

* Ha-Joon Chang: *23 dingen die ze je niet vertellen over het kapitalisme*. Nieuw Amsterdam, november 2010.

Kopen op afbetaling doet iedereen hier

Terugdenken aan de uren achter het wasbord brengt me tot mijn volgende vraag.

'Henk, heel leuk en aardig die lokale economie, maar een wasmachine wil je toch niet in elke gemeenschap laten maken? Dat is pas zonde van de energie: lokale productie van iets dat veel efficiënter op grotere schaal gemaakt kan worden. Geïmporteerde wasmachines lijken me in een arm gebied hartstikke nuttig. Net als mobiele telefoons. Als je kunt bellen hoeveel bananen je vandaag kunt leveren in een dorp verderop, dan is dat toch ook economisch interessant? Die investering haal je er wel uit.'

'Wacht even: ik heb niet gezegd dat aankopen van buiten de gemeenschap niet meer zouden mogen. Ik heb gezegd dat de koopkracht eerst zoveel mogelijk lokaal van hand tot hand moet gaan vóórdat die naar producten van buiten de gemeenschap gaat. Op die manier houden mensen er een inkomen aan over en hebben ondernemers kansen gehad wat omzet te maken. En natuurlijk moeten we niet proberen overal lokaal wasmachines te gaan produceren.

Maar nu we het toch over wasmachines hebben: kopen op afbetaling is een ander probleem dat de koopkracht laag houdt. Dat gebeurt bij wasmachines, maar ook bij onproductieve luxegoederen. Bij kopen op afbetaling wordt er eigenlijk al vooraf vastgelegd dat de *toekomstige koopkracht* voor de volle 100 procent direct uit de lokale economie verdwijnt. Het is daardoor onmogelijk geworden dat lokale ondernemers eerst nog een aantal keren aan dat geld kunnen verdienen, voordat het naar de witgoedfabrikant in bijvoorbeeld China gaat. Afbetaling bestemt een toekomstig inkomen, nog voordat het verdiend is. En in arme gebieden heeft het kopen op afbetaling een enorme vlucht genomen. Het is er alom tegenwoordig. Daardoor verdwijnt van de toch al geringe koopkracht een groot deel zonder ooit aan de lokale economie te hebben bijgedragen.'

Ik kijk Henk verslagen aan. Dit is nou niet echt een hoopvol gesprek. Hij doet er nog een schepje bovenop.

'Even voor de duidelijkheid: het gaat heel vaak *niet* over wasmachines, maar over geïmporteerde consumptiegoederen. Allerlei buitenlandse merken verkopen hun luxeproducten op krediet, zodat het ten koste gaat van lokaal geproduceerde producten en diensten. Reclame en media sturen het koopgedrag ook in arme gebieden. Als uitingen van materiële rijkdom zijn luxeproducten daar zelfs meer statusverhogend dan bij ons, zowel voor rijke als voor arme mensen. Want ook in arme gebieden zijn er altijd een paar rijke mensen. Voor de lokale economie is het dus essentieel wat deze mensen met hun geld doen. Kopen ze lokaal geproduceerde goederen en diensten? Of kopen ze auto's, beveiligingsapparatuur, Hermès tassen en Oakley zonnebrillen? In dat geval verdwijnt de koopkracht alweer uit de gemeenschap voordat die de lokale economie heeft kunnen organiseren. Helaas is dat nu vaak het geval.

Lokale producten kunnen kwalitatief niet met die merkartikelen concurreren. Ze bieden ook geen status. En intussen zijn de rijke mensen meestal rijk omdat ze de bestaande koopkracht naar zich toe weten te zuigen, als huurbaas, als zakenman of met woekerleningen. Daardoor is het verdwijnen van hun koopkracht uit de lokale economie des te rampzaliger.'

Gedesillusioneerd vat ik samen: 'Je zegt dus dat ook arme mensen dure merkproducten als Nike schoenen en merkzonnebrillen kopen om 'erbij te horen' en dat dat een andere oorzaak is dat lokale koopkracht te vroeg wegvloeit. Dat daardoor de lokale circulatie van geld afneemt waardoor de armoede nog steviger verankerd raakt?'

'Zo kun je het zeggen. En dat heeft alles te maken met de logica van het huidige geldsysteem. Het creëert gebieden die verzonken zijn in een permanente depressie, waar de lokale bedrijvigheid en koopkracht allebei op een dieptepunt zitten. Ook het beetje dat binnenkomt via export, overheidsuitgaven of donorsteun vloeit er razendsnel weg. En uiteraard is er dan ook geen ruimte voor geldschepping via krediet, want geen bank kan erop vertrouwen dat nieuwe ondernemers in dit vacuüm nog voldoende klanten krijgen. Maar daar praten we misschien een andere keer over, anders komen we niet meer toe aan het voorbeeld dat we zouden bespreken.'

O ja, het voorbeeld.

We zijn alweer twee uur verder met wat voor mijn gevoel een inleiding was. Ik blijf maar doorvragen om echt te begrijpen wat Henk wil zeggen.

'Goed idee. Laten we naar je voorbeeld gaan. Misschien gaat het voor mij dan nog meer leven.'

Banco Palmas: lokaal geld dat een arme wijk deed opbloeien

'In de jaren negentig was ik met Camilo, een goede vriend en Nederlands/Zuid-Amerikaanse collega, bij een conferentie in Santiago de Chile om de mogelijkheden van de solidaire economie te onderzoeken. Daar ontmoetten we Sandra Magelhaes, een Braziliaanse uit de stad Fortaleza, die het wijkinitiatief 'Banco Palmas' vertegenwoordigde. Banco Palmas is geen formele bank, maar een initiatief van de bewoners van een arme wijk in Fortaleza, in het arme Noordoosten van Brazilië.

Deze wijk ontstond toen een grote groep mensen tijdens de dictatuur door een projectontwikkelaar uit hun dorp werd gejaagd. Ook al woonden die mensen daar al generaties, ze hadden geen formele eigendomsrechten. Op zoek naar een nieuwe plek om te wonen, vonden ze een stuk land vlakbij de rivier, dat door niemand werd gebruikt omdat het regelmatig onder water liep. Ze werkten samen om de ontwatering te regelen en begonnen met het bouwen van woningen: bouwsels van uiteenlopende materialen, wat er maar te koop of bij het afval te vinden was.

In die tijd ontstond het wijkcomité dat een paar jaar later Banco Palmas oprichtte. De missie van Banco Palmas was vanaf het begin om in de wijk een lokale economie op te bouwen. Banco Palmas kreeg van een donor wat geld en organiseerde onder meer een microkrediet-programma voor kleine bedrijfjes in de wijk. Ook zette Banco Palmas een naaiatelier op voor alleenstaande moeders die na hun veroordeling voor drugsgebruik uit de gevangenis kwamen. De kleding die zij maken wordt sindsdien verkocht aan toeristen die de kuststreek bezoeken.

Twee jaar voordat we Sandra tegenkwamen, had Banco Palmas lokaal geld in de wijk geïntroduceerd. Na een frisse start was dat echter
vastgelopen. Toen Sandra van ons werk hoorde, vroeg ze ons of wij
zouden kunnen helpen om hun 'wijkgeld' nieuw leven in te blazen.

Die vraag paste helemaal in onze zoektocht naar een ander soort
geld. De omstandigheden waren gunstig: de mensen van Banco Palmas waren aardig, slim en enthousiast en ze hadden al ervaring met
een eigen geldsoort opgedaan. Ze wilden geld dat alleen binnen de
wijk te besteden was en dat dus lokaal tussen de 32.000 bewoners
zou blijven rouleren. Waar ze niet uitkwamen was: hoe zet je dit succesvol op? Wat was er fout gegaan bij het wijkgeld dat ze al eerder
hadden ingevoerd?

Na enig doorvragen werd al gauw duidelijk wat er aan de hand was:
er waren meer mensen die lokaal geld wilden besteden dan die het
wilden aannemen. Op die manier werd het vertrouwen in het lokale
betaalmiddel ondermijnd. Toen het nieuwtje er eenmaal af was, werd
het geld bovendien steeds minder gebruikt, terwijl de verwachting
was geweest dat het door zou groeien. Vanuit die teleurstelling hadden wijkbewoners de conclusie getrokken dat lokaal geld niet werkte.
Hoe dat op te lossen?

Wij stelden de mensen van Banco Palmas voor om te kijken hoe we
voldoende vraag naar het lokale geld zouden kunnen creëren.

We besloten om het lokale geld te gaan combineren met de mi-
krokredieten die Banco Palmas verstrekte. Het zou waarde krijgen
doordat Banco Palmas het lokale geld zou gaan accepteren voor de
terugbetaling van leningen verstrekt in de Braziliaanse munt, de real.
Daardoor zou het voor elke ondernemer in de wijk veel aantrekkelijker
worden om het als geld te accepteren. Uiteraard hadden niet alle ondernemingen in de wijk een krediet, maar als je weet dat jouw bakker
graag lokaal geld ontvangt omdat hij daar zijn lening mee kan afbetalen, dan vind je het ook goed als klanten van jou je met dat lokale
geld betalen. Want dan gebruik jij het wel bij de bakker.

Er was nog wel een 'probleempje'. Banco Palmas had het geld voor
de leningen zelf ook geleend en kon het zich dus helemaal niet permitteren om voor haar leningen alleen lokaal geld terug te krijgen. Er was
dus 'gewoon' geld nodig om het geheel haalbaar te maken. Daarom

bedachten we de *Fomento*-aanpak. Fomento is wat lastig te vertalen. Het refereert onder andere aan ontwikkeling.

We introduceerden dat nieuwe lokale geld in stappen.

Eerst benaderden we de Nederlandse ontwikkelingsorganisatie ICCO om de bouw van een klaslokaal te financieren. ICCO zegde dat geld toe. We vroegen hen ons te vertrouwen: het klaslokaal zou gebouwd worden, maar eerst moest er iets anders met het geld gebeuren. Dat vertrouwen kregen we van ICCO.

Daarop hebben we Banco Palmas geadviseerd om het geld uit te zetten als microkrediet. De kredietnemers werd gevraagd een sticker op het raam van hun bedrijf te plakken: 'Wij accepteren palmas'. En Banco Palmas beloofde hen de 'palmas' te zullen accepteren als terugbetaling van de kredieten. Niemand wist wat palmas waren, maar menige winkelier zal gedacht hebben 'baat het niet, dan schaadt het niet'. Zolang zij de palmas maar één op één konden gebruiken om hun lening bij Banco Palmas af te lossen, gaf hen dat voldoende zekerheid om ze te accepteren, mocht iemand ermee willen betalen. Hierdoor hadden de palmas een heldere ruilwaarde, vrijwel gelijk aan de Braziliaanse munt, de real.

Op dat moment had dus nog niemand een palmas-biljet in zijn of haar handen gehad. Men wist wel dat het niet de oude lokale munt was, want die heette palmeiras. Die hadden we overigens van te voren opgekocht en uit de roulatie gehaald om verwarring te voorkomen.

Vervolgens organiseerde Banco Palmas bijeenkomsten in de wijk om uit te leggen dat het lokale geld binnenkort in omloop zou komen. De meeste mensen hadden de deurstickers op de winkels al gezien. Ook organiseerde Banco Palmas een campagne om uit te leggen hoe dit lokale geld méér economie in de wijk mogelijk zou gaan maken en hoe iedereen er voordeel van zou hebben als de palmas zoveel mogelijk onderling gebruikt zouden worden. Daarmee zou er meer werk en inkomen in de wijk komen. Door deze campagne groeide het aantal bedrijfjes met een sticker op de ruit nog verder. Er waren diverse bedrijven met een sticker die zelf geen lening hadden maar de palmas wel accepteerden, omdat zij zelf veel inkochten bij bedrijven met een lening. Sommige wijkbewoners begrepen dat de hele wijk beter af zou zijn als ze de palmas gebruikten, doordat er meer onderlinge handel zou komen.

Toen kwam de spannende laatste stap: de palmas moesten daadwerkelijk in omloop komen. We hadden icco het schoollokaal beloofd, maar intussen hadden we nog maar 13 procent van het oorspronkelijke geld in kas. De rest circuleerde in de wijk, als lening.

Zo ging Banco Palmas op zoek naar een aannemer die het klaslokaal wilde bouwen tegen een betaling in palmas. De lokale aannemers wisten dat er overal in de wijk winkels en bedrijfjes waren die palmas als betaalmiddel accepteerden en dus viel daar met hen wel over te praten. Om bouwvakkers uit de wijk voor een groot deel in palmas uit te betalen zou geen probleem zijn. Maar er moesten natuurlijk ook bouwmaterialen van buiten de wijk worden aangeschaft. Banco Palmas zocht en vond een aannemer die meerdere bouwactiviteiten in de wijk had lopen. Door arbeiders voor hun andere projecten – waar ze wel inkomsten in de nationale munt hadden – ook voor een deel in palmas uit te betalen, bleef er geld uit die andere projecten over om het materiaal voor de school met gewoon geld te kunnen kopen. En zo lukte het om het schoollokaal voor 87 procent met palmas te bouwen. icco kreeg zo het beloofde klaslokaal, terwijl ondertussen in de wijk palmas circuleerden, naast de nationale munt.

Slechts een klein deel van de bestedingen van de bouwvakkers ging direct naar bedrijven met een microkrediet bij Banco Palmas. Veel palmas werden eerst bij andere bedrijven besteed en kwamen via meerdere transacties tenslotte terecht bij de klanten van Banco Palmas. Sommige klanten van het microkrediet-programma kregen meer palmas dan ze die maand aan aflossing moesten betalen en besteedden het overschot gewoon weer in de wijk. We waren van te voren een beetje bang dat de palmas alleen geaccepteerd zouden worden door mensen die Banco Palmas moesten betalen, maar dat viel reuze mee. Zo stimuleerde het programma dus de onderlinge handel.

Het ontwikkelingsgeld van icco had door deze innovatieve besteding maar liefst drie keer zoveel lokale activiteit opgeleverd dan wat er gebeurd zou zijn als het direct aan het klaslokaal was uitgegeven. Niet alleen was met het geld het klaslokaal gebouwd; het had ook microkredieten aan bedrijfjes in de wijk mogelijk gemaakt *en* daarnaast economische activiteit op heel andere plekken in de wijk. Geen slecht resultaat, vonden we zelf. En een goede reden om deze nieuwe methode *Fomento* te noemen: het ontwikkelen van de economische potenties.'

Ik leun achterover en kijk naar het plafond.

'Dus eerst zorgden jullie voor een bron van gewoon geld, namelijk voor de bouw van een schoollokaal. En vervolgens gebruikten jullie de palmas om die geldstroom een omweg te laten maken, zodat lokaal geld meer werk en inkomen in de wijk teweeg bracht. Doordat Banco Palmas de palmas accepteerde als terugbetaling voor kredieten ontstond er vertrouwen in de lokale munt. Vervolgens bracht je die lokale munt in omloop en omdat die één op één gebruikt kon worden om schulden te betalen, had die een stabiele waarde. Heb ik het zo goed begrepen?'

'Ja hoor, je hebt het helemaal correct.'

'En werkte het?'

'Ja, het werkte. Al tijdens het eerste projectjaar stelden onderzoekers van de Universiteit van Bahia vast dat er 15 procent meer economische activiteit was ontstaan in vergelijking met conventionele financieringsmethodes. Deze winst kwam bovenop het effect van de oorspronkelijke donatie van ICCO en was dus geheel te danken aan het lokale geld. Daarbij komt nog dat er hiermee zoveel vertrouwen in de wijk ontstond, dat Banco Palmas sindsdien 20 procent van zijn microkredieten in palmas kan uitgeven. Daarbij wordt dus nieuw geld geschapen zonder dat de wijk daar iets van kwijtraakt in de vorm van rentebetalingen aan banken buiten de wijk. En de afgelopen tien jaar heeft dat uiteraard een veelvoud aan onderlinge economische activiteiten mogelijk gemaakt.

Onze Fomento-aanpak vormt dus voor lokale overheden en hulpdonoren een geweldige mogelijkheid om beter gebruik te maken van aanwezig potentieel.

Voor ons was het een goede test om te kijken of het mogelijk was om nieuw lokaal geld aan gewoon geld te koppelen. Precies zoals we hadden verwacht, bleek dat voor een basis van vertrouwen in de lokale munt te zorgen.

Banco Palmas heeft deze aanpak trouwens verder in Brazilië verspreid en al bijna honderd lokale gemeenschapsbanken hebben het voorbeeld inmiddels gekopieerd. Daaronder is trouwens ook een bank in 'Cidade de Deus'. Dat is die beruchte wijk in Rio, waar de kans groot is dat een jongen omkomt in een vuurgevecht voor hij volwassen wordt.

Het is natuurlijk geweldig dat het model dat we met Banco Palmas hebben ontwikkeld zo'n doorwerking heeft gekregen. Tegelijk was het voor ons een grote stap, een geweldig experiment, waar we veel van hebben geleerd. Het stimuleerde ons om verder te onderzoeken hoe we geld vaker in de lokale economie kunnen laten circuleren, waarbij dat lokale geld voor 100 procent gewaarborgd is. Ook de mogelijkheid van goedkoop lokaal krediet was een sleutel. Het bracht ons weer een stap dichter bij ons doel: het creëren van een duurzaam en sociaal geldsysteem als alternatief voor het bestaande.'

Ik ben best onder de indruk. Van dit soort concrete voorbeelden, die ook echt werken, word ik enthousiast. De koppeling met het reguliere geld vind ik mooi bedacht. En natuurlijk het feit dat een arme wijk er echt mee geholpen is. Dat is het mooiste bewijs dat je kunt krijgen.

'Het klinkt echt mooi. Misschien wel te mooi. Ging er niets mis?'

Henk moet lachen. 'Ja, natuurlijk gingen er dingen mis. Zo hadden we binnen een half jaar een aanvaring met de Centrale Bank. De bond van muntenverzamelaars kaartte ons lokale geld bij de autoriteiten aan. Ze eisten een uitspraak of dit 'echt' geld was. Moesten ze deze biljetten verzamelen? En waren we dan niet het monopolie op geld aan het schenden? Waren de palmas niet illegaal? En zo moest Banco Palmas zich voor het gerecht verdedigen tegen de procureur van staat die voor de Centrale Bank werkt. We vreesden het ergste.

Maar het proces kreeg een bijzondere wending. In de rechtszaal voerden we aan dat het bestaande geldsysteem niet werkt voor de mensen in de wijk. We stelden dat er in de wijk nauwelijks gewoon geld aanwezig is, veel te weinig om de bewoners een eerlijke kans op

werk te geven. Daarbij was er met de komst van ons geld geen ver-
hoogde kans op inflatie, één van de argumenten van de tegenpartij om
ons geld te verbieden. Gelukkig pakte de rechter dat op en vroeg de
Centrale Bank of de palmas het officiële Braziliaanse geld in de arme
wijk aan het verdringen was. Want alleen in dat geval kon je stellen
dat de palmas de real beconcurreerde en inflatie kon veroorzaken. Dat
durfde de Centrale Bank natuurlijk niet te beweren, want er was een
enorme schaarste aan gewoon geld in de wijk. Voor de rechter was het
daarmee een gedane zaak en hij weigerde de palmas te veroordelen.

Maar daarmee was het verhaal niet afgelopen; het kreeg nog een
sensationeel staartje. De aanklaagster die namens de Centrale Bank
had gesteld dat het uitgeven van de palmas strafbaar was, is zich
daarna in lokaal geld gaan verdiepen en is honderdtachtig graden
gedraaid. Ze is nu pleitbezorgster voor lokaal geld geworden. En met
haar veranderde ook de Centrale Bank van standpunt. Tegenwoordig
steunen de autoriteiten sociaal-geldinitiatieven. Enige tijd geleden
werd er nog een congres door de Centrale Bank georganiseerd ter be-
vordering van sociaal wijkgeld, waarbij STRO's Braziliaanse zusteror-
ganisatie inSTROdi als spreker was uitgenodigd. Tegenwoordig is ook
Banco Popular, een volle dochter van de staatsbank Banco do Brasil,
samen met Banco Palmas actief in het initiëren van wijkbanken die
lokaal geld faciliteren.'

Ik ben verbaasd. Wat bijzonder dat een Centrale Bank zich op zo'n
sociale manier op monetair gebied roert. Dat is nog eens wat anders
dan de smalle focus op stabiliteit en lage inflatie van de meeste centrale banken. Natuurlijk, inflatie beteugelen is ingewikkeld genoeg.
Maar ook op duurzame en sociale stabiliteit heeft het monetaire stelsel invloed, zo realiseer ik me meer dan ooit. Wie neemt daar dan
verantwoordelijkheid voor? We hebben het te druk met bedenken hoe
we kunnen voorkomen dat de bestaande bankinstellingen omvallen.
Nu wil ik dat probleem absoluut niet bagatelliseren, maar wat heb
je aan een stabiele banksector in een sociaal instabiele samenleving
met een instabiel ecosysteem? Dat kan niet eens.

'Hoe staat het er op dit moment voor met de palmas? Zijn jullie
daar nog bij betrokken?'

'De palmas draait helemaal zelfstandig. De munt is nog volop in omloop, meer dan tien jaar later. In 2008 is er weer onderzoek gedaan: tweehonderdveertig bedrijfjes accepteerden toen de palmas, 22 procent van de wijkbewoners had een hoger inkomen dankzij de palmas en Banco Palmas zette ongeveer 20 procent van haar krediet in palmas uit.'

Ik wil nog veel meer weten. 'Daalde het algemene renteniveau ook door dit lokale geld, zoals jullie beogen? Wat gebeurde er nog meer?'

Sociaal ja, maar duurzaam?

'De gemiddelde kosten van de leningen van Banco Palmas zijn inderdaad lager doordat de palmas niet op de geldmarkt geleend hoeven worden. En, niet onbelangrijk: er kunnen ook meer kredieten worden uitgezet. Dus komt er koopkracht in de wijk die er anders niet zou zijn geweest. Daarnaast heeft de circulatie van de palmas veel indirecte effecten gehad. Wijkbewoners zijn bijvoorbeeld veel bewuster bezig met waar hun koopkracht terechtkomt. Er zijn inmiddels eigen productielijnen op verschillende gebieden zoals schoonmaakmiddelen, voedsel, kleding en mode. Aan die laatste lijn heeft een groep Nederlandse ontwerpers nog een bijdrage geleverd.

Het gaat goed in de wijk. Eén van de bewijzen daarvan hadden we liever niet zien gebeuren, maar is wel vermeldenswaard: er is zwerfafval ontstaan. Dat was er eerst niet. Er waren zoveel arme mensen in de wijk die de blikjes, het papier en het plastic verzamelden om het in de recycling te verkopen, dat elke dag alle straten werden afgezocht naar recyclebaar afval. Maar die paar centen zijn nu niet meer interessant voor de inwoners zelf en het is nu wachten op de mensen uit omliggende wijken die om de zoveel tijd de recycling in de wijk ter hand nemen.'

Ik frons. 'Dus het is wel sociaal, maar niet echt duurzaam. Is dat dan wel de juiste vorm van groei, die bloei-groei die je voor ogen hebt?'

'Ik dacht al dat je dat zou zeggen. Maar je haalt twee dingen door elkaar: duurzaamheid en extreme armoede. Als mensen zo arm zijn

dat een *paar cent* inkomen al een verschil maakt, dan is dat schrij-
nend, ook al zijn de straten er schoner van. Het heeft weinig met duurzaamheid te maken dat ze gedwongen zijn om afval te verzamelen
zodat ze voedsel kunnen kopen. Dat is een gebrek aan economische
vrijheid. Het is vooruitgang als ze hun geld op andere manieren kunnen verdienen.

Wat er nu gebeurt, is dat mensen uit hun ellendige situatie ontsnappen. En intussen is hun ecologische voetafdruk nog altijd niets
vergeleken met die van inwoners van de vs of Europa. Waar het bij
geld dat niet als rente-eisende schuld is geschapen vooral om gaat, is
om te ontsnappen aan de dwangmatige groei die rente introduceert.
Dan komen de werkelijke behoeftes van mensen centraal te staan en
de creativiteit van ondernemers die nieuwe producten bedenken. Dat
geeft een andere dynamiek. Als zwerfafval een probleem begint te
vormen, zullen er weer ideeën ontstaan om dat op te lossen, simpelweg omdat daar behoefte aan is. De behoefte om op korte termijn veel
geld te verdienen daalt door het verdwijnen van de rentedruk, zodat
men bijvoorbeeld ook vanuit duurzaamheid naar verpakkingen kan
gaan kijken. Dan wordt het probleem van het zwerfafval oplosbaar
zonder dat er mensen in extreme armoede hoeven te leven. Maar
eigenlijk staat dit hele verhaal ver van die werkelijkheid af, want het
lokale geld is nog steeds maar een druppeltje op de gloeiende plaat.
Het grootste effect doet zich waarschijnlijk voor doordat mensen hun
geld bij voorkeur lokaal zijn gaan besteden. Ook hun real.'

Ik blijf bij mijn punt. 'Maar er moeten wél mensen zijn die zich om
zwerfafval bekommeren. Dat betekent toch dat je een bepaalde cultuur
moet ontwikkelen die een schone straat belangrijk vindt? Dat is toch
niet heel anders dan een cultuur die duurzaamheid belangrijk vindt?'

Henk zucht. 'Die mensen hebben altijd meegemaakt dat rijkere
mensen papier, plastic en blikjes weggooiden en dat zij zelf dat afval
dan liepen te verzamelen. Dat is het patroon. Iets weggooien hoort
misschien zelfs wel bij het imago van 'iemand die het beter heeft'.
Het duurt jaren voordat zo'n patroon is omgebogen. Daarbij, zoals ik
eerder zei, ander geld is niet de oplossing voor alles. We hebben ook
gewoon wetgeving nodig voor milieuvraagstukken, bewustwording

en een goede infrastructuur voor afvalverwerking en recycling. Statiegeld, grondstoffenbelasting, noem maar op. En zelfs dan zullen er altijd mensen zijn die zich niet aan de regels houden. Nieuw geld is voor veel vraagstukken niet of slechts ten dele de oplossing!'

Ik knik. Daar is Henk wel realistisch in. Maar terug naar de kern: zonder het zelf meegemaakt te hebben, blijft het lastig je voor te stellen dat er bij een andere geldsoort eerst meer groei ontstaat en dat die groei pas later afzwakt. Wat voor invloed heeft de hebzucht? Iedereen zal toch proberen om op een of andere manier alsnog winst te behalen? Ik besluit daar een volgende keer op door te gaan. Nu wil ik het naadje van de kous van dit Fomento-model weten.

Is digitaal geld eigenlijk wel geld?

'Zie je dit Fomento-model als dé oplossing waar jullie naar zochten? De doorbraak naar een ander soort geld?'

'Ik zie het als een essentiële stap, want we hebben er een aanpak mee gevonden waarbij een lokale munt een duidelijke waarde krijgt en houdt. Tegelijk werd eens te meer duidelijk dat de aanpak met gedrukt lokaal geld potentieel een juridisch probleem geeft. Ook al moest de Centrale Bank toegeven dat het gewone geld de economie in de wijk niet ondersteunde, in veel landen zal dat rechters er niet van weerhouden om lokaal geld te verbieden.

Het monopolie van de centrale banken op de uitgifte van papieren geldachtige biljetten is wettelijk gezien erg sterk verankerd. Dat hadden die geldverzamelaars goed gezien. Het uitbrengen van waardepapieren, zeg maar geldbiljetten, is heel duidelijk een monopolie van de staat. Als je serieus wilt proberen om een nieuw soort geld te introduceren, moet je daar dus vandaan blijven. Zodoende vormde die rechtszaak voor ons een extra aanleiding om vaart te maken met het voorbereiden van een digitaal ruilmiddel. Niet slechts de administratie moet via een computer lopen, ook de betalingen zelf; de claims zelf moeten digitaal worden. In de digitale wereld wordt het steeds moeilijker te onderscheiden wanneer iets werkelijk 'geld' is. Stel dat je uitstaande rekeningen tegen elkaar wegstreept. Worden die daardoor geld? Nee. Kan de Centrale Bank handel verbieden omdat er daarbij wordt afgerekend in een onderlinge rekeneenheid, die bijvoorbeeld op e-Bay geld opbrengt?

Ik denk dat de IT het einde van het monopolie van de banken betekent. Sterker nog, we hebben dankzij het Fomento-model en andere projecten een ontwikkeling doorgemaakt, waardoor we nu geldfuncties kunnen invullen zonder geld te gebruiken. Daarbij speelt de ontwikkeling van de techniek ons in de kaart. We hebben bijvoorbeeld net een app voor smartphones ontwikkeld, waarmee je heel simpel binnen een elektronisch netwerk kunt betalen.'

'Waarom maakt het juridisch uit of iets digitaal of papieren geld is? Het doet toch hetzelfde?' vraag ik.

'Voor een gebruiker maakt dat inderdaad weinig uit. Digitaal geld is in de meeste situaties misschien wat makkelijker, maar niet overal te gebruiken. Maar juridisch is er wel een groot verschil. Het recht op het drukken van bankbiljetten is namelijk heel expliciet voorbehouden aan de Centrale Bank. Bij boekhoudingen in de computer is het veel lastiger om vast te stellen of iets geld is of niet. Een boekhouding van onderlinge schuldrelaties kan functies van geld overnemen zonder geld te zijn.

Eén van de oplossingen voor dit punt is ervoor te zorgen dat alle deelnemers in een economisch proces onderdeel zijn van één juridische entiteit, zoals een coöperatie. Dan is een 'girosysteem' niets meer dan het uitdraaien van de interne boekhouding.

Zo'n interne verrekening wordt ook gebruikt door alle multinationals, die uit meerdere bedrijven bestaan die ook onderling goederen en diensten uitwisselen. En het is natuurlijk moeilijk denkbaar dat multinationals verboden worden.'

'Ho even. Dit gaat te snel. Leg dat eens uit?'

'Als je het geldsysteem vernieuwt, betekent dat, dat je ook de bestaande machtsverhoudingen verandert. Daar komt dus verzet tegen. Om die reden moet een ander soort geld allereerst effectiever zijn dan het bestaande geld, zodat het op eigen kracht kan groeien. Daarnaast moet het ook juridisch sterk staan, zodat het niet te verbieden is. En tenslotte moeten politiek machtigen er belang bij hebben.

De juridische structuur van een groot conglomeraat, zoals we die zien bij multinationals, lijkt dan ook een verstandige en veilige vorm. Een multinational heeft vaak veel verschillende bedrijven in eigendom, waartussen geld omgaat. Omdat het één bedrijf is, vinden transacties tussen afzonderlijke bedrijfsonderdelen alleen binnen de boekhouding van het bedrijf plaats. Daar heeft de buitenwereld niets mee te maken. In feite hebben veel grotere bedrijven zo dan ook een eigen, interne bank gevormd. Dat is handig voor de aangesloten bedrijven, die zo met elkaar zaken kunnen doen en onderling afrekenen zonder dat het duur geld kost. Pas als er een verbinding wordt gemaakt met de buitenwereld, naar klanten en externe leveranciers, is daar echt geld voor nodig. Voor de rest vindt verrekening plaats door middel van claims op geld.

Dat inzicht is voor ons cruciaal geweest. Wat multinationals kunnen, kunnen kleinere bedrijven ook, maar dan op basis van een samenwerking die ieder zijn eigenheid laat behouden. Door onze geldalternatieven digitaal te maken, kunnen we met kleine bedrijven zo'n zelfde onderlinge structuur realiseren. En mocht het nieuwe geld bepaalde partijen niet bevallen, dan kunnen ze daar juridisch weinig tegen doen.'

Ik ben even stil. Hij heeft gelijk. Interne verrekening binnen grote bedrijven biedt natuurlijk allerlei voordelen. Er is geen echt geld voor nodig en bedrijfsonderdelen kunnen hun onderlinge betalingen tegen elkaar wegstrepen. Als er al rentekosten worden berekend, blijven die binnen het bedrijf. Het is gewoon een interne boekhouding die wordt bijgehouden. Henk onderbreekt me in mijn gedachten.

'Er was trouwens nog iets waar we in het Fomento-model tegenaan liepen. Als je een lokale munt introduceert, moet het lokale aanbod van producten en diensten wel interessant genoeg zijn. Vaak is de kwaliteit van het lokale aanbod echt veel te laag vergeleken met wat er op de nationale of internationale markt te koop is. Daardoor wordt de lokale munt ook minder interessant. Dat is goed te zien bij de palmas: het lukt om 20 tot 25 procent van de leningen in palmas te laten lopen. Maar een hoger percentage lukt niet.

Als je het lokaal te besteden deel wilt verhogen, heb je investeringen in de kwaliteit van het lokale aanbod nodig. Daarvoor moet je op
zoek naar andere producten of diensten die je lokaal kunt maken en
aanbieden, zoals meststof of bestrijdingsmiddelen. Net zoals we bij
Gota Verde hebben gedaan, weet je nog?

Met die twee punten in ons achterhoofd zijn we toen weer aan de
slag gegaan. Ten eerste: met het ontwikkelen van een digitaal geld- en
betaalsysteem. Ten tweede: met manieren om het lokale aanbod van
producten en diensten omhoog te krijgen.

De samenwerking met de Nederlandse modeontwerpers in Fortaleza leverde bijvoorbeeld hippe ontwerpen op, die lokaal worden
gemaakt en verkocht aan Europese toeristen. We hebben ook een
uitwisseling georganiseerd van muzikanten, om plaatselijke bands
populairder te maken. Allemaal manieren om meer interessante be-
stedingsopties in de wijk te laten ontstaan, waardoor het lokale geld
vaker kan worden uitgegeven voordat het als terugbetaling van een
lening wordt gebruikt. Op die manier krijgt de lokale economie een
oppepper.

Een andere les die we trokken is dat de geldstroom van 'gewoon'
geld die je tijdelijk gebruikt om vertrouwen in de lokale munt te cre-
eren, groot genoeg moet zijn om de vraag naar het nieuwe geld op
gang te brengen.'

De autoriteiten vertrouwen of zelf de regels veranderen?

Op weg naar huis blijft er een vraag in mijn hoofd hangen: hoe kan ik het hier oneens mee zijn? Het is enorm sympathiek. Lokaal geld, dat betrouwbaar is gemaakt door een dekking in gewoon geld en dat op plekken waar het nationale geld afwezig is lokaal voor koopkracht zorgt en een deel van de lokale economie laat draaien. En dan brengt het ook de kosten van geld nog eens omlaag, waardoor ondernemende mensen een groter deel van de vruchten van hun werk zelf kunnen plukken.

Het is dus sociaal, relevant en innovatief. En stel dat er door dit geld op de langere termijn inderdaad een ander soort groei ontstaat, dan is het nog eens duurzaam ook. Daar zullen we in de toekomst achter komen, als STRO de digitale variant van dit project eenmaal heeft uitgerold.

Deze aanpak komt overigens een stuk minder ingrijpend op me over dan dat STRO een marktrente van rond de nul zou nastreven. Dat idee zit me toch nog steeds niet lekker. Het is veel makkelijker om in dit concrete voorbeeld mee te gaan dan in de abstracte macro-economische analyse waaruit de hele aanpak voortkomt.

Ik ben echt blij dat STRO met concrete projecten aan de slag is. Waar men op inzet is de beschikbaarheid van goedkoop geld. Als dat in genoeg projecten lukt, wordt het, al doende, aantrekkelijker om er een steeds groter deel van de markt mee te bedienen. En als het lukt om dat geld een ander soort dynamiek mee te geven, kan het de economie mogelijk een andere, meer wenselijke kant opsturen. Het is het proberen zeker waard.

Fietsend door de stad stuit ik op een belangrijke aanname die ik mijn leven lang niet expliciet heb gemaakt, laat staan ter discussie heb gesteld. Ik ben er altijd van uitgegaan dat de regels van onze samenleving 'eerlijk' zijn. Dat iedereen, als je maar genoeg je best doet, de kans heeft om 'het goede leven' te realiseren. Een soort Nederlandse maaiveldversie van de *American Dream*. Iedereen heeft een kans, als je maar leert om met de regels om te gaan. En die regels zijn eerlijk, want daar hebben veel slimme mensen over nagedacht. Dus dan moeten ze wel effectief en eerlijk zijn. Daarbij leven we in een democratie, dus iedereen heeft invloed!

Ik heb me nooit echt verdiept in het veranderen van regels, omdat ik altijd een groot vertrouwen heb gehad in de verantwoordelijke autoriteiten.

Maar nu besef ik dat ik die aanname nooit voldoende heb getoetst. Hij was gebaseerd op mijn vertrouwen in Nederland en in de EU als slimme, ontwikkelde landen die begrijpen wat er in de economie en het geldwezen gebeurt en die hun maatschappelijke verantwoordelijkheid nemen. Uit de gesprekken met Henk, maar ook met anderen in de afgelopen twee jaar, moet ik nu concluderen dat we gezamenlijk een geldsysteem tolereren dat uitkomsten oplevert die helemaal niet slim of eerlijk lijken te zijn.

Niet dat ik me niet bewust was van de ongelijke verdeling wereldwijd. Juist wel. Mijn overtuiging dat het beter kan, is zelfs mijn drijfveer om me hierin te verdiepen. Maar bij het zoeken van een verklaring achter die welvaartsverschillen heb ik altijd naar andere factoren gekeken. Naar klimaat, cultuur, geschiedenis, corrupte overheden. Niet naar de dynamiek van geld op zich. En ik ben in de loop der jaren steeds meer gaan geloven in onze kracht om te innoveren, samen te werken en op een sociale manier te ondernemen en te financieren. Dat zie ik ook steeds meer gebeuren.

Maar als de analyse van Henk klopt, heb ik iets over het hoofd gezien. Dan maakt het mechanisme van *geld zelf* het voor mensen en landen vaak 'gewoon' onmogelijk om überhaupt een inhaalslag te maken. De accumulatie van vermogen vormt een blok aan hun been in alles wat ze doen, net als de buitensporige rentebetalingen op krediet dat ze hebben genomen in een poging hun economie van de grond te krijgen. Terwijl datzelfde vermogen en diezelfde rente voor rijkere landen, mensen, banken en ondernemingen functioneren als een vliegwiel dat innovatie en vernieuwing aanjaagt. Daarbij benadrukt Henk overigens wel dat dit uiteindelijk voor iedereen ongunstig uitpakt, doordat zich op een gegeven moment simpelweg teveel geld ophoopt en er bij te veel mensen te weinig geld overblijft om producten en diensten te kopen. Bovendien dreigt er volgens hem altijd weer een tekort aan reële waarde die als onderpand kan dienen voor nieuw krediet, dat weer nodig is om het weglekkende geld aan te vullen. Althans, zolang er zoveel geld actief circuleert in de wereld van de financiële speculatie. Vroeg of laat wordt zo ook de economie van rijkere samenlevingen instabiel, zoals we de afgelopen jaren hebben gezien. Henk noemt armoede een verspilling van talent en energie die we nodig hebben om een transitie naar een duurzamer en gelukkiger wereld te bewerkstelligen, wat volgens hem essentieel is.

Ik denk terug aan ons eerste gesprek, over Monopoly. Hoe houd je de spelregels leuk, zodat iedereen mee kan blijven doen? Vroeger op het schoolplein gaven we de snelle kinderen bij tikkertje extra handicaps mee; dan moesten ze bijvoorbeeld af en toe hinkelen. Zo had iedereen een kans om te winnen. De werking van rente is volgens Henk echter precies andersom: mensen die al in het nadeel zijn omdat ze geen geld hebben, krijgen een extra handicap omdat ze kredieten moeten nemen waarover ze een hoge rente moeten betalen. Hoe slechter het met hen gaat, hoe hoger hun risico wordt ingeschat en hoe hoger de rente wordt die ze moeten betalen. Als we net zo op het schoolplein de langzame kinderen handicaps hadden gegeven, was dat ruzie geworden. En dan was er voor de snelle kinderen trouwens ook niks aan geweest.

Maar toch: krediet zonder rente, kan dat wel? Ik vind het moeilijk te geloven. Ik neig naar het idee dat er altijd rente zal zijn zolang het geld de vorm heeft die het nu heeft. Maar dan hoor ik Henk weer zeggen dat het niet gaat om krediet zonder rente, maar om het creëren van omstandigheden waarbij de kosten van krediet heel laag kunnen worden, praktisch nul. Als het lukt structureel een lager renteniveau te krijgen, dan word je niet meer automatisch rijker door geld te bezitten. En dan blijf je evenmin automatisch arm en word je ook niet automatisch armer als je geld moet lenen om iets te ondernemen, waarmee je – na je rentebetaling – niet genoeg winst maakt om er zelf nog iets aan over te houden.

Geld stroomt

Er is me tijdens deze gesprekken nog iets anders helder geworden met betrekking tot mijn eigen opvatting over geld. Ik zie geld vaak als iets dat statisch is: een potje dat vol is, of leeg. Er staat veel geld op mijn bankrekening, of weinig. Ik kan kiezen wat ik ermee doe en daardoor mijn behoeftes vervullen.

Maar eigenlijk is dat een heel kortzichtige kijk op geld. Geld is niet iets in potjes. Geld circuleert. Tussendoor zit het ergens in 'potjes', zoals op mijn bankrekening, maar dat is niet het belangrijkste. En dat moet het ook niet zijn. Potjes zijn niet meer dan tijdelijke tussenstations. Het gaat om *de beweging van geld*. Als het beweegt, faciliteert het activiteiten waarbij waarde kan ontstaan. Als het niet stroomt op de plaatsen waar het stromen moet, blokkeert het activiteiten.

Nu we dat vandaag bespraken in de context van arme gebieden, besef ik ineens beter wat STRO bedoelt met *Social Trade*: het gaat om de verbinding en de samenwerking die we aangaan door geld te laten stromen. Het geeft mensen de gelegenheid om actief te zijn en zich tot elkaar te verhouden. Dat is belangrijk: als iedereen zijn geld vrijelijk laat stromen, komt het ook weer bij je terug, nadat het waar nodig bedrijvigheid heeft gegenereerd, zoals bij het geld voor de school in STRO's project met Banco Palmas.

Misschien is dat ook wel waarom ik geld zo mooi vind: het verbindt en laat energie stromen. Maar dan moeten we het dus wel op die plekken zien te krijgen waar het nodig is.

Ineens zie ik ook het verschil tussen geld uitgeven en zelf beslissen wat ermee gebeurt tegenover het op een spaarrekening zetten en die beslissing uitbesteden. Beslissen we zelf wat er met ons geld gebeurt? Of geven we die verantwoordelijkheid aan iemand anders, met als enige opdracht dat er rendement op gemaakt moet worden? Wat een kortzichtige afspraak is dat eigenlijk. Is dat dan echt het enige waar we om geven?

Het vergelijken van spaarrentes – eerlijk gezegd doe ik het zelf ook. Ik heb lange tijd berust in de gedachte dat bankmedewerkers die geld uitzetten, verstandige beslissingen nemen over de kredieten die ze verlenen. Alles binnen bepaalde regels: geen wapenhandel, geen kinderarbeid. Ook grote banken kijken daar tegenwoordig naar. Maar een groot deel van mijn invloed om te bepalen hoe mijn geld wordt ingezet geef ik weg. Waarom gebruik ik die invloed niet beter?

Ik ben overigens al wel begonnen met het gebruiken van mijn invloed. Ik investeer in crowdfundingprojecten, waarmee ik duurzame productontwikkeling voorfinancier. Ik ben mede-eigenaar geworden van een windmolencoöperatie waardoor ik nu mijn eigen duurzame energiebron bezit. Ik ben klant bij de Triodos Bank, waar ik kan zien waaraan mijn geld wordt uitgeleend en waar men nadenkt over hoe we de samenleving verder willen ontwikkelen. Ik koop graag tweedehands, omdat ik weet dat er daarvoor weinig extra vervuiling is veroorzaakt en het geld terecht komt bij een huishouden in plaats van bij een hoofdkantoor.

Maar toch. Vaak weet ik niet waar mijn geld heengaat en 'doe ik ook maar wat'. Ineens zie ik het grotere plaatje. Als geld uit arme gebieden wegstroomt door beslissingen over geld die de armoede daar almaar verergeren, zou het dan kunnen helpen als mensen zich meer bewust zijn van de werking van geld?

In Brazilië is een aanvullend lokaal-geldsysteem een manier om armoede terug te dringen en kunnen leningen aan lokale ondernemers lokaal prima werken als tot 20 procent ervan in lokaal geld wordt verstrekt. Ik kan me voorstellen dat dat percentage niet veel hoger kan, behalve als er lokaal meer producten en diensten beschikbaar te maken zijn. Maar moet je dat wel willen? Is dit misschien niet al de optimale situatie? 'Gewoon' geld, met een aanvullend geldsysteem in relatief arme gebieden? Een oplossing die gedijt doordat 'gewoon geld voor iedereen' er niet inzit – hoewel we dat misschien allemaal wel zouden willen? Want geld met maximale keuzevrijheid, dat je overal aan kunt besteden – wie zou dat niet willen?

Een ongemakkelijk gevoel borrelt in me op. Zijn andere geldsoorten daarmee niet gewoon een aanvullende oplossing, in plaats van een wereldwijd alternatief? Ondanks dat ik het geweldig vind om te horen dat Banco Palmas in Brazilië een beweging is geworden waardoor steeds meer wijken minder arm zijn geworden, kinderen in hun levensbehoeftes worden voorzien en de zelfredzaamheid van gemeenschappen is vergroot? Moet STRO niet gewoon ontzettend trots zijn op dit soort lokale successen, in plaats van verder te zoeken naar rentevrije oplossingen op grote schaal? Hoe ga je het grotere systeem hiermee veranderen?

'Een bank maken voor iedereen, voor de economie, de toe-komstige generaties, voor u en mij, en niet voor de bankiers ... dat is de uitdaging die NewB in België aangaat.
Dan komt dit boek langs met een mooi overzicht van moge-lijke nieuwe wegen die bewandeld kunnen worden, aan de hand van voorbeelden over heel de wereld ... globalisering in zijn goede vorm.'

Marc Bontemps, *NewB (www.newb.coop), de andere Vlaamse bank i.o.*

'Iedere keer als iemand een krediet (bijvoorbeeld een hypotheek) neemt bij een commerciële bank, wordt nieuw digitaal geld gecreëerd. In moderne economieën is inmiddels ruim 90% van het geld op deze manier in omloop gekomen. Dit betekent dat wij onze geldhoeveelheid "huren" van commerciële banken tegen het geldende rente tarief. Dit is totaal onnodig. Gelukkig laat STRO zien dat het anders kan. Rentevrij geld is mogelijk!'

Martijn Jeroen van der Linden, *promovendus en onderzoeker aan de TU Delft - Economie van Innovatie en Technologie*

De banken hebben nog niet door dat zij – net als de olie-industrie – aan het eind van hun levenscyclus zijn. @nder geld staat in de coulissen om een nieuwe rol te vervullen in een nieuwe economie. Zoveel maakt dit boek wel duidelijk.'

Karel Oosting, *grafisch ontwerper*

Patagonië, 2011: Mijn baan opzeggen?

Tijdens mijn sabbatical besloten mijn man en ik twee maanden naar Zuid-Amerika te gaan. In januari 2011 landden we 's nachts in Buenos Aires. Binnen een uur waren we honderdtwintig dollar lichter; afgezet door een taxichauffeur, omdat we de wisselkoersen en prijsniveaus niet meteen in beeld hadden. Die valse start werd snel goed gemaakt omdat we om twee uur 's nachts op een terrasje nog gewoon eten konden bestellen. Midden in de Nederlandse winter zaten we in een zwoel briesje te genieten van het rappe Spaans om ons heen.

De week daarna vlogen we door naar Patagonië, het uiterste zuiden van Zuid-Amerika. We zaten een week vast in een winderig dorpje vanwege stakingen over brandstofprijzen, maar eind januari waren we waar we wilden zijn: het natuurpark *Torres del Paine*. Daar gingen we als vrijwilligers aan de slag.

De drie weken die ik in dit natuurgebied verbleef, brachten me precies wat ik zocht. Alles wat we deden stond in het teken van natuurbehoud en het creëren van mogelijkheden om mensen ervan te laten genieten. Het werk was fysiek. We repareerden paden, blokkeerden illegale paden met takken en verbeterden de bewegwijzering. We gaven voorlichting aan toeristen over wat ze met hun rommel moesten doen – al hun afval weer mee terug het park uitnemen – en waar ze in de natuur het beste hun behoefte konden doen. Het park ligt aan een gletsjer, uit ieder bergbeekje kun je drinken. Het was een soort Spa-reclame, maar dan echt.

Na een tijdje begon het park voor mij ook echt te leven als ecosysteem. De gletsjers zorgden voor schoon water voor de dieren en de planten. Er graasde een overvloed aan lama's waarvan de veulens in grote aantallen door de poema's in het gebied werden verslonden. Die lieten na hun feestmaal altijd wat liggen en zorgden zo voor een constante bron van voedsel voor de condors, die in de grimmige rotsformaties hun nesten hadden en die je iedere dag over het gebied zag zweven, op zoek naar kadavers.

Ons bezoek viel samen met dat van twee Chileense wetenschappers, moeder en zoon, die al hun hele leven condors bestudeerden. Iedere dag mochten er twee vrijwilligers met hen mee 'op onderzoek'. Dat klinkt spannender dan het meestal was: in tien lagen kleding op een hoge rots de hele dag de lucht afspeuren om een glimp van een condor op te vangen en bij te houden welke kant hij op vloog. Soms zag je er maar een paar op een dag. Toch was het bijzonder om mee te maken en om vanuit de hoogte kuddes lama's te zien lopen. En om gewoon de hele dag te zitten en te wachten wat de natuur je die dag weer brengen zou.

De tweede keer dat ik mee mocht was het raak. We zaten al een paar uur op een rotspunt hoog boven een vallei naar de lucht te turen, toen we ver onder ons ineens een sliert van acht condors zagen zweven. Ze lieten zich op de thermiek omhoog voeren, precies onder de rotspunt waar wij op zaten. We bleven muisstil zitten, met onze camera's in de aanslag. De condors kwamen steeds hoger.

We wisten dat condors geen agressieve dieren zijn, ze eten alleen wat al dood is. Maar toch. Toen ze bijna bij het randje waren, klopte mijn hart me in de keel. Met een spanwijdte van ruim drie meter cirkelden ze vlak boven ons en zagen ze ons zitten. Geïnteresseerd draaiden ze hun hoofd naar ons toe en bleven boven ons cirkelen.

Eén van de wetenschappers fluisterde zachtjes: 'Luister! Je hoort hun vleugels!' Ik draaide mijn oren uit de wind en hoorde een zacht geruis, het geluid van een overvliegende condor.

Ze zweefden steeds hoger en verdwenen achter een rots. Opgewonden konden we weer ademhalen en lachen. We hadden een paar prachtige foto's kunnen schieten en ook heel veel foto's van de lucht met alleen hier en daar een tipje van een zwarte vleugel. Ik had spijt van de tijd die ik had gestopt in het maken van de foto's. Deze ontmoeting was in geen foto te vangen geweest. In de nieuwsgierigheid van de condors had geen enkele angst of agressie gezeten, terwijl wij ze in tekenfilms hebben gemaakt tot dieren van de dood. Ik kreeg een diep respect voor deze enorme vogels en de manier waarop ze zich met al hun gewicht door de luchtstromen lieten dragen.

Toen ons vrijwilligerswerk erop zat, gingen we op trektocht. Negen dagen lang wandelden we met onze rugzak met eten en tent in de bergen. We liepen langs een gletsjer die zo groot en indrukwekkend was dat ik me net een soort torretje voelde. 's Nachts hoorden we vanuit onze tent hoe de gletsjer zich traag en krakend voortbewoog.

We aten noten, vijgen en kant-en-klare pasta, dronken uit beekjes en wandelden zes uur per dag. Het deed iets met me. Dit park, de mensen, de dieren, de gletsjer, het heldere water. Ik voelde me een vanzelfsprekend onderdeel van het natuurlijk ecosysteem hier. Veel dingen waarover ik me in Nederland druk had lopen maken, leken ineens volstrekt onbetekenend in vergelijking met mijn ervaring hier. Wat me ook inspireerde, was dat ik een ecosysteem ineens van zo dichtbij meemaakte.

Er zijn in de natuur allerlei verschillende organisatievormen mogelijk; de natuur 'zoekt' als het ware steeds een vorm die optimaal past bij een specifiek leefmilieu en past zich voortdurend aan. Geïnspireerd door dit prachtige voorbeeld van moeder natuur zag ik ineens parallellen met de geldeconomie. Ja, de econoom in mij leefde ook nog. Ik bedacht: dat moet met geld toch ook kunnen? Het kan toch niet anders dan dat er een diversiteit aan vormen is om met elkaar de dingen die we belangrijk vinden te organiseren? Toen ik dan ook later hoorde van 'een ecosysteembenadering van geld' waarbij verschillende geldsoorten naast elkaar bestaan, viel dat kwartje bij mij direct op zijn plaats.

Een week en twee lange-afstandsbusritten later kampeerden we in de buurt van de stad Bariloche. Een week lang deden we heel weinig: zwemmen in het meer, barbecueën en boeken lezen. Op een avond, terwijl ik in stilte aan het porren was in het smeulende vuurtje, was het daar ineens. Het was geen beslissing die ik had genomen, het was er gewoon. Ik wist wat ik wilde gaan doen. Ik durfde het eerst niet uit te spreken, maar het werd steeds duidelijker. Daar bij dat vuurtje besloot ik dat het tijd was om iets nieuws te gaan proberen. Ik ging mijn baan opzeggen en zou zelf op onderzoek gaan.

Januari 2013

Speculatie, de paus en gemeenschapsgeld

Terwijl ik in Utrecht richting Oudegracht loop, denk ik terug aan de vorige keer dat ik Henk sprak. Hij is inmiddels zes weken in Uruguay geweest, op bezoek bij één van de projecten van STRO. Ik heb ondertussen van alles gelezen. Zoals een waanzinnig boek over de geschiedenis van schuld en geld van de antropoloog David Graeber.*
Net als Henk grijpt Graeber onder andere terug op het historische Soemerië om te verklaren hoe ons huidige geld zich heeft ontwikkeld. Zijn invalshoek past bij die van Henk: geld is ontstaan vanuit schuld en niet vanuit de behoefte om ingewikkelde handel mogelijk te maken.

De oplossing die Graeber voor onze schuld- en geldproblemen aandraagt, is een kwijtschelding van schulden – een zogenaamde *jubilee*. 'Jubeljaar' heet dat in het Oude Testament. Afgelopen jaar pleitte ook Dirk Bezemer voor schuldsanering. Hij is één van mijn oud-docenten aan de RUG. Hoewel ik me gedeeltelijk in deze oplossing kan vinden, is het een vorm van symptoombestrijding. Zouden we het probleem misschien ook in zijn kern kunnen aanpakken? En is een ander soort geld daarbij (een deel van) de oplossing?

Ik heb ook het nieuwe boek van Bernard Lietaer gelezen, een Belgische denker die zich in complementair geld heeft verdiept. Zijn boek is getiteld: *Geld en duurzaamheid*.** Hij heeft een indrukwekkend aantal titels over geld geschreven en zit qua denkrichting dicht

---

* David Graeber: *Schuld. De eerste 5000 jaar*. Uitgeverij Business Contact. 2012.

** Bernard Lietaer e.a: *Geld en Duurzaamheid (van een falend geldsysteem naar een monetair ecosysteen)*. Uitgeverij Jan van Arkel Oikos, 2012.

bij het werk van STRO. Hij pleit voor een financieel ecosysteem, met verschillende geldsoorten voor verschillende maatschappelijke doel-stellingen. Zijn cv leest als een financiële trein: hij heeft onder meer bij de Belgische centrale bank gewerkt, was betrokken bij het opzetten van de voorloper van de Euro en opereerde op Wall Street als succesvol manager van een hedgefonds. Nu is hij hoogleraar aan de Sorbonne en voorvechter van een ecosysteembenadering van geld. In zijn boek gebruikt hij één van de innovaties van STRO als voorbeeld dat het ook echt anders kan. Dat is een mooie aanbeveling voor STRO.

Dit overdenkend kom ik aan bij het kantoor. Henk doet open. Ik besluit voor de verandering eens op een andere plek te gaan zitten. Ik deel mijn gedachten van de afgelopen tijd.

'Henk, ik was onder de indruk van Banco Palmas. Een mooie innovatie, vooral omdat het effect bleek te hebben. Moet je hier niet gewoon heel trots op zijn? Het is concreet en het werkt. Maar is het niet te hoog gegrepen om ook nog de speculatie en de concentratie van vermogen te willen oplossen en de rentedruk richting nul te willen brengen? En dat alles via oplossingen die dat in de markt kunnen afdwingen? Het klinkt zo onhaalbaar. Begrijp je wat ik bedoel? Om het hele systeem te veranderen heb je ook andere regelgeving nodig en politiek draagvlak. Dat gaat je niet lukken met dit soort projecten, ben ik bang.'

Henk lacht. 'Ja, tastbare resultaten zijn fijn, maar in een groot bedrijf stopt de *research and development*-afdeling ook niet met wer-ken als ze één stap vooruit heeft gezet. Wij ook niet. Het inspireert juist om verder te graven. Het biodieselgeld van Gota Verde en de wijkgeldaanpak van Banco Palmas hebben goede lokale resultaten opgeleverd. Maar ze betekenen veel meer: het zijn ook kleine stapjes in de richting van een groter doel. Want uiteindelijk gaat het ons toch echt om de spelregels die het huidige geld aan de samenleving oplegt. We willen een ander soort geld dat andere spelregels introduceert en daarmee een nieuw soort dynamiek in de markt brengt. We hebben een aantal concrete modellen om dat stap voor stap te bereiken. Na-tuurlijk is dat een lange weg en we kunnen dat ook niet alleen. De mate waarin donateurs en investeerders ons werk steunen, bepaalt of en hoe snel we succesvol kunnen zijn.

Daarnaast is ook de mate van navolging die we krijgen bepalend voor het succes. We stimuleren anderen om onze innovaties te kopiëren, zoals in Brazilië en die aan te passen aan hun lokale behoeftes. Potentieel is er genoeg vraag naar onze oplossingen: een ondernemer die geen financiering kan krijgen, staat ook in Nederland heus wel open voor een alternatief. Ga eens praten met kleine ondernemers, dan hoor je hoe moeilijk zij bij banken krediet krijgen. Dan is ons soort alternatieven welkom, zou ik denken.'

De kans dat ander geld er komt

Ik dring aan. 'Hoe hoog schat je jullie kans van slagen in? Als ik terugdenk aan je voorbeeld in Soemerië, dan heeft graangeld het uiteindelijk toch afgelegd tegen goudgeld, ondanks de voordelen van graangeld voor een groot deel van de gebruikers. Ook de drie godsdiensten die hebben geprobeerd de boodschap door te geven, zijn daar niet in geslaagd. De Joden hebben het renteverbod ongeldig verklaard als het om niet-Joden ging, in het Christendom werd de traditie aan het einde van de middeleeuwen verlaten en het rentevrij Islamitische bankieren zit vol slimme trucs om de winsten op het uitlenen van geld toch zeker te stellen, al wordt het risico daarbij eerlijker verdeeld, lijkt het. Is het niet gewoon zo, dat rentedragend geld het altijd wint?'

Henk leunt achterover. 'Ik schat de kans dat er een ander soort geld komt op ongeveer 90 procent. Maar dat staat los van ons werk. De digitale revolutie zal onvermijdelijk ingrijpende gevolgen hebben. Dat denkt overigens de voormalige hoogste baas van de (centrale) Bank of England ook.* Hij zei al een tijd terug dat hij ver-

---

* In de zomer van 1999 hield Mervyn Allister King – toen nog vice-president van de Bank of England, later werd hij president, nu is hij met pensioen – een voordracht voor een select gezelschap van directeuren van nationale banken en invloedrijke personen. Hij kondigde het einde aan van het geldsysteem zoals wij dat kennen. Hij zei: 'Niets weerhoudt twee individuen er straks nog van om een transactie te regelen door middel van een welvaartsoverdracht van de ene elektronische rekening naar de andere. De koper kan met elk middel betalen zolang er maar een marktprijs voor bestaat. ...Dan houdt de Centrale Bank in de huidige vorm op te bestaan, en geld ook.'

wachtte dat de nieuwe generatie IT-ers het monopolie om geld te scheppen zal afpakken van de jongste lichting centrale bankiers. En dat verandert zeker de spelregels van het geldsysteem. Of het gaat lukken om die veranderingen de positieve kant op te duwen, dat is een ander verhaal. Voor zover ik kan overzien vervult STRO daar een centrale rol in, wereldwijd. De kans dat het STRO lukt, schat ik op dit moment tussen 30 en 80 procent. Het is met name afhankelijk van hoeveel mensen in die verandering willen investeren.

Mijn inschatting is trouwens veel positiever dan twintig jaar geleden. Toen gaf ik ons misschien 1 procent kans, als ik in een positieve bui was. Dat ik nu veel optimistischer ben, komt onder andere doordat we nu de concepten en de technologie grotendeels hebben uitontwikkeld en getest. We kunnen nu een nieuwe geldsoort introduceren die aantrekkelijk genoeg is om in de markt geaccepteerd te worden! Dat stemt optimistisch. Maar er hangt veel vanaf of we voldoende partners en middelen kunnen vinden om onze aanpak goed in de markt te zetten. Het is niet voldoende om te weten hoe je zo'n verandering kunt aanpakken en dat we daar de noodzakelijke software voor hebben. Wie verandering vanuit de markt wil opzetten, heeft daar de financiële middelen voor nodig. Krijgen we die via investeerders en donateurs voldoende binnen? Dat is één van de redenen waarom we met dit boek de publiciteit zoeken. Qua methodes en ervaring zijn we nu een stuk verder sinds Banco Palmas. We hebben interessante partners gevonden die in hun land of regio willen meewerken aan een ander soort geld: in Uruguay, in Zuid-Europa, in Engeland en ook in Nederland denken we daarvoor een samenwerking van de grond te kunnen trekken. Als we door de moeilijke en kostbare beginfase heen komen, kunnen die netwerken veel meer impact hebben dan het alternatief dat we voor Banco Palmas hebben ontwikkeld.'

Henk kijkt me opgewekt aan. 'En vergeet niet: we hebben de tijd mee. Hoe zichtbaarder het wordt dat het huidige geld slecht functioneert, des te groter is de animo voor een ander soort geld en een ander soort economie. Veel mensen realiseren zich dat we te ver zijn doorgeschoten in de richting van een samenleving die uit elkaar wordt getrokken door het meedogenloos nastreven van het individuele belang.

Dat tij is aan het keren en de crisis heeft ons collectief aan het denken gezet over dat het anders moet.

Daarnaast verandert de situatie ook onder invloed van de technologische ontwikkeling. Dat zie je bijvoorbeeld in Kenia. Daar is min
of meer per ongeluk een nieuwe geldsoort ontstaan. Je weet wel, daar
gaat Dettes derde geldshow over: *Dette goes to Africa.*'

'Dat voorbeeld komt me bekend voor.' Ik heb Dettes nieuwe show
nog niet gezien, maar ik heb wel over Kenia gelezen: betalen met
beltegoeden. Veel mensen in Kenya gebruiken naast shillings vaak
beltegoed om elkaar mee te betalen. Een sms-je naar de provider onder
vermelding van het telefoonnummer waar het beltegoed heen moet is
genoeg. Net als een bankoverschrijving. Het beltegoed wordt door de
ontvanger ervaren als geld, omdat iedereen het als zodanig accepteert.
Sterker nog, je kunt het beltegoed zelfs voor shillings terugwisselen.
De overheid is er blij mee, want het heeft de economie effectiever gemaakt. Eens horen wat Henk erover te vertellen heeft.

'Hoe is het ze gelukt om van beltegoed iets te maken dat door
iedereen daar als geld wordt ervaren?'

sms-geld in Kenia

Henk legt het uit. 'Een dochterbedrijf van Vodafone, dat Safaricom
heet, werd in Kenia geconfronteerd met een snel groeiende markt
van mobiele telefoons. Veel van hun klanten hadden echter geen
beltegoed. Die mensen lieten dan bij een ander de telefoon één keer
overgaan. Dat werd gebruikt als vraag om hen terug te bellen. Soms
stuurden ze ook een goedkoop sms-je. Safaricom bedacht dat het meer
telefoonverkeer en dus meer inkomsten op zou leveren als mensen
mèt beltegoed via een gratis sms de mogelijkheid kregen om beltegoed
over te maken naar familie zónder beltegoed.

Dat idee leverde een onverwachte innovatie op: mensen gingen
dat beltegoed spontaan gebruiken als betaalmiddel. Omdat beltegoed
voor iedereen waarde had, werd het door heel veel mensen geaccepteerd. En het werd echt een enorme hit toen Safaricom de gelegenheid
gaf om belminuten terug te wisselen naar geld in kleine winkeltjes op
het platteland. Daar woont de familie van migranten die hun geld in

steden verdienen. Mobiele minuten werden zo een heus betaalmiddel en gingen dus een nieuwe geldsoort vormen, gekoppeld aan de nationale munt. Ook steeds meer winkels gingen belminuten als betaalmiddel accepteren, ook al omdat ze dan minder cash in de winkel zouden hebben en dus minder een doelwit voor berovingen zouden zijn.

Zo werden belminuten in Kenia onderdeel van het reguliere betaalsysteem. Volgens de directeur van de centrale bank van Kenia zorgt dit op jaarbasis voor een paar procent extra economische groei. In Kenia hebben nog steeds maar heel weinig mensen een bankrekening, laat staan een internetbankrekening, maar het tegoed aan belminuten op hun mobiel maakt het veel makkelijker om betalingen te doen zonder altijd cash geld bij zich te hebben, of geld op een dure manier te versturen via de in dat werk gespecialiseerde financiële serviceverlener Western Union.'

Ik vat het samen. 'Er ontstond een nieuwe geldsoort omdat mensen belminuten niet alleen gebruiken om te bellen, maar ook om te betalen. Ze accepteren het als betaalmiddel omdat men weet dat anderen het accepteren. Klopt dat?'

'Ja, alleen is het wel belangrijk dat het onderpand geregeld is. Je kunt belminuten op elk moment naar gewoon geld omwisselen. Dat zit slim in elkaar. Daarnaast geeft de telefoon een betere dienstverlening dan de banken. De meeste gebruikers kunnen zich niet eens een rekening bij de bank permitteren en bij banken is geld overmaken langzaam en ingewikkeld. Maar een sms versturen kan je altijd en overal doen en het beltegoed is dan een seconde later bij de ander.'

Het doet me denken aan de zomer dat ik in Ecuador bij een plattelandsbank meewerkte aan een project. Veel dorpsbewoners waren naar de hoofdstad getrokken om geld te verdienen en af en toe kwamen ze terug met hun gespaarde geld. Geld overmaken naar een lokale bank was nauwelijks mogelijk; er was vaak niet eens een digitale verbinding mee te maken. Er waren speciale bedrijfjes voor het overboeken van geld. Maar die brachten daarvoor tot 10 procent van het bedrag in rekening! Overmaken per sms zou een uitkomst zijn geweest, die heel wat tijd en kosten had gescheeld.

'Ik vind het een mooi voorbeeld. Dit ander soort geld is geïntroduceerd via de markt en het verlaagt de financiële kosten, en een kleine kostenopslag heeft Safaricom geen windeieren gelegd. Het nieuwe geld is iets dat oorspronkelijk niet als geld was bedoeld, maar waar wel veel mensen toegang toe hebben. De overheid is niet nodig om het op te starten, al wil je wel dat die het accepteert en misschien zelfs ondersteunt, zoals de centrale bank in Brazilië dat heeft gedaan. Je hoeft in elk geval niet op regelgeving te wachten. Precies de aanpak die STRO voorstaat. Daarnaast is dit geld veel directer verbonden met de productieve werkelijkheid, doordat je er ook altijd nog mee kunt bellen.'

Henk knikt. 'Begrijp me niet verkeerd: ik zou het fantastisch vinden als de overheid maatregelen neemt om geld duurzamer, effectiever en socialer te maken. Een liquiditeitsheffing en een speculatieverbod zou ik van harte toejuichen, net als een belastingsysteem dat milieugebruik belast in plaats van arbeid. Maar waarom wachten op de politiek als we zelf aan oplossingen kunnen werken, die onafhankelijk van wetgeving of politiek succesvol kunnen zijn?'

Dit geldsysteem is zelfs niet goed voor de rijken

We nemen pauze. Terwijl we een nieuwe pot thee zetten loopt Henk naar boven voor overleg met collega's. Ik kan ondertussen weer even nadenken over wat we allemaal al besproken hebben. De eerste bijeenkomsten hebben we het gehad over geld als mechanisme dat ons gedrag stuurt en daarmee de samenleving een kant opstuurt, waar de enige keuze is: groei of crisis.

Henk motiveerde STRO's zoektocht naar een ander soort geld onder meer met het voorbeeld van een duurzaam huis, dat liet zien hoe het geldsysteem duurzaamheid onmogelijk maakt, doordat de met dit soort geld verbonden rente mensen en bedrijven dwingt op de korte termijn te denken.

Daarna hebben we het effect van geld op armoede besproken: geld dat weglekt en daarmee de koopkracht wegtrekt uit arme gebieden. In arme gebieden is er dan ook nog eens geen mogelijkheid om, zoals in Nederland gebeurt, een tekort aan geld aan te vullen door nieuw geld te scheppen. Daardoor ontstaat een tekort aan middelen die van levensbelang zijn om de economie te organiseren.

We hebben het over de functies van geld gehad, waarbij Henk de boel op scherp zette door te stellen dat speculatie in het moderne geldsysteem de belangrijkste functie van geld is, ook al noemen de economieboeken speculatie niet eens als een functie van geld. Maar hoe zit het nu precies met rijkdom en speculatie? Dat hebben we nog niet besproken.

Als Henk weer beneden is, stel ik daar een vraag over. 'In ons eerste gesprek zei je dat het huidige geldsysteem zelfs niet goed is voor rijke landen en rijke mensen. Kun je dat nog uitleggen? Ik kan me voorstellen dat degenen met geld en eigendom zich zullen verzetten tegen een ander soort geld als hun stroom van inkomsten daardoor kleiner wordt. In zekere zin zitten we daarmee in een onhandige situatie: degenen die de meeste invloed op het geldsysteem kunnen uitoefenen, staan daar juist niet om te springen. Hoe zie jij dat?'

Henk kijkt me aan met een serieuze blik. 'Dat is inderdaad een probleem, want de meeste rijke mensen denken zo. Een enkele uitzondering, zoals multimiljardair Warren Buffet, heeft het wél begrepen: *in het huidige systeem wint niemand.* Wel op papier, maar niet in kwaliteit van leven. De mensen die enorme vermogens hebben opgebouwd, kunnen dan wel steeds meer geld vergaren, maar dat zijn papieren cijfers. Ze kunnen toch niet meer consumeren dan ze al doen en nu moeten ze hun kinderen nog beschermen tegen ontvoeringen en leven ze opgesloten achter hoge muren. In luxe, dat wel. Maar dat konden ze met een stuk minder aan inkomsten ook wel. Bovendien als de verstoring van natuurlijke processen telkens nieuwe rampen veroorzaakt, zoals via de klimaatverandering, dan zijn ook zij kwetsbaar. Het is een illusie om te denken dat het huidige systeem op de lange termijn de kleine groep rijkste mensen een gelukkig leven gaat brengen.'

Henk denkt even na hoe hij verder zal gaan. 'Op het eerste gezicht profiteert de rijkste promille van de mensheid van dit geldsysteem. Ik denk dat dat in het verleden ook echt zo is geweest. De rijksten werden echt steeds rijker, terwijl overheid en burgers het gat opvulden en geld leenden waardoor voldoende geld voor de reële economie beschikbaar bleef. Maar die stabiliteit is maar schijn als de schulden overal steeds verder oplopen.

Kijk bijvoorbeeld naar de vs. Een groot deel van de Amerikaanse bevolking gaat al jaren in koopkracht achteruit. Nobelprijswinnaar Joseph Stiglitz maakt in zijn boek *The price of inequality* heel duidelijk hoe zulke ongelijkheid uitpakt.* De lagere middenklasse is gaandeweg naar de armoede afgegleden. Jarenlang leidde deze verschuiving van rijkdom niet tot minder verkopen: mensen die minder verdienden, hielden hun consumptie op peil door middel van kredieten, hypotheken en creditcards.

De overheid versoepelde de regels van de kredietverlening, zodat particulieren meer geld konden uitgeven dan er bij hen binnenkwam. Ook de mogelijkheid om geld te scheppen werd versoepeld. Banken konden steeds meer geld scheppen, met steeds minder eigen vermogen. Doordat de rente over een flink aantal jaren bleef zakken, werden de nieuwe schulden niet als een echt probleem ervaren.

De kredieten hielden de koopkracht immers op peil en de verarming werd niet gevoeld. Het was de tijd dat stijgende huizen- en aandelenprijzen zelfs een gevoel van groeiende rijkdom gaven. Het was de tijd waarin het gewone nieuws aandacht aan de beurskoersen begon te schenken. En doordat die koersen maar bleven stijgen, begonnen steeds meer mensen het gevoel te krijgen dat ze de boot niet moesten missen en moesten gaan beleggen.

De Nederlander Wim Grommen geeft trouwens een interessante visie op de manier waarop die stijgende koersen ontstaan.** Hij laat zien dat dat niet betekent dat het beter gaat met het bedrijfsleven. De index stijgt vooral dankzij een statistische truc: in de Dow Jones Index worden bedrijven waar de groei uit is vervangen door jonge, sterk groeiende bedrijven. En uiteraard zijn dat bedrijven die nog jaren steeds meer waard worden.

---

* Joseph Stiglitz, *The price of inequality*. Penguin Books, 2013.
** Wim Grommen, *Beursindexen zijn fata morgana's*. The PostOnline, februari 2014.

Dat de gemiddelde tijd dat een investeerder nu een aandeel bezit 22 seconden is (zie p. 144), laat wel heel goed zien dat geld steeds minder gebruikt wordt om nieuwe productiemiddelen te laten maken en steeds meer alleen speculatie dient. Hierdoor ontstaat een lek in de koopkrachtige vraag. En als dat gat niet gevuld wordt dreigt stagnatie. Daarom kwamen de 'oorlog tegen het terrorisme' en de oorlogen in Irak en Afghanistan precies op het goede moment, want dat rechtvaardigde een hoop uitgaven met nieuw geleend geld.

Ook de consumenten hielpen het lek te compenseren door veel geld te lenen. Het is dus geen wonder dat de crisis begon als een *kredietcrisis* en dat hij bestreden moest worden door extra geld dat de centrale banken in omloop brachten. Daarmee bleef de koopkracht op een niveau waarbij de meeste bedrijven konden blijven verkopen wat ze produceerden.

Maar zelfs bij een superlage rente groeien de lasten en zo komt er vroeg of laat een moment waarop er terugbetaald moet worden. Het gevaar wanneer leningen gebruikt worden om een koopkrachtlek op te vullen, is dat de kans heel groot is dat er op een later moment minder gekocht kan worden. En dan zijn de rapen gaar. Door de hoeveelheid kredieten voortdurend te laten groeien, werden de problemen naar de toekomst doorgeschoven.

Ik hoef je niet te vertellen hoe in 2008 dit kaartenhuis in elkaar is gaan storten. Kredieten konden op grote schaal niet meer worden terugbetaald en mensen stopten met het uitgeven van geld toen de markt het vertrouwen in de uitstaande kredieten verloor. Ik hoef je ook niet te vertellen hoe sindsdien de overheden de rol van de consumenten hebben overgenomen en steeds meer geld in de economie zijn gaan pompen om dat gapende gat te vullen: eerst met overheidsschulden en later gewoon door de geldpers te laten draaien.

Het vervelende met zoveel geld dat speculeert, is dat het zich volstrekt onvoorspelbaar gedraagt. Op dit moment wordt zoveel verdiend met speculatie, dat er te weinig geld als koopkrachtige vraag terugkomt en daarom zitten we tegen deflatie aan. Maar ondertussen wordt de verhouding tussen de geldhoeveelheid en de productie steeds schever. Mocht ooit serieus worden opgetreden tegen het gezwel van de speculatie en al dat geld komt als vraag op de markt, dan kunnen we onze borst natmaken voor hyperinflatie. Maar goed, die kans is voorlopig klein, want ik zie overheden nog geen paal en perk stellen aan speculatie.'

Henk haalt even adem. 'Terug naar rijke mensen en waarom zij bij deze ontwikkelingen weinig te winnen hebben. Het is voor rijke mensen helemaal niet gunstig dat de rest van de bevolking niets meer kan kopen, dat de overheid instabiel wordt, of dat de economie schommelt tussen deflatie en hyperinflatie. Chaos biedt wel mogelijkheden om veel te verdienen, maar is ook heel riskant. Voor iedereen. De macht van rijke mensen zit hem er niet in dat ze zelf nog een extra auto kunnen kopen, maar dat gewone mensen door rijke mensen gefinancierde auto's kopen.

Als de verdeling al te ongelijk wordt, valt de reële economie stil en zien ook rijke mensen hun rijkdom verdampen. Bovendien hebben ook zij er last van als de sociale onrust uit de hand loopt. Dan wordt op een gegeven moment namelijk ook de vraag gesteld of hun rijkdom wel terecht is.

Het destructieve effect van speculatie wordt grandioos onderschat. De financiële wereld kan de economie daarmee onderuit halen. Dat zie je bijvoorbeeld in Griekenland waar veel economisch potentieel domweg vernietigd wordt, doordat productiecapaciteit die de Grieken zelf zou kunnen bedienen verdwijnt. Of in Spanje, waar de jeugd buiten het arbeidsproces wordt gehouden. Zelfs degenen bij wie het vermogen aangroeit, zouden zich moeten afvragen of speculatie op de lange termijn hun belang wel dient.'

Ik probeer tegelijkertijd te typen en na te denken. Henk is niet de enige die kritisch is over speculatie. Banken verklaren tegenwoordig dat ze alleen nog *doelmatig* speculeren, bijvoorbeeld wanneer ze risico's voor klanten willen afdekken. Dat klinkt nog wel nuttig. 'Maar kunnen we de onnodige, verstorende speculatie dan niet gewoon verbieden, zoals je eerder zei?'

Henk heeft zijn antwoord klaar. 'Het verbieden van speculatie is heel lastig als je de onderliggende dynamiek van het systeem niet verandert. Het is net als bij het verbieden van rente: de markt vindt altijd wel weer wegen om zo'n verbod te omzeilen. Hoe kun je bedrijven verbieden om meer maïs, tulpen of dollars te kopen dan ze nodig hebben? Maar als je kunt voorkomen dat geld zich gemakkelijk op-hoopt bij een kleine groep en zich verplaatst naar plekken waar snel verdiend kan worden, ben je al een heel eind.

Uiteindelijk gaat de economie over het creëren van producten en diensten waar mensen en bedrijven echt iets aan hebben. Speculatie werkt dat tegen. Het kost banen, zet nationale munten onder druk en maakt hele economieën instabiel. En daarmee hebben we het niet over langetermijninvesteerders die zich weloverwogen uit een land terugtrekken, maar over financiële fondsen die geen enkele band heb-ben met de bedrijven of zelfs het land waarin zij beleggen en zich uitsluitend bekommeren om snelle, tijdelijke winsten.'

Vrijgeld in Polen en de Paus

We schuiven met alle STRO-medewerkers aan voor een gezonde biolo-gische lunch. Ik luister met een half oor naar de tafelgesprekken en zit ondertussen te bedenken waar ik het hierna over wil hebben. Ik besluit om na de maaltijd terug te komen op mijn eerdere punt, dat politieke oplossingen toch logischer zijn als je het geldsysteem wilt veranderen. Waarom zou je het jezelf zo moeilijk maken en modellen ontwikkelen die in de markt moeten kunnen overleven?

'Is overheidsingrijpen niet veel makkelijker als je op grote schaal verandering wilt?'

'Ja, dat dachten wij eerst ook en dat hebben we ook geprobeerd,' reageert Henk. 'Maar weet je wat? We hebben nu meer dan genoeg theorie gehad. Ik wil je over onze zoektocht vertellen. Tenslotte is er heel wat gebeurd voordat we bij de doorbraken kwamen die we nu met onze methodes en software teweeg kunnen brengen.'

Ik knik instemmend. Ik kijk ernaar uit om meer over de praktijk te weten te komen. Wat hebben ze die laatste twintig jaar allemaal wel niet gedaan?

Henk heeft er ook zin in. 'Laten we bij het begin beginnen: onze eerste poging om via de overheid een alternatief te vinden voor de kapitalistische consumptiemaatschappij. Een mooi verhaal, want we deden dat met hulp van iemand waarvan jij het niet zult verwachten: de Poolse Paus. Dat moet ergens rond 1988 zijn geweest. Pff, dat is al meer dan vijfentwintig jaar terug.'

Ik moet even schakelen. 'De paus? Hoezo dat?'

'In die tijd zochten we al een geldsysteem dat de samenleving niet dwong om een positieve rente in stand te houden. Zo kwamen we in contact met de *Freigeld*beweging in Duitsland; 'vrijgeld' in het Nederlands. Die beweging maakte zich hard voor 'die natürliche Wirtschaftordnung', oftewel een natuurlijke economische ordening. De kern van die aanpak zit hem in een heffing op geld die de marktrente richting nul drukt en in het voorkomen van grondspeculatie. De Freigelders willen eigenlijk net zo'n soort geld als de graangiro, het bracteatengeld van de Hanzesteden en het lokale geld in Wörgl.

In Wuppertal ontmoetten we de heer Sussmann, een voormalig Rooms-katholieke priester van toen 82 jaar, die een enthousiast aanhanger was van de Freigeldbeweging. Hij was getrouwd, waardoor hij geen priester meer mocht zijn. Hij vertelde ons dat hij contacten had in het Vaticaan, waar hij vroeger kerkgeschiedenis had gedoceerd. Daardoor kende hij tal van oud-leerlingen die nu kardinaal waren geworden of in de curie werkten. Bovendien, vertelde hij, was er in de geschiedenis van de Katholieke Kerk genoeg materiaal te vinden om een initiatief te steunen dat tot een bevrijding van rente zou leiden. En hij dacht dat als de Paus daarvan overtuigd kon worden, dat dat misschien een 'derde weg' voor Polen kon betekenen. Polen stond in die tijd voor de keuze het communisme af te schaffen en het enige bekende alternatief was het kapitalisme.

Maar Polen had zojuist een paus geleverd en daar waren ze daar enorm trots op. De invloed van de katholieke kerk was er groter dan ooit. Sussmann had gelezen dat de Poolse Paus bang was dat de kapitalistische consumptiemaatschappij net zo min gunstig was voor de waarden van de kerk als het communisme en hij dacht goede kansen te hebben om steun van hem voor de Vrijgeldbeweging te krijgen. Als hij naar het Vaticaan zou gaan en oud-leerlingen in de Curie zou aanspreken, moest het lukken om van de Paus een aanbevelingsbrief te krijgen waarin de Poolse autoriteiten gevraagd werd mee te doen aan een experiment met Vrijgeld. Als daarmee rente uitgebannen zou worden, zou dat aansluiten bij de historische traditie in de katholieke kerkleer die rente niet toestond.

Wij vonden het zeker de moeite waard om te zien of we de Paus aan Polen konden laten vragen om op die manier ruimte te maken voor een mogelijk rentevrij alternatief voor communisme en consumentisme. Ja, als deze priester zo'n aanbevelingsbrief kon krijgen, wilden wij natuurlijk wel helpen in Polen.

Samen met de STRO-donateur die deze onderneming financierde, toog de heer Sussmann naar Rome. Wat schetste onze verbazing? Ze kwamen inderdaad terug met een brief van de persoonlijk secretaris van de Paus aan de Poolse autoriteiten met de vraag om onze aanbevelingen serieus te nemen.

Toen begon ons werk natuurlijk. We bereidden één en ander voor met twee experts op het gebied van Vrijgeld, professor Dieter Suhr en de in Duitsland wonende Nederlander Hugo Godschalk, die toen bij de Duitse bankgirocentrale werkte. We vertrokken naar Polen. Met die brief zaten we binnen de kortste keren om de tafel met de directeur van de Centrale Bank in Polen en de minister van economie. Beiden waren toen nog communist, maar ze waren ook Pool en katholiek en dus gevoelig voor de mening van de Paus. Misschien zochten ze ook wel een positie in een wereld waarin het communisme nieuwe wegen moest zien te vinden. En het wonder gebeurde: onze lobby slaagde. We kregen een akkoord voor het opzetten van een regionaal experiment met Freigeld. De week erna zouden de twee specialisten Hugo en Dieter naar Polen reizen om de details uit te werken. We dachten dat we een historische doorbraak hadden bereikt.

De avond nadat de regering enthousiast op het voorgestelde project was ingegaan, vond er een diner van Poolse regeringsleiders met het IMF plaats, ter ere van een versoepeling (herstructurering) van uitstaande leningen. Dat zou het nieuwe Polen een kans geven om zijn lopende schulden en de rentelast die daarop drukte te overleven. Wij waren er niet bij, maar achteraf hoorden we dat de Poolse leiders het IMF enthousiast hadden verteld over de plannen met het Freigeld. Wat er precies gebeurd is, vertelt het verhaal niet, maar vast staat dat ze ons de volgende morgen belden om te zeggen dat het plan toch niet door kon gaan vanwege bezwaren van het IMF.'

Ik stop met typen. 'Hoe bedoel je dat precies? Zoiets beslist een land toch zelf?'

'Dat valt nogal tegen. Het IMF had enorme invloed – kennelijk meer dan de Paus. Zonder herstructurering van de leningen was Polen failliet, dus er was ook bar weinig keus! De situatie was echt gênant. We moesten het bezoek van de specialisten afzeggen; het ging gewoon niet door. Sorry, Paus... Voor ons was er door de inmenging van het IMF een historische kans om zeep geholpen. Je snapt wel hoe geschokt we waren: we waren er zo dichtbij geweest! We vroegen ons in alle ernst af of we ooit nog wel eens zo'n kans zouden krijgen, waarbij een regering in een overgangsfase op zo'n structureel niveau bereid zou zijn om veranderingen aan te gaan.

We zouden nooit weten wat er gebeurd zou zijn als Polen met een liquiditeitsheffing het voortouw had genomen in de beweging naar een nieuw soort geld. Zouden andere landen dat voorbeeld zijn gaan volgen? Zou men het als een kans of een bedreiging hebben gezien?'

Ik haal mijn schouders op. 'Lastige vraag. Het zou een stevige discussie op gang hebben gebracht, dat is zeker. En je zou een enorme kapitaalvlucht kunnen veroorzaken als je zo'n heffing zou proberen in te voeren in een land dat is omringd door landen waarin die niet bestaat. Tenslotte gaat iedereen op zoek naar een plek waar je spaargeld zijn waarde behoudt.'

Aan zijn gezicht te zien, is Henk daar nog niet zo zeker van. 'Misschien. Maar daar hadden we in die opzet al wel rekening mee gehouden. Onze grootste twijfel was eigenlijk of er na de communistische tijd al genoeg ondernemerschap in Polen aanwezig was om de kansen te grijpen die geld zonder rente met zich mee zou brengen.

In elk geval concludeerden we na deze koude douche dat een dergelijke aanpak van bovenaf – gesteld dat die lukt – weliswaar een heel grote stap zou opleveren, maar dat zo'n aanpak een heel grote gok inhoudt. Daarbij is het alles of niets. En wij kregen uiteindelijk niets. Er moest dus wel een heel goede kans voorbij komen om zoiets nog eens te kunnen proberen.

De aanpak van onderop waar we vervolgens voor kozen, verschilde nogal van die van de Duitse Freigeldbeweging. Die probeerde al decennia lang om invloedrijke mensen te overtuigen van de ideeën van

Gesell om geld en land te bevrijden van de mechanismen waarmee ze mensen kansen ontnemen. Als dat lukt is dat natuurlijk mooi, maar iemand die in de politiek of het bedrijfsleven boven is komen drijven, is daar gekomen omdat hij of zij heel goed begrijpt hoe het rentegeld in die wereld werkt. En voor zo iemand is het allerminst logisch om vervolgens vanuit een totaal andere hoek te gaan denken.

Dus begonnen we de lange zoektocht van onderop. Via welke aanpak zou een ander soort geld de markt effectief kunnen veroveren, zonder daarbij tegen het monopolie op geldschepping aan te lopen? In wielertermen begonnen we hiermee aan onze koninginnerit, waarin steeds weer een volgende berg van problemen zou opduiken die we moesten zien op te lossen om uiteindelijk – hopelijk – ooit de finish te bereiken. In dit traject van onderop konden we elke keer een aanpak testen en al doende bijsturen. Het doel was heel duidelijk om een ander soort geld te vinden dat zich onder marktomstandigheden zou kunnen handhaven en zelfs zou uitbreiden. We richtten ons werk zo in dat we telkens een stapje verder zouden komen, in plaats van een situatie van alles of niets te creëren.'

Ik begrijp wat Henk bedoelt. 'Het klinkt iets gemakkelijker. Maar dan zit je wel weer met het probleem dat het kleinschalig is, èn dat je een enorm uithoudingsvermogen moet hebben.'

Henk knikt. 'Precies! Van onderop werken is niet gemakkelijker dan iemand aan de top ergens van overtuigen. Maar het heeft ons wel in elk project een stapje dichter bij een echte doorbraak gebracht. Essentieel is dat de opzet die we ontwikkelen zoveel voordelen biedt aan bedrijven en/of lagere overheden, dat de aanpak een eigen dynamiek kan krijgen. En daarbij moeten we er steeds voor zorgen dat onze opzet niet verboden kan worden. We kenden immers het voorbeeld van Wörgl al. Daar werd het lokale initiatief verboden, ook al had het de economie er weer bovenop geholpen. En in feite verbood het IMF ons experiment in Polen nog vóórdat het begonnen was.

Onze aanpak van onderaf mocht dus geen enkele aanleiding geven tot een verbod. En het moest bedrijven de mogelijkheid bieden om onder rentedragende bankleningen uit te komen. Of nog mooier: de verhouding tussen vraag en aanbod van rente-eisend kapitaal zou een marktrente rond nul procent op moeten leveren. Als dat ook maar voor een deel zou lukken, zouden we zo de dynamiek genereren die nodig is voor een echte verandering. En behalve voor het punt van de aantrekkelijkheid in de markt stonden we ook voor de vraag wat een legale manier was om zonder bankleningen een nieuw soort geld te scheppen.'

Wat mag en wat niet mag

Hier wil ik het fijne van weten. 'Is het altijd verboden om andere geldsoorten te beginnen, of verschilt dat per land?'

'Er zijn inderdaad verschillen per land, maar de meeste daarvan zijn verwaarloosbaar. Er zijn een heleboel mogelijkheden en onmogelijkheden. In vrijwel elk land zijn *prepaid* vouchers en waardebonnen legaal – zoals boekenbonnen of prepaid belminuten. De Nederlandse Bank stond in de jaren '90 in Limburg biljetten van *Raam*geld toe. Dat werd uitgegeven door de *Maharishi Mahesh Yogi*, een vroegere guru van de Beatles. Dit Maharishi-geld werd uitgegeven in een samenwerking met de Fortis Bank. Die bank hield eenzelfde hoeveelheid geld aan op een geblokkeerde rekening courant als dat er Raamgeld werd uitgegeven. Daardoor was de Raam eigenlijk een prepaid claim op het geld op die rekening. En dat was voor De Nederlandse Bank acceptabel.

In het algemeen geldt voor cadeau- en waardebonnen dat het eigenlijk een vooruitbetaling is aan een bedrijf of groep van bedrijven. Daarom mogen zij niet pretenderen dat die waardebonnen het nationale geld vervangen.

Dat gaf ons dus niet de ruimte die we zochten. Na veel omzwervingen gingen we inzien dat de administratieve systemen die transacties mogelijk maken tussen de verschillende onderdelen van een multinational meer mogelijkheden bieden.'

'Is een interne boekhouding dan ook geldschepping? Of is het een alternatief voor geldschepping?' Ik staar verwonderd naar het plafond. Dan bedenk ik ineens: 'Weet je wat ik zo gek vind? We zijn in onze samenleving over het algemeen *tegen* monopolies. Bedrijven kunnen zelfs verplicht worden zichzelf op te splitsen als ze teveel macht krijgen in de markt, zodat zij de prijzen niet meer kunnen opdrijven en dat soort dingen. Maar banken krijgen voor verreweg het meest invloedrijke middel in onze samenleving *wel* een monopolie. Waarom is dat eigenlijk?'

Als Henk niet direct reageert maar me bemoedigend toeknikt, denk ik hardop verder. 'Ik denk dat ik het antwoord wel weet: geld is te belangrijk om aan de markt over te laten. Het moet gereguleerd worden. Daarbij is één algemeen geaccepteerde geldsoort handig voor transacties. Maar dan is het toch zonneklaar dat we echt een probleem hebben als die ene geldsoort *niet* werkt? Stel dat we ineens collectief niet meer in de Euro geloven, dan hebben we geen enkel plan B! Dan kun je beter verschillende geldsoorten naast elkaar zetten, zodat mensen kunnen overstappen als er één daarvan niet goed functioneert.'

Henk kijkt me gelaten aan. 'De meeste mensen beseffen niet eens dat er verschillende soorten geld kunnen bestaan. Het is alsof we collectief oogkleppen op hebben.'

In een moment van verstandhouding kijken we elkaar aan. Hierin heeft Henk gelijk. Ik wist dat tot voor kort ook niet.

Dan pakt hij de draad van het gesprek weer op. 'Terug naar onze zoektocht. We zochten dus naar een initiatief dat consumenten en bedrijven zelf kunnen organiseren, waarbij bedrijven krediet kunnen krijgen zonder dat ze daarvoor een rentedragende banklening hoeven af te sluiten. En liefst zou dat initiatief, of een groep van zulke initiatieven, groot genoeg moeten kunnen worden om echt effect op de prijs van geld in de hele markt te kunnen hebben. Het leek ons de moeite waard om ons onderzoek daarop te richten.'

Local Exchange Trading Systems: gemeenschapsgeld

Henk vervolgt: 'Niet lang nadat we de keuze hadden gemaakt om een ander soort geld te ontwikkelen dat van onderop opgebouwd kan worden, hoorden we dat in Engeland een beweging opbloeide waar mensen elkaar betaalden met zelfgemaakt rentevrij geld. Eigenlijk wisselden die mensen onderling goederen en diensten uit en registreerden de onderlinge verhoudingen centraal in een computer. Alle deelnemers hadden dus een rekening. Op ieder moment stonden sommigen rood maar daar stonden altijd weer anderen met een positief saldo tegenover, voor hetzelfde totaalbedrag.

Deze systemen werden LETS genoemd: Local Exchange Trading Systems. In de basis was het heel simpel: ik lever jou iets, vervolgens sta ik positief en jij in het rood. Jij hebt dan de morele plicht om iemand anders in de groep te helpen of iets te leveren, zodat je uit de rode cijfers komt. Maar ook ik heb een morele plicht, namelijk om van iemand iets te kopen, zodat ik ook weer richting nul ga!

Als iedereen zo rond de nul schommelt, raakt vooral het werk onderling anders verdeeld: ik doe waar ik goed in ben of wat ik leuk vind, anderen doen dat ook, maar die vinden weer andere dingen leuk om te doen. Samen optimaliseren we zo wat we doen en wat we ervoor teug krijgen. Uiteindelijk krijgt iedereen meer dan wat ie erin stopt. Je doet wat je leuk vindt en waar je goed in bent. Zo ontstaat er binnen de groep een evenwichtige handel, waar de hele groep beter van wordt.

De onderlinge verhoudingen werden dus in een computeradministratie bijgehouden. Voor dit lokale geld was het niet nodig om van een bank te lenen; het was onderling krediet zonder rente en het werkte. Volgens de Engelse kranten deden er steeds meer mensen aan mee. Er werd over geschreven als een serieus alternatief voor het Engelse pond, dus je begrijpt dat het onze interesse wist te wekken. Twee vrijwilligers van STRO reden op de motor naar Liverpool om het naadje van de kous te weten te komen. Het bleek veel simpeler dan we dachten.'

'Een lokaal ruilhandelsysteem dus. Is dat wel geld?'

'LETS gebruikte als waarde-indicatie het Engelse pond en een eigen LETS ruileenheid. Je kunt die eenheden opsparen, maar het is zeker geen speculatiegeld en je krijgt geen rente. Ja, voor degenen die het accepteren is het geld. Maar het is een wezenlijk andere geldsoort dan je gewend bent. Het is sociaal geld, want het ontleent zijn waarde aan de sociale samenhang van de deelnemende groep. Zij moeten elkaar vertrouwen. Je hoeft niet naar de bank voor een krediet, want je geeft elkaar krediet. Iedereen heeft het recht om rood te staan, tot op een bepaald niveau. Sterker nog, als er geen deelnemers zijn die rood gaan staan, kan er geen enkele transactie plaatsvinden. LETS maakt het mogelijk om binnen een gemeenschap vorm te geven aan complexe ruiltransacties. Als jij iets voor een deelnemer doet, kan elk van de andere leden je compenseren, het is dus zeker geen één op één ruil. En gewoon geld komt er niet aan te pas.

Ik vraag door. 'Wie zorgt ervoor dat er genoeg geld in omloop is?'

'Niemand. LETS-geld ontstaat automatisch op het moment van een transactie, op het moment dat iemand een product of dienst koopt en daarvoor rood gaat staan. Er is dus eigenlijk nooit gebrek aan geld. Essentieel is wel dat er deelnemers zijn die rood durven te staan. Anders gebeurt er niks. Dan is er geen geld, kun je zeggen.'

Ik ben even stil. Het lijkt verbijsterend eenvoudig. 'Dus zo vonden jullie een alternatief voor het bestaande geld?'

Henk nuanceert mijn vraag. 'Ja en nee. Wat we in Engeland zagen gebeuren was heel kleinschalig en gericht op particulieren. Dat zou het verschil niet gaan maken. Maar we zagen wel het potentieel: het was een praktisch en simpel systeem, en het werkte in elk geval in een beperkte groep. Ook zette het mensen aan het denken. Dus waren we nieuwsgierig of we dit zouden kunnen uitbouwen tot iets met echte economische impact. Daarom besloten we er zelf mee aan de slag te gaan, zodat we met veranderingen zouden kunnen gaan experimenteren. In de jaren daarna zijn er via ons honderden LETSystemen ontstaan: in Nederland, België, Duitsland en Frankrijk. We zochten er de grenzen mee op en ontdekten iets dat heel bruikbaar is gebleken.'

Ik word nieuwsgierig. 'Namelijk...'

'Niet alles aan LETS was nieuw. In de jaren vijftig waren er in Canada al coöperaties geweest waarin mensen voor elkaar werkten en bijhielden wat ze onderling te verrekenen hadden. Wat er wel nieuw aan was, was het gebruik van computertechnologie. Het was een stap vooruit om de onderlinge schuldverhoudingen in de computer bij te houden, en dat zou met bedrijven ook kunnen. We hielden al een

tijdje de ontwikkelingen rond computers in de gaten. Dat was eigenlijk sinds ik voor het eerst zag hoe computers via een modem met
elkaar kunnen communiceren. Ik bedacht toen dat die piepjes heel
goed informatie over onderlinge schuldverhoudingen zouden kunnen
bevatten – en dus een soort van geld vormden. Intuïtief was ik ervan
overtuigd dat dat de opening was om een soort geld te creëren dat niet
door het wettelijke bankmonopolie uitgeschakeld kan worden. Want
'bits en bytes' met informatie over transacties kunnen gewoon binnen een interne administratie circuleren, zolang er maar nergens een
formele uitwisseling met geld is. Informele handel, die individuen
onderling met elkaar drijven, is niet te verbieden.'

Het kwartje is bij mij nog niet gevallen. 'Hoe bedoel je?'
'Simpel: geld is niets anders dan informatie over onze onderlinge
schuldverhoudingen. Met computers die verbonden zijn, kunnen we
die informatie veel makkelijker organiseren.' Henk kan een glimlach
niet onderdrukken. 'Als je dit begrijpt, dan begrijp je ook waarom we
ons later op het ontwikkelen van betaalsoftware zijn gaan richten. De
sleutel tot de alternatieven die we nu hebben, is dat je handel kunt
organiseren op basis van claims.'

Henk leunt voorover met de thermoskan en schenkt mijn kopje
thee bij. 'Maar zover was het toen nog lang niet. We wilden eerst
weten wat de potenties van LETS waren, en natuurlijk ook de zwakke
punten. Om dat te weten te komen, startten we in Amsterdam het
eerste LETS-netwerk in Nederland: 'Noppes'. Het was onze proeftuin
om te kijken wat er met LETS maximaal mogelijk is.'

Ik neem een slok. 'Als ik het goed begrijp, wilden jullie opschalen
wat je in Engeland had gezien?'
Henk knikt. 'Gedeeltelijk. We hebben ook een aantal dingen anders aangepakt. We lieten bijvoorbeeld deelnemers een contract teke-
nen waarin stond dat zij hun Noppes-schulden in – toen nog – guldens moesten terugbetalen, als ze eruit wilden stappen of als ze te
lang niets in het netwerk hadden gedaan. Het idee was om daarmee
al te veel vrijblijvendheid te voorkomen. Op die manier hoopten we
Noppes actief te houden en ook te voorkomen dat het systeem mis-

bruikt zou worden door mensen die rood gingen staan en er dan mee zouden stoppen.

Tegelijk wilden we LETS zodanig professionaliseren dat ook bedrijven mee zouden willen doen. Bovendien streefden we ernaar om veel meer leden te werven dan de vijftig tot tweehonderd van een gemiddeld LETSysteem, zodat het aanbod aan diensten veel diverser zou kunnen worden. Met op het hoogtepunt 960 leden werd Noppes wereldwijd één van de grootste LETSystemen. Het werkte als inspiratiebron en stimuleerde mensen in meer dan honderd plaatsen in Nederland om hun eigen systeem te starten.'

'Het woord 'systeem' is voor mij te abstract. Wat gebeurde er precies binnen Noppes? Ontstond er activiteit? Wat deden de leden?'

'Noppes en ook de andere LETSystemen waren vanaf het begin echt sociale netwerken. Ze bouwden iets van een sociale structuur op in gebieden waar mensen elkaar niet meer kennen. Het werd ook gebruikt om vrijwilligerswerk te organiseren, zoals in appartementencomplexen en in een project met asielzoekers. Mensen die eens een ander soort werk wilden uitproberen, gingen er binnen Noppes mee experimenteren en konden zo naar een eigen bedrijfje toegroeien. En voor werkzoekenden was het een laagdrempelige manier om hun talent te blijven inzetten. In het algemeen kun je zeggen dat LETS mensen toegang geeft tot een sociaal netwerk waarin ze hun kwaliteiten de ruimte kunnen geven, en tegelijk anderen kunnen vragen om dingen voor hen te doen waar ze niet goed in zijn of waaraan ze een hekel hebben.'

De telefoon gaat. Henk excuseert zich en neemt op. Ik typ het snel in mijn zoekmachine: Noppes. Volgens mij bestaat het nog steeds. Ja, daar is hun website, www.noppes.nl. Terwijl Henk aan de telefoon uitlegt wat STRO doet, klik ik door de site. Wat ik zie doet me denken aan Marktplaats, maar dan een stuk kleiner en met een andere valuta.

Dat is ook toevallig: op de contactpagina zie ik dat het kantoor van Noppes bij mij om de hoek zit. Ik kan zo meedoen als ik wil. Veel van de diensten worden bij mij in de buurt aangeboden. Zal ik het doen? Ik zie niet direct iets wat ik dringend nodig heb, wel leuke dingen om aan mee te doen. Een stadswandeling bijvoorbeeld; 35 noppes voor vier personen. Zou het werken? Het is wel grappig om eens te proberen.

Henk hangt op.

Ik geef meteen mijn feedback.

'Het leuke aan LETS,' zeg ik, 'is het gevoel dat het je geeft dat je *zelf het heft in handen kan nemen*. En dat je niet hoeft te wachten totdat de overheid iets verandert, maar dat je als deelnemer je eigen invloed kunt gebruiken om je samen met anderen slim te organiseren.

Toch voel ik een drempel om hier zelf aan mee te gaan doen. Het aanbod van diensten in Noppes is veel kleiner dan ik voor gewoon geld kan inschakelen. Een aankoop doen lijkt me best ingewikkeld. En is er zoiets als een kwaliteitsgarantie? Eerlijk gezegd weet ik niet of ik me zou aanmelden. Misschien om het een keer te proberen, dat wel, maar of ik het echt actief zou gaan gebruiken...'

Hoe levensvatbaar is LETS?

Henk geeft me deels gelijk, zie ik aan zijn gezicht. 'Noppes bestaat nog steeds, al zijn we er niet meer bij betrokken. Indertijd was het een stuk groter. Toen werd er ook meer aangeboden. Je hebt gelijk: een goed aanbod van producten en diensten in een LETSysteem en zekerheid over de kwaliteit ervan zijn belangrijk.

Toen wij nog voor Noppes verantwoordelijk waren, bestonden er drie categorieën aanbieders: amateur, semi-prof en prof. Bij die laatste mag je professionele kwaliteit verwachten. In onze Cyclos-software zit een commentaarmogelijkheid, waarmee je kunt zien wat anderen van een aanbieder vinden. Er is dus feedback over hoe professioneel iemand in werkelijkheid werkt. Tegelijkertijd gaat het ook om de sociale cohesie. Als je via Noppes houten speelgoed koopt van een buurtgenoot die dat zelf heeft gemaakt, is dat echt veel leuker dan plastic speelgoed van Bart Smit.'

Ik blijf bij mijn praktische bezwaar. 'Maar dan moet je wel open staan voor een ingewikkelder aankoophandeling en een beperkte keus aan diensten, in ruil voor een beter buurtgevoel. Ik denk dat daar wel behoefte aan is, maar je moet er tijd voor maken. Mensen met een drukke baan zal dat vaak niet lukken, en ook anderen hebben daar de tijd niet voor over. De kans dat dit groot wordt, is daarom maar klein – behalve als de crisis ook in Nederland hard toeslaat.'

Henk knikt. 'Je hebt helemaal gelijk. Als je het al druk hebt, is het niet de meest logische keuze. Daarom heb ik LETS een sociaal systeem genoemd. Een LETSysteem zoals Noppes heeft economisch weinig om het lijf, maar op persoonlijk niveau ontstaan er voor deelnemers wel meer mogelijkheden. Iedereen kan eraan meedoen en je ontmoet nieuwe mensen die bij je in de buurt wonen. Ouderen passen op kinderen zodat bijstandsmoeders eens een weekendje weg kunnen, asielzoekers krijgen Nederlandse taallessen. Het is een manier om in een wijk nieuwe contacten te laten ontstaan, ook tussen groepen die elkaar mijden of helemaal niet kennen. En het leuke is ook dat echt iedereen wel iets te bieden heeft, zelfs wie dat van zichzelf helemaal niet denkt. LETS heeft namelijk een andere dynamiek dan het gangbare geld: het is een *gemeenschapsvormer*. Dat kán het zijn, in elk geval.'

'Kun je een voorbeeld geven?'

'In het LETSysteem van Hochschwarzwald in Zuid-Duitsland besloten de deelnemers om gezamenlijk de schouders te zetten onder de renovatie van een kinderdagverblijf. De mensen die hieraan meewerkten, werden voor hun inzet beloond met LETS-eenheden. Het kinderdagverblijf maakte zo een flinke schuld in LETS, maar kon die vervolgens afbetalen door LETS-eenheden te accepteren voor de kinderopvang die het bood. Uiteindelijk was iedereen blij.

Het is niet te vergelijken met het hebben van een schuld bij de bank om op deze manier rood te staan: er zit namelijk geen rente op. Rood staan in een LETSysteem betekent dat je een in te lossen verplichting bent aangegaan, waarvoor beide partijen de verantwoordelijkheid hebben genomen. En omdat beide partijen er zelf aan hebben meegewerkt, is hun betrokkenheid veel groter.

Bovendien is er nog een wezenlijk verschil met het lokaal uitgeven van euro's. Door LETS werden wij met onze neus op het feit gedrukt dat de samenleving mensen op hun productiviteit beoordeelt. Als je niet kunt concurreren op marktniveau, word je buitengesloten. En dankzij LETS ontstaan er nieuwe kansen om gewaardeerd te worden.

Mensen die onder het marktniveau presteren, blijken uitstekend in staat om een onderlinge economie te voeren. Daardoor is iedereen beter af. We zijn er zo aan gewend geraakt dat alleen de besten mee mogen doen op de arbeidsmarkt en de rest niet aan de slag komt, dat we niet meer zien dat dat een enorme en wrede verspilling is. Die ervaring, hoe het is om werkloos aan de kant te komen staan, werkt door in de rest van iemands bestaan.'

'Maar hoe kan het dan dat mensen in een LETSysteem wel hun talenten in kunnen zetten als dat op de arbeidsmarkt niet lukt?'

'Wanneer ik dat uitleg in economische termen, gaat het erom dat de deelnemers eigenlijk een sub-economie vormen met een munt die een lagere omwisselkoers heeft. Daardoor kunnen mensen die hun werk bijvoorbeeld niet efficiënt genoeg doen voor de markt, wel met elkaar ruilen en zo hun kwaliteiten toch productief aanwenden. Tegelijk is LETS vooral een sociaal systeem.

Een van de mooiste voorbeelden vind ik nog steeds dat van een bedlegerige vrouw die LETS wilde gebruiken om mensen in te huren om boodschappen voor haar te doen. Maar bij de intake vertelde ze: 'Ik kan niet meedoen, want ik kan niets terug doen.' De LETS-medewerkster ging met haar in gesprek over wat ze mogelijk toch als wederdienst zou kunnen bieden. We hadden haar getraind om te vragen naar dingen die een potentiële deelnemer zelf graag deed. De vrouw vertelde toen dat ze dol op kinderen was. 'Maar ja, als je zelf niet meer buiten komt zie je ze weinig, en ik heb ook geen familie met kinderen.' Daarop suggereerde de LETS-medewerkster haar dat ze zou aanbieden om *kinderen voor te lezen.* Zo gezegd, zo gedaan. Een jaar later moest de medewerkster naar deze mevrouw terug omdat ze inderdaad haar rekening niet in balans wist te brengen. Maar niet dat ze te veel rood stond! Nee, met het voorlezen aan kinderen had ze veel meer LETS-eenheden verdiend dan ze kon uitgeven! En die eenheden moeten wel besteed worden, anders blokkeert de ruil in het systeem.'

Ik glimlach. Sociaal geld als medicijn tegen eenzaamheid, dat kan dus ook. 'Heb je meer van dit soort voorbeelden?'

'Zeker. Het gebeurde best vaak dat mensen dachten dat ze niets te bieden hadden, terwijl de mooiste diensten ontstaan als je doorvraagt over hun hobby's. Met een beetje creativiteit ontstaat er dan van alles. Zo herinner ik me een informatiebijeenkomst waar ik spreker was. Er hing een beetje een negatieve stemming, omdat veel mensen wel wisten wat ze wilden kopen, maar geen idee hadden wat ze voor anderen zouden kunnen doen. Daarom vroeg ik iedereen één voor één naar hun hobby's. 'Ik houd van wandelen,' zei de eerste. 'Mooi,' zei ik, 'dan hebben we dus al iemand die de krantjes met vraag en aanbod bij de leden kan bezorgen. Wie nog meer?' Een meneer vertelde dat hij het liefst zou gaan zeezeilen. Een beetje cynisch voegde hij eraan toe: 'Maar ik heb geen boot.' En toen bleek er gelukkig iemand in de zaal te zitten die een zeewaardige zeilboot had en nog een bemanningslid zocht om in de weekenden mee te gaan. Zo ontstond er in dat systeem ter plekke een nieuwe dienst: een weekendje per zeilboot naar Engeland.'

De voorbeelden maken me enthousiast. Of het nou echt om een andere geldsoort gaat of gewoon om het slim organiseren van actieve sociale netwerken, dat maakt me op dit moment even niet uit. LETS kan blijkbaar een ruimte scheppen om elkaar te ontmoeten, om interactie tussen mensen te faciliteren en daar een waarde aan te geven. Zo is er in een LETSysteem meer plek voor een creatieve invulling van je bijdrage dan in formele banen. Het lijkt wel tussen vrijwilligerswerk en regulier werk in te zitten. Je kunt gewoon initiatieven nemen en zien of er mensen op reageren.

Wat zou ik zelf kunnen aanbieden? Een jongleerworkshop misschien, of bijles economie? Dat moet dan natuurlijk wel allemaal in de tijd die ik overhoud nadat ik genoeg geld heb verdiend om mijn huur van te betalen. Anders heb ik weinig aan een eventueel tegoed in Noppes.

Ik probeer mijn enthousiasme aan Henk te omschrijven. 'In LETS lijkt het veel meer te draaien om samenwerken dan om concurrentie. De sociale doelstelling van een LETSysteem zorgt ervoor dat ik meteen andere dingen belangrijk ga vinden, naast de kwaliteit van een product of dienst: dat ik iemand die eenzaam is contact bezorg, of een ander help om haar talent verder te ontwikkelen. Daar krijg ik een goed gevoel van. Wat ik me wel afvraag: moet je dit wel willen opschalen? Misschien gaat dat sociale aspect dan juist wel verloren. Mensen moeten toch een band met elkaar kunnen krijgen. Hoe hebben jullie dat bij Noppes ervaren?'

Henk: 'We hebben bij Noppes ontzettend veel geleerd. Daarbij kwamen er drie dingen als het belangrijkst uit de bus.

Onze eerste les was dat we, als we groter wilden worden, een manier moesten vinden om kwaliteit en vertrouwen te waarborgen. Als je twee keer een transactie via LETS probeert te doen, en de andere partij komt zijn of haar afspraak niet na, haak je af. Zo kwamen we op het idee van de beoordelingen door klanten. Tegenwoordig zie je dat heel vaak, zoals op websites om producten te vergelijken, en op Marktplaats, maar toen was dat nog nieuw. We wilden er helderheid over kunnen geven of iemand een amateur of professional was, en of diegene betrouwbaar was in het nakomen van zijn of haar afspraken.

Daarnaast liepen we tegen juridische bepalingen aan. We kregen steeds meer publiciteit en niet lang nadat een journalist ons in de krant had omschreven als 'de Noppes-bank', kregen we een brief van De Nederlandsche Bank. Daar wees men ons erop dat we in overtreding waren door het woordje 'bank' te gebruiken. Dat is namelijk een beschermde term, waarvan DNB de kwaliteit bewaakt. Ons antwoord was toepasselijk en eigenlijk nog steeds actueel. Dat mail ik je vanmiddag wel even. Zelf hebben wij het woord 'bank' ook helemaal niet gebruikt; dat deed die journalist. Maar je begrijpt dat we goed moesten beseffen hoe de regelgeving in elkaar zat, om deze niet te overtreden.

Onze derde les was van structurele aard. Mensen die steeds heel veel Noppes verdienden, konden hun claims vaak maar moeilijk besteden. Dan vonden ze het op een gegeven moment niet interessant meer om in Noppes actief te blijven en gingen ze hun diensten liever voor geld aanbieden.

Dat probleem zie je in alle LETsystemen terug. Na een tijdje gaan de verhoudingen scheef lopen omdat mensen met het meest aantrekkelijke aanbod meer verdienen dan ze kunnen besteden. Klussers zijn bijvoorbeeld erg gewild. Iedereen heeft wel eens iemand nodig die helpt bij een verbouwinkje. Maar de klussers zelf kunnen hun inkomsten niet opmaken aan zelfgebakken taarten, computerlessen, enzovoort. Daardoor komt hun rekening steeds verder positief te staan en op een gegeven moment hebben ze het gevoel voor niks te werken en kiezen ze ervoor om dat toch weer uitsluitend voor regulier geld te gaan doen.

Als je dat soort deelnemers niet aan je weet te binden, neemt het aanbod binnen je systeem gaandeweg af. Met name kleine bedrijfjes die Noppes accepteerden, trokken zich al snel weer terug. Dat was jammer, want die wilden we er juist graag bij hebben om de impact van het hele systeem te vergroten.'

Terwijl ik zo snel mogelijk typ, besef ik weer eens dat een ander soort geld opzetten niet zo makkelijk is. Problemen zijn er genoeg en niet zulke kleine ook. 'Lastig. Zoals je het omschrijft kan ik me niet voorstellen hoe LETS ooit heel groot kan worden.'

Henk ziet het zonniger in. 'Bijt je niet vast in LETS. Het was voor ons gewoon de eerste van de *bottom-up*-initiatieven die we hebben onderzocht nog vóór Banco Palmas en Gota Verde. We hebben er veel van geleerd voor onze zoektocht naar nieuwe, duurzame geldsoorten. Daardoor gingen we een stuk beter begrijpen wat er wel en niet mogelijk was, en wat ons te doen stond. Ons volgende doel werd het oplossen van twee van de problemen die we tegen waren gekomen.

Ten eerste de vraag: hoe kunnen we bedrijven betrekken bij een andere geldsoort, zodat die een serieus alternatief wordt?

En ten tweede: hoe kunnen we mensen binnen een ander geldcircuit houden als zij daarin veel meer verdienen dan ze kunnen uitgeven?'

Henk blijft stil en kijkt me vragend aan. Ik heb het antwoord niet, als hij dat soms denkt. Ik houd mijn mond maar.

Zijn ogen lichten op. 'Dat bracht ons op het idee om parallel aan Noppes, het systeem Amstelnet op te zetten, een organisatie die een soort 'LETS voor bedrijven' moest worden. Dat wordt *commerciële barter* genoemd. Daarover zullen we het de volgende keer hebben.'

Liever zonder geld dan zonder water of zuurstof

Ik loop terug naar het station zonder op mijn omgeving te letten. In mijn hoofd reconstrueer ik het gesprek met Henk. Speculatie, SMS-geld, gemeenschapsgeld, het was wel weer voldoende voor één dag. Nieuw en beter geld introduceren is heel, heel moeilijk, concludeer ik. Al leek Henk niet erg uit het lood geslagen door de beperkingen die LETS bleek te hebben. Hij noemde mooie leerpunten als zijn voornaamste opbrengst, een stap naar een volgende opzet van wat hij zo mooi 'een ander soort geld' noemt.

Ik vraag me af wat STRO eigenlijk heeft bedacht om de zwakkere punten die LETS bleek te hebben op te lossen? En zullen ook die initiatieven niet slechts in de marge blijven functioneren, gedragen door idealisme of bittere noodzaak? Kan er inderdaad een alternatief uit ontstaan dat een heuse economische rol gaat spelen? Het probleem is dat we zo gewend zijn aan het geldsysteem dat we nu hebben, dat we ons nauwelijks iets anders kunnen voorstellen. Iets écht anders, iets onbekends. Ik vrees dat het de eeuwige marge wordt.

Hoewel – toen ik met crowdfunding bezig was, waren er ook altijd genoeg mensen die dachten dat dat in de marge zou blijven. En nu groeit het fenomeen als kool, al is het natuurlijk nog steeds *peanuts* vergeleken met de omvang van reguliere bankleningen. Maar bij crowdfunding had ik meteen het gevoel: dit is zo logisch, dit gaat groot worden. Dat heb ik nog niet direct bij 'een ander soort geld', hooguit als het bestaande systeem steeds slechter gaat functioneren en er niet op tijd wordt bijgestuurd. Als de boel echt in elkaar klapt, dus. Dan hebben we een plan B nodig; dan is er echt een noodzaak.

Dat brengt me op een verruimende gedachte; zo één die ik de laatste tijd wel vaker heb en die me helpt om het hele geldsysteem in perspectief te plaatsen: Wat als al het geld ineens verdwenen zou zijn? De biljetten, de getallen in onze bankrekening, alles weg? De grap is dat *alles wat we nodig hebben om van te leven, er dan nog steeds is*. Er zijn nog steeds ovens in de bakkerij, er zijn nog steeds fietsenstallingen, hijskranen, bakstenen, graanvelden, noem maar op. Alleen het middel waarmee we samenwerken, transacties aangaan en de winst verdelen, is er dan niet meer. En daarmee dus de boekhouding waarop we collectief vertrouwen. Liever zonder geld dan zonder water, of zonder zuurstof, denk ik dan.

Iemand bij Economy Transformers formuleerde het treffend: als alles er nog is, behalve het geld, dan gaan we toch zeker niet allemaal achter de geraniums zitten? Die manier van denken geeft me telkens weer moed en vertrouwen in de menselijke creativiteit. Het enige wat nu niet optimaal werkt is ons collectieve boekhoudsysteem. Daar moet toch iets aan te doen zijn? Ik word alweer wat monterder.

In de trein is er wifi, en ik open mijn mail. Daar is het mailtje al dat Henk beloofd had te sturen.

Onderwerp: *Brief aan De Nederlandsche Bank*

Zie hieronder. Succes met schrijven.
Alle goeds, Henk

'Geachte Nederlandsche Bank,

We willen u hartelijk bedanken voor uw waarschuwing niet het woord 'bank' te gebruiken. Natuurlijk willen we voorkomen dat mensen denken dat ze te doen hebben met een bank. Immers, banken blijken keer op keer niet zo heel erg betrouwbaar. Zo was daar onlangs het schandaal met de bloedbank. En de bank is bij voetballers ook al niet populair. Alleen banken met heel veel geld om in de PR te steken hebben een positief imago, maar juist daarmee willen we al helemaal niet verward worden. Nogmaals onze dank dus.'

Ik kan een glimlach niet onderdrukken. Het is wel wat kort door de bocht. Ik mail terug dat hij niet moet onderschatten dat er veel hardwerkende en betrouwbare mensen bij banken werken, die hun best doen om goede dienstverlening te bieden. Het enige wat je ze kunt aanrekenen is dat ze het grotere plaatje niet goed voor ogen hebben en hun beslissingen daardoor niet weloverwogen kunnen nemen. Maar ja, zo'n overzicht heeft bijna niemand; het is gewoon grandioos ingewikkeld. Niemand lijkt het helemaal te begrijpen, en ik begrijp het ook nog steeds niet helemaal. Anders zou ik Henk misschien beter van repliek kunnen dienen.

Ik krijg direct een mail terug. Dat hij ook wel begrijpt dat veel mensen die bij banken werken meedrijven op iets wat ze niet begrijpen. Ze zitten er gewoon te diep in, en stellen zichzelf daarom niet de vragen die STRO stelt, over de sociale en ecologische houdbaarheid van het bestaande geldsysteem op de lange termijn. Bijna niemand doet dat. En hij voegt er nog aan toe dat hij het moedig van me vindt om te besluiten mijn comfortabele plek bij een bank op te geven.

Ik klap mijn laptop dicht en kijk uit het raam van de trein, net wanneer ik langs mijn oude werkgever rijd. De trein remt af voor station Bijlmer en ik krijg een mooi inkijkje in het ABN AMRO-gebouw, met al die witte zwembadtegels. Ik visualiseer dat ik daar weer met collega's zit te lunchen. Voor hetzelfde geld werkte ik er nu nog steeds. Dat had gemakkelijk gekund; de dingen zijn niet altijd zo zwart-wit. Nu zit ik in de trein, in plaats van in het gebouw vijftig meter verderop en ik denk erover na of de innovaties van STRO de wereld echt gaan veranderen. Klopt hun analyse? Kan verandering vanuit de markt komen en baanbrekend worden? Het is lastig voor te stellen. Aan de andere kant: hoeveel energie en geld is er nu al met al beschikbaar voor een poging om tot een echt ander soort geld te komen? Als STRO toegang zou hebben tot veel meer financiering, zouden ze zeker meer kans maken.

Bij mijn afscheid van ABN AMRO kreeg ik een symbolisch cadeau van mijn manager; een ijzeren plaatje waarop stond: *'You can only walk halfway towards your goal. Then you have to jump into the dark towards success.'* Omdat dat zo waar is, prijkt het nu op mijn kast. Je kunt niet met behoud van zekerheid naar iets nieuws en onbekends toelopen. Als je bezig bent met innovatie is dat een gegeven. Ik kan ook niet met zekerheid zeggen dat het soort geld dat STRO wil implementeren, beter is. Maar wat ik wel weet, is dat als we blijven doen wat we tot nu toe gedaan hebben, we krijgen wat we nu al hebben. Dat is waar. Voor mij persoonlijk, en ook voor het geldsysteem.

Argentinië en Overveen, 2012:
Op de Parade

In Mendoza, in het Noordwesten van Argentinië, liggen prachtige bergen van waaraf je kunt paragliden. Na lang twijfelen besloten mijn man en ik een sprong te wagen. Samen met ervaren springers stonden we met parachutes, helm en tuigje bovenop de berg. Net op dat moment moest ik naar het toilet. Toen ik terug was, hingen de anderen al in de lucht. Nu was ik aan de beurt. Ik moest op een afgrond afrennen en blijven rennen, voorbij de afgrond, net zoals Roadrunner in de tekenfilms waar ik vroeger naar keek. Het voelde heel tegennatuurlijk. Al voordat de grond onder me gevaarlijk steil naar beneden begon te lopen, trappelde ik in het niets. Ik hing boven de aarde en werd gedragen door de lucht. Het was een symbolische ervaring. Mijn angst maakte plaats voor euforie en dat gaf me het laatste zetje om mijn baan, met al zijn zekerheden, los te laten. Er zou iets nieuws komen, daar moest ik maar op vertrouwen.

Een paar weken later begon er in Overveen een driedaags congres van Economy Transformers. In de garderobe zag ik een slanke, hoogblonde vrouw met rode lipstick met een geïmproviseerd orgeltje slepen. 'Heb je hulp nodig?' vroeg ik. We raakten aan de praat. Ze vertelde dat ze theater ging maken over geld. Ik keek haar gefascineerd aan en vroeg haar of ik haar misschien ergens mee kon helpen. Gekscherend zei ze dat ze nog een kassamedewerker zocht. Dat was het begin van mijn samenwerking met Dette Glashouwer.

Het werd een bijzonder jaar. Die zomer werkte ik op de Parade als Dettes kaartjesknipper, promotor en sparringpartner en na de voorstelling bovendien als haar 'aandelenverkoper'. Als echte culturele ondernemer bouwde ze met crowdfunding een netwerk op van enthousiaste theaterbezoekers, die haar volgende voorstelling deels voorfinancierden. Intussen voerde ik de meest boeiende gesprekken over geld, met name met mensen die ik bij Economy Transformers had ontmoet. Mijn ideeën hierover werden in alle richtingen uitgerekt. Ik kreeg behoefte om van al die ideeën een puzzel te gaan leggen zodat ik en al die anderen daarop voort konden bouwen en meer mensen over dit onderwerp zouden gaan nadenken.

Oxfam Novib was wel geïnteresseerd om mijn onderzoek te financieren binnen hun financiële sectorprogramma. Daardoor kon ik in het najaar fulltime werken aan interviews en aan het schrijven van wat later een boek werd: *Een verkenning van ons geldsysteem*. Mijn zus, net afgestudeerd als econoom, hielp mij daarbij (zie bron bij Hoofdstuk 1).

Barter, rentevrij bankieren en een plan B

Dynamische barternetwerken en rentevrij rood staan

'Barter, dat is toch ruilhandel?'

Ik heb me voorgenomen om het vandaag alleen maar over voorbeelden te hebben, en ik begin bij het voorbeeld waarmee we vorige keer zijn geëindigd. Henk vertelde dat STRO, na de ervaring met LETS, Amstelnet had opgericht. Hij noemde dat *commerciële barter*.

Henk leunt achterover. 'Barter betekent inderdaad letterlijk ruilhandel, maar commerciële barter is een effectief betaalsysteem waarin je juist *niet* één op één hoeft te ruilen. Het organiserende barterbedrijf runt een krediet- en betaalnetwerk, waarvoor het bedrijven zoekt die precies dat kunnen leveren waaraan behoefte is. Het geeft veel meer mogelijkheden dan pure ruilhandel, omdat een bepaalde ruil hierbij geen één-op-één-deal hoeft te zijn. Je hebt namelijk een schuld aan het netwerk, niet aan het bedrijf dat aan jou heeft geleverd, en je kunt die schuld dus ook vereffenen via een verkoop aan andere bedrijven. Bovendien hoeft dat niet op hetzelfde moment te gebeuren. Bedrijven kunnen een tijdje zwart of rood staan voordat ze weer richting nul gaan. Het organiserende barterbedrijf bemiddelt actief om transacties tot stand te brengen. Als dat niet binnen het netwerk kan, gaan de medewerkers op zoek naar bedrijven die nog geen lid zijn en proberen die het netwerk binnen te halen.

Heel veel bedrijven beginnen met het opnemen van een renteloze lening om iets van een ander bedrijf binnen het netwerk te kunnen kopen. En die lening betalen ze af door een dienst of product te leveren. Ideaal dus voor dat bedrijf, want wat is er mooier dan een lening af te kunnen betalen met een verkoop uit voorraad?'

'Is die barter, Amstelnet, er ook daadwerkelijk gekomen?'

Henk knikt. 'Ja, in Amsterdam. Volgens plan zijn we begonnen om Amstelnet los van Noppes op te bouwen, met het idee om ze dan later samen te laten werken. Daarbij zou dan het sociale aspect van het LETSysteem gecombineerd worden met het zakelijke aspect van het bartersysteem – maar wel met een overzichtelijke scheidslijn ertussen. Daarvoor hadden we een model ontwikkeld dat in principe zou kunnen werken. Het is er echter nooit van gekomen om dat gecombineerde model echt uit te rollen. Maar even terug naar het begin.

Voordat we met Amstelnet begonnen, hadden we ons in bestaande barterbedrijven verdiept. In Zwitserland was een – toen al – heel succesvol voorbeeld: de WIR (www.wir.ch). WIR staat voor *Wirtschaftsring*. En in het Duits betekent WIR ook *wij*. Daarmee wordt de samenwerking binnen het netwerk benadrukt. De WIR heeft een omzet van een paar miljard euro en er doen al jaren meer dan 60.000 bedrijven aan mee. Dat was ver buiten ons bereik, maar de WIR was wel een inspirerend voorbeeld. Uit onderzoek blijkt dat het daadwerkelijk economische impact heeft, met name in tijden van crisis. Als de economie soepel draait, ligt de activiteit in de WIR lager.'

'Doen bedrijven daarom aan een commerciële barter mee? Vanwege een gebrek aan klandizie in tijden van crisis?'

'Voor bedrijven is het inderdaad een manier om klanten te vinden buiten hun normale markt om, wanneer ze met overtollige voorraden zitten omdat de markt is ingezakt. Het begrip voorraden moet je ruim nemen. Het zijn zowel onverkochte producten als overblijvende diensten. Die klanten zijn ook lid van de barter en zouden normaal het geld niet hebben om iets aan te kopen, maar als ze daarvoor kunnen betalen door binnen het netwerk eigen voorraden te verkopen, dan doen ze dat natuurlijk graag. Het mooie van zo'n barter is dat er niet in geld wordt afgerekend, al wordt het wel in geld uitgedrukt. Daarom zijn er dus ook geen rentekosten over de periode dat men zelf nog niets heeft kunnen verkopen. Voor die overbrugging verstrekt het barterbedrijf een renteloos krediet. Daarmee heeft een deelnemer dus tijd om een aankoop binnen het netwerk te compenseren met een verkoop. Hoe groter het netwerk, hoe makkelijker dat is. In de grotere barters als WIR in Zwitserland, Turk-Barter in Turkije en tientallen andere, zitten leveranciers en klanten voor de meest uiteenlopende producten en diensten. En kleinere barters werken vaak onderling samen om voldoende bestedingsmogelijkheden aan klanten te kunnen bieden. Vaak is barterkrediet dat je in het ene systeem hebt verdiend daardoor ook geldig binnen een andere barter.

Bedrijven gebruiken zo'n bartersysteem nogal eens om iets extra's te kunnen verdienen met voorraden die zij buiten het netwerk waarschijnlijk niet verkocht zouden krijgen – zoals een bijzonder bedrijfsuitje of iets leuks voor in het kerstpakket. Voor een bedrijf is het fantastisch om dat te kunnen betalen met voorraden die toch in de weg staan. Zo'n overcapaciteit en onverkochte voorraad kan uit producten bestaan, maar voor een bioscoop zijn dat bijvoorbeeld de lege stoelen op uren dat er heel weinig bezoekers zijn.'

'Kan iedereen zomaar meedoen? Hoe word je lid van een barter?'

'De toelating van nieuwe leden is de verantwoordelijkheid van het coördinerende barterbedrijf. Dat zal streven naar een zo groot en divers mogelijk aanbod. Zo nodig benadert het ook actief nieuwe bedrijven die producten of diensten aanbieden waar binnen het netwerk vraag naar is. Er zijn ook andere manieren waarop een bedrijf toegang tot zo'n netwerk krijgt, zoals wanneer het zichzelf actief als lid aanbiedt om zijn voorraden binnen het netwerk te kunnen verhandelen. Dan gaat het om overcapaciteit, zoals van een ZZP-er die nog wat dagen in te vullen heeft, of een hotel dat in een bepaalde periode van het jaar half leeg is.

'En werkte het, jullie Amstelnet barternetwerk?'

Henk maakt een weifelende hoofdbeweging. 'Ja en nee. Een aantal dingen ging goed. We kregen een snel groeiend aantal ondernemers uit de regio Amsterdam in het netwerk. We gingen actief bemiddelen en ook dat lukte goed. Alleen ons kostenpatroon ontwikkelde zich anders dan we hadden ingeschat. We hadden verwacht dat ons werk relatief goedkoper zou worden, als er eenmaal meer bedrijven zouden meedoen. Dat bleek helaas andersom te zijn. Hoe groter het netwerk werd, hoe meer tijd we nodig hadden om de bemiddelaars

van alle aanbod op de hoogte te houden. Zelfs de krant met vraag en
aanbod werd steeds dikker, en daardoor duurder. De administratie
werd steeds complexer. In die tijd hadden we niet de software die we
nu hebben. Daardoor werd het te duur en moesten we er mee stoppen. Jammer genoeg was dat nog vóórdat we konden uitzoeken wat
de mogelijkheden waren om barter en LETS te combineren. Daarop
trokken we de conclusie dat we eerst degelijke administratiesoftware
nodig hadden en dat internet eerst gemeengoed zou moeten worden,
vóórdat we weer een poging zouden wagen. We hebben Amstelnet
toen in 1998 afgebouwd. Iedereen met een positief saldo ontving datzelfde bedrag in guldens en wij kochten zelf zoveel mogelijk op bij de
bedrijven die nog in het rood stonden.'

Terwijl ik naar Henk zit te luisteren, besef ik hoeveel er sindsdien is
veranderd. 'Nu is alles anders. Informatiekosten zijn gigantisch ge-
daald en internet is vrijwel overal beschikbaar. De administratie- en
bemiddelingskosten zouden nu veel lager zijn, denk ik. Gaan jullie
dit opnieuw proberen?'

Henk kijkt me aan met een vanzelfsprekende blik. 'Dat doen we
al, maar dan in een veel geavanceerdere vorm. Daarbij passen we alles toe wat we sindsdien geleerd hebben. Op dit moment zijn we in
El Salvador en op Sardinië betrokken bij netwerken die een nieuwe
variant op barter gebruiken, en in Catalonië bereiden we een variant
voor die nog dynamischer is, waarbij de grens met gewoon geld praktisch verdwijnt. We mikken op een aanpak met heel lage kosten en
minder bemiddeling, waarbij de besteedbaarheid vrijwel gelijk is
aan die van gewoon geld. Wel blijven het geldloze en dus renteloze
handelsnetwerken die zijn gebaseerd op onderling krediet, maar een
ultieme dekking in geld kennen. Maar op de details komen we terug
als we het in het 'Met uw hulp nu de doorbraak'-deel in dit boek over
de actualiteit gaan hebben.'

'Gaat de bestaande barter-aanpak een groter aandeel in de economie krijgen, denk je? '

'In de VS heeft het commerciële barteren al een aanzienlijk aandeel.
De eerlijkheid gebiedt me te zeggen dat dat ook komt doordat daar
over bartertransacties geen BTW betaald hoeft te worden. Ik betwijfel

of elders dit barteren heel veel groter zal worden, behalve in tijden van crisis. Barter concentreert zich namelijk op het verkopen van onverkochte producten en overblijvende diensten aan nieuwe klanten, op basis van onderling krediet. En het functioneert dus per definitie bij de gratie van het stagneren van het bestaande systeem. Barter wint aan kracht tijdens een crisis omdat er dan veel onverkochte voorraden zijn en omdat geld dan schaars is, zodat er te weinig klanten in de markt zijn. Maar als de economie weer op volle capaciteit draait, krimpt de barter, want waarom zou je daarbinnen verkopen als de klanten met geld daarbuiten in de rij staan?'

Henk is even stil en praat dan door. 'Er is wel iets aan het veranderen. Zo kunnen barterbedrijven steeds complexere uitwisselingen organiseren. En de bemiddeling kost nog maar weinig, omdat geavanceerde software de bedrijven aan elkaar verbindt en de verrekening vaak verzorgt zonder hulp van een tussenpersoon. Daardoor wordt het systeem goedkoper en dus voor deelnemende bedrijven steeds interessanter. In de nieuwste aanpak hebben we kans gezien het verschil in gebruiksgemak tussen regulier geld en een bartertegoed heel veel kleiner te maken, zodat het zich echt tot een interessant alternatief ontwikkelt. Ook al omdat binnen een barter rentevrij krediet mogelijk is.'

Ik reageer. 'Als ik het goed begrijp, kun je dus zaken doen zonder een lening van een bank of andere geldschieter.'

'Precies! Binnen een barter zijn bedrijven die rood staan gewoon de spiegelzijde van de bedrijven die zwart staan. Het is een onderling kredietsysteem, waarbinnen de schulden en de vorderingen per saldo altijd nul zijn. Mensen en bedrijven staan bij elkaar in het krijt, en deze posities worden door regels en bemiddeling steeds weer teruggebracht richting het nulpunt, zodat er geen extreme schuldenaars of schuldeisers ontstaan.'

Ik kom weer uit op een terugkerende vraag. 'Waarom is dit nou echt anders dan het gewone geldsysteem, behalve dan dat het op kleinere schaal verloopt en dat het rentevrij is? In de gewone economie bestaan toch ook bemiddelingsbedrijven en verkooporganisaties?'

Henk schudt zijn hoofd. 'Het verschil is dat hier geen rente-eisend nieuw geld aan te pas komt. Dat maakt het wezenlijk anders. Bij het reguliere geld moet eerst een rente-eisende lening worden aangegaan vóórdat er ook maar één transactie kan plaatsvinden. De schuldverhouding gaat vooraf aan de handel en wie te arm is om nog verder in de schulden te steken doet niet meer mee. Bovendien is vanaf het eerste moment een groeidwang ingebakken om de rente op te brengen. In een barter ontstaat het ruilmiddel in de transactie zelf, en het verdwijnt ook weer na een compenserende transactie. Je kan dus ook nog eens rentevrij rood staan.'

Ik typ zo snel mogelijk mee. Als ik klaar ben, zeg ik: 'Dat is dus het fundamentele verschil: de manier waarop geld ontstaat en verdwijnt, de schulden die ontstaan en de rente daarover. Toch vraag ik me af of dit een innovatie is die zich op grote schaal laat inzetten en die de concurrentie met het reguliere geld aankan. Binnen een barter hebben transacties immers begeleiding nodig en dat is kostbaar.'

'Daar heb je gelijk in. Daarom hebben we een aanpak ontwikkeld waarbij er nauwelijks nog begeleiding nodig is,' antwoordt Henk. 'Als er restcapaciteit bestaat en dus de economische potentie onbenut blijft, kan de energie die daarin verborgen zit de handel mogelijk maken. In onze zoektocht naar sociaal en duurzaam geld is de ontwikkeling van innovaties die de effectiviteit van barter op eenzelfde niveau brengen als het bestaande geldsysteem dan ook een belangrijk speerpunt. Onze Research & Development heeft zich trouwens altijd op meerdere innovaties gericht, zodat er kruisbestuiving kan ontstaan. Zo waren we in diezelfde tijd ook bezig om samen met een bank een rentevrij spaar- en leensysteem in Nederland te introduceren.'

Rentevrij bankieren in Nederland: het JAK-model

Henks opmerking verrast me. 'Waarom gingen jullie samenwerken met een bank? Stapten jullie af van de bottom-up aanpak?'

Henk: 'Nou kijk, een bank is geen overheid. We gingen ervan uit dat de ASN Bank op het rentevrije spaar- en leenmodel een eerlijk inkomen kon verdienen zonder de ellende die rente-eisende geldschepping met zich meebrengt. We waren met de ASN Bank aan de slag in dezelfde periode dat we bij Noppes en Amstelnet alternatieven opzetten. Binnen een gevestigde bank – die duurzaamheid hoog in het vaandel heeft staan – een rentevrije afdeling starten. Dat was weer eens wat anders.

Het initiatief tot een rentevrije spaarmogelijkheid bij een bank kwam niet zomaar uit de lucht vallen. Bij ons onderzoek naar bestaande alternatieven waren we namelijk in Denemarken en Zweden rentevrije banken tegengekomen. Die opereerden onder de naam JAK. JAK staat voor de productiefactoren *Jord, Arbete* en *Kapital*: land, arbeid en kapitaal. Vooral in Zweden werd er met succes rentevrij JAK-krediet gerealiseerd.

We haalden de ASN Bank over met ons zo'n rentevrij spaar- en leenproduct voor de Nederlandse markt te ontwikkelen. Daarbij waren zij er vooral in geïnteresseerd om zo islamitische klanten te krijgen. ASN was toen overigens nog een zelfstandige bank.'

'En hoe werkt zo'n JAK-bank?'

'Het concept van het JAK-bankieren ontstond in de vorige grote economische crisis, in de jaren dertig van de vorige eeuw. Terwijl in Nederland en Duitsland de Raiffeisenbanken opkwamen, waaruit de Rabobank is voortgekomen, organiseerde men het lokale bankieren in Denemarken volgens een andere opzet; daar ontstonden de JAK-banken. De JAK-aanpak biedt mensen een soort rentevrij levensloopproduct aan.'

Ik kijk Henk vragend aan. 'Hoe bedoel je dat?'

Henk schuift zijn stoel iets aan. 'Het concept is gebaseerd op de aanname dat de meeste mensen in hun jonge jaren kunnen sparen voor een huis, en vervolgens geld willen lenen als er kinderen komen en ze daadwerkelijk een huis willen kopen. Als de kinderen eenmaal de deur uit zijn kunnen ze weer gaan sparen. De JAK-bank vraagt mensen om in al die leeftijdsfases evenveel te sparen als ze lenen. Als de bank dan klanten in alle levensstadia heeft, spaart de één voor de lening van de ander en in een volgende fase zijn die rollen dan weer omgedraaid. Dat werkt zolang iedereen in zijn leven maar net zoveel spaargeld bijdraagt als men aan leningen verbruikt. Die ver-

houding wordt bijgehouden met spaar/leenpunten. Wie spaart, krijgt
geen rente, maar 'leenrechten'. En wie leent, verbruikt die leenrechten
weer. En wie meer leenpunten gebruikt dan men heeft, krijgt een
plicht tot *na*sparen.'

Ik snap het nog niet helemaal. 'Maar je hebt toch juist een lening
nodig vóórdat je spaargeld hebt? Een lening om van te studeren of
een huis van te kopen. Want als je eenmaal genoeg spaargeld hebt,
hoef je niet meer te lenen.'

'Daar is over nagedacht. Je moet eerst laten zien dat je kúnt sparen,
en niet alles opmaakt. Maar wat je spaart in je jonge jaren is nooit
genoeg om de leenbehoefte in de tweede periode te dekken. Daarom
mag je negatief staan met leenpunten, maar ben je verplicht om die
te compenseren door daarna weer te gaan sparen. Je kunt dus zowel
*voor*sparen als *na*sparen en als je geld leent teken je daarvoor. Omdat
het systeem rentevrij is, is de timing geen probleem. Er kan wel een
inflatiecorrectie worden toegepast. Ik geef je een voorbeeld.

Stel, je spaart de eerste tien jaar van je werkzame leven elk jaar
€5.000. Dat wordt bij JAK *voor*sparen genoemd. Dan heb je na tien jaar
€50.000 spaargeld en een aantal spaarpunten. Ruwweg kun je zeggen: de €5.000 die je aan het eind van jaar 1 hebt gespaard, staan dan 9
jaar op de bank en leveren 45000 spaarpunten op (namelijk 5000 voor
elk jaar). De €5.000 spaargeld van jaar 2 staan 8 jaar op de bank en
genereren 40000 punten, de volgende 35000 enzovoort. Na tien jaar
heb je dan die €50.000 spaargeld en ook nog 225000 spaarpunten.
Wil je een huis kopen van bijvoorbeeld €150.000, dan betaal je zelf
de €50.000 euro die je gespaard hebt en moet je de overige €100.000
euro lenen. Je hebt dan dus een schuld van €100.000. Voor het ge-
mak gaan we er even vanuit dat je nog steeds €5.000 per jaar spaart.
Dus na een jaar heb je €5.000 afbetaald en rest er dus een schuld
van €95.000. Dat kost je 95000 spaarpunten. Na twee jaar heb je nog
een schuld van €90.000, wat je nog eens 90000 spaarpunten kost.
Enzovoort. Na twintig jaar heb je je schuld in euro's afbetaald. Maar
je hebt dan inmiddels wel een schuld in spaarpunten opgebouwd.
Dat betekent dat je nog een aantal jaren bij de JAK-bank moet sparen,
voordat je helemaal quitte staat. Dat heet *na*sparen. Uiteindelijk heb

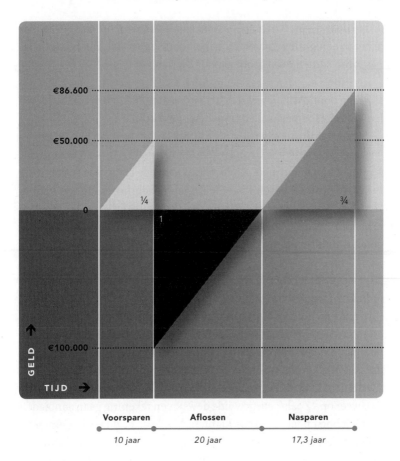

JAK-SPAREN

Een lid van de JAK-bank zet in dit voorbeeld een leven lang 5.000 euro per jaar op de bank. In zijn jonge jaren spaart hij voor een huis. Hij krijgt over dit spaargeld geen rente.

Na tien jaar heeft hij 50.000 euro gespaard. Die neemt hij op en hij leent er 100.000 bij, zodat hij met 150.000 euro een huis kan kopen. Met 5.000 euro per jaar kost de aflossing daarvan twintig jaar.

Om het JAK-bankprincipe mogelijk te maken en tot een eerlijke verdeling van lasten met de andere leden te komen, moet dit lid, nadat de schuld is afbetaald, nog 17,3 jaar blijven nasparen. Uiteraard kan hij daarna dan wel beschikken over de 86.600 euro eigen geld, die hij zo bij elkaar heeft gespaard.

je dan door de jaren heen net zoveel spaargeld als schulden gehad. Als je het in een grafiek uitzet, moet het totale oppervlak van het voor- en nasparen samen even groot zijn als die van het lenen.'

Ik vraag door. 'Wat gebeurt er als er teveel mensen tegelijkertijd willen lenen? Hoe bepaal je dan wie het geld krijgt?'
'Als de bank groot genoeg is en al wat langer bestaat, heb je genoeg volume en diversiteit in spaar- en leenbehoeftes om de vraag naar leningen aan te kunnen. Zo niet, dan is het de vraag wie er voorrang krijgt. Je kunt de beschikbare leningen bijvoorbeeld via een veiling verdelen, waarbij sommigen voorrang krijgen door extra leenpunten te betalen. Daarbij hoeven mensen die langer moeten wachten uiteindelijk minder na te sparen.'

'Het ziet er prachtig uit, maar je moet toch ook weten of iemand zijn of haar lening kan terugbetalen?'
'Ja natuurlijk, het blijft een taak van de bank om dat in te schatten, en zich tegen het risico op wanbetaling te verzekeren. Dat is niet anders dan bij een gewone bank. Dat kost eenmalig een bedrag, maar dat is niet zo groot, want het huis is onderpand van de lening.'
Henk pakt de draad van het verhaal over de samenwerking met de ASN weer op. 'Zoals gezegd wilde de ASN een rekening gaan aanbieden met het oog op islamitische klanten. Men was er dus echt geïnteresseerd in rentevrij bankieren. Maar we merkten dat het lastig was de logica van JAK over te brengen. Die paste gewoon niet in het bancaire denken. Gelukkig was de toenmalige directeur, Michel Negeman, een intelligente man die voor van alles openstond, en per se wilde weten hoe het zat. Hij wist uiteraard van het bestaan van het JAK-bankieren in Denemarken en Zweden, maar binnen de bank was er het nodige verzet.

Toen Michel en de controller van de bank eenmaal het model begrepen, moesten zij de bezwaren daartegen zien te ontzenuwen. Vervolgens stond hen heel veel voorbereidingswerk te wachten, waaronder het schrijven van de brochure voor De Nederlandse Bank, die toezicht houdt op de Nederlandse banken. Grappig genoeg concludeerde DNB dat er voor het JAK-bankieren helemaal geen bankvergunning nodig was. Met het nemen van die hobbel konden we beginnen aan de onderhandeling met het ministerie van Financiën, om te kijken of rentevrije spaarders dezelfde fiscale voordelen konden krijgen als mensen met een hypotheekrenteaftrek voor rentebetalingen.

Terwijl we ons hierop voorbereidden werd het project tegelijkertijd getroffen door twee rampen. De eerste was echt dramatisch: Michel kreeg een hersenbloeding. Daarmee verdween deze briljante en aimabele man van de ene op de andere dag uit de bank. Daarnaast werd de ASN in diezelfde periode overgenomen door de SNS. Dat bleek rampzalig voor het project. De directie van SNS zette het project stop. Dat ging nogal bot, niet zoals je van de ASN zou verwachten. Wij kregen geen enkele genoegdoening of zelfs maar excuses aangeboden, terwijl wij er ook een paar jaar aan mensuren in hadden gestoken. Het was domweg einde oefening. Je begrijpt wel hoezeer wij daarvan baalden.'

Henk, die ik tot nu toe vooral als een onverschrokken optimist heb ervaren, lijkt toch wat aangedaan als hij dit vertelt. Voorzichtig vraag ik door: 'Konden jullie met jullie plan niet naar een andere bank stappen?'

Henk neemt een iets te grote slok thee. Hij verslikt zich bijna.

'Nog een keer? Nou, dat had natuurlijk wel gekund, maar dan hadden we weer moeten investeren in weer nieuwe relaties. We hadden naar iemand als Michel moeten zoeken, en dan het kennisniveau in die andere bank opvijzelen, met het risico dat men daar elk moment zou kunnen afhaken omdat men het toch eigenlijk niet begreep en te weinig ondernemer was om door te zetten. Het had ons drie jaar gekost om het hele traject met de ASN te doorlopen. En dat was te doen dankzij het feit dat we daar met prettige mensen werkten. Maar toen uiteindelijk alles zomaar werd afgeblazen, was ons team verschrikkelijk teleurgesteld.

Begrijp me goed: het enthousiasme van onze medewerkers is ons kapitaal. Naast de relatie met onze donateurs en onze specifieke kennis vormt dat een belangrijke reden dat we altijd verder zijn gekomen waar anderen het voor gezien hielden. Ik wilde en kon niet riskeren om nog een keer vast te lopen.

Bovendien realiseerde ik me maar al te goed dat het bijna-succes bij de ASN alles te maken had met de persoon van Michel Negeman.

Ik geloof dat hij vanuit de FNV bij de ASN terecht was gekomen. Dat soort mensen komt in commerciële banken niet vaak bovendrijven, en mocht dat zo wel zijn: vind ze dan maar eens. Ook zijn andere banken zoveel groter dat de visie van één persoon niet zo meetelt.

En wat voor ons de doorslag gaf: voor mensen die eraan meedoen vormt JAK-bankieren een alternatief, maar een echt grote impact zal het nooit hebben. Daarbij hadden we in die tijd alweer effectievere modellen ontwikkeld waarvan we verwachtten dat de ontwikkeling van de ICT ze met een paar jaar mogelijk zou maken. Zodoende kozen we er voor om onze eigen software te gaan ontwikkelen en ons te richten op gebieden waar de economische noodzaak van een ander soort geld sterker werd ervaren dan in Nederland. Daarmee verplaatste een belangrijk deel van ons werk zich richting Latijns-Amerika.'

Dit gaat wel erg snel. 'Hoe kwamen jullie nou toch in Latijns-Amerika terecht?'

Complementair geld en de crisis in Argentinië

'Dat is nogal een verhaal. Het begon in 1997 met een bezoek van drie Argentijnen aan ons kantoor in Utrecht. Ze hadden gehoord dat wij in verschillende Europese landen LETS op de kaart hadden gezet, een barterbedrijf runden en actief waren met rentevrij geld. Zelf waren ze sinds twee jaar bezig om in Argentinië een LETS-achtige beweging op te zetten. Hun *Clubes de Trueque* (netwerken voor ruilhandel) hadden maar liefst een paar honderdduizend deelnemers en daarmee vormden ze verreweg het grootste alternatieve systeem dat we kenden. En zij wilden met óns kennis uitwisselen!

Na hun terugkeer in Argentinië hielden we contact en gaandeweg werd het contact steeds intensiever. Zo werden we uitgenodigd om te spreken op een conferentie waar mensen uit heel Zuid-Amerika op afkwamen, die geïnteresseerd waren in geldalternatieven. Het werd allemaal nog veel spannender toen Argentinië in 1999 verstrikt raakte in de *pesocrisis*. Toen hebben we duidelijk ervaren hoe een complementaire munt ineens echt belangrijk kan worden vanwege economische omstandigheden, met alle voor- en nadelen van dien.'

'Wat gebeurde er dan precies?'

'Vlak vóór die pesocrisis deden er in Argentinië ongeveer tweehonderdduizend mensen mee met de ruilclubs. Deze *Clubes de Trueque* verenigden zich later tot *Red Global de Trueque* – het algemene Trueque-netwerk. Dat leek een beetje op onze LETS, maar werkte in sommige opzichten anders. Men had bijvoorbeeld een uitgebreid systeem om nieuwe leden in te werken. Potentiële leden volgden een cursus waarin ze uitgelegd kregen hoe een sociaal ruilsysteem werkt. Daarna werden ze uitgenodigd op een buurtbijeenkomst waar alle deelnemers hun verwachtingen op tafel legden. Ze werden geholpen om te ontdekken wat zij zelf de buurt te bieden hadden. Uiteindelijk werd hen gevraagd om een tijdje op proef mee te doen en daarbij honderd dollar aan Trueque-ruileenheden te verdienen. Daarmee bewezen ze dat zij inderdaad iets voor de buurt konden betekenen. Daarna konden ze met de verdiende eenheden gaan ontdekken hoe ze die in het netwerk konden besteden. Als dat allemaal goed ging mochten ze echt lid worden, wat betekende dat ze op de Trueque-markt mochten gaan verkopen. Ook kregen ze 'startkapitaal' voor een waarde van vijftig dollar aan lokaal geld. Anders dan LETS was Treuque helemaal gebaseerd op papiergeld. Zo kon er dus niemand rood komen te staan. Om dan toch 'geld' in omloop te krijgen, kreeg elk lid na toelating de beschikking over deze tegenwaarde van 50 dollar.

Met de initiatiefnemers van het Argentijnse systeem bespraken we de opzet ervan, en uitten daarbij onze twijfels over de manier waarop het Trueque-geld in omloop kwam. Vooral het feit dat het niet mogelijk was om het geld uit circulatie te halen, leek ons een tijdbom onder het systeem. Zolang de deelnemers actief waren en hun aantal groeide, zou het prima functioneren. 'Maar,' zo vroegen we onze Argentijnse vrienden, 'wat doe je als vijf procent van de mensen besluit om te stoppen en nog even al hun Trueques – ieder voor gemiddeld vijftig Trueque-dollar – uit te gaan geven?' Dan is er meer *aanbod* van lokaal geld dan dat er *vraag naar is,* en verliest het aan waarde. Wij zagen daarin een levensgroot risico dat dan de hele boel zou imploderen. Op dat moment leek onze angst ongegrond. De leden waren zeer gemotiveerd en vormden een sterk sociaal netwerk. Niemand wilde daar buiten vallen. Maar dat was in 1998. En even later kwam de Argentijnse munt, de peso, in een crisis terecht.

Argentinië hanteerde een vaste wisselkoers tussen de peso en de Amerikaanse dollar. Toen rijke Argentijnen hun pesos in dollars om gingen zetten, moest de centrale bank heel veel Argentijns geld op- hoesten om die dollars op de markt aan te kopen. Omdat iedereen zag aankomen dat de bank dat nooit kon volhouden, ontstond er een enor- me speculatiegolf, die almaar aangroeide. Op een gegeven moment vlogen er letterlijk vrachtvliegtuigen vol dollars van privé-eigenaren het land uit.

Zo was er steeds minder geld in roulatie, waardoor de economie op slot ging. Om te voorkomen dat mensen in paniek al hun geld in dollars zouden opnemen, besloot de overheid de pinautomaten te slui- ten. Dat vergrootte het tekort aan geld nog verder. Ook al had je geld op de bank, je kon er niet aankomen. Je moest dus maar zien hoe je je eten betaalde.

Deze penibele situatie zorgde voor een enorme toeloop van True- que-deelnemers. De eerdere tweehonderdduizend leden bestonden uit twee groepen: alternatieve middenklassers en mensen in slop- penwijken waarin de bevolking elkaar kende en vertrouwde. Door de pesocrisis kwamen daar ineens stromen uit totaal nieuwe bevolkings- groepen bij. Uiteindelijk groeide het netwerk sneller dan het op een stabiele manier kon verwerken. Mensen werden regelrecht als lid toe- gelaten, zonder de cursus te volgen en zonder te hoeven bewijzen dat ze begrepen hoe ze in het netwerk konden functioneren. Ondertussen kreeg elk nieuw lid wel steeds vijftig Trueque-dollar aan startkapitaal.

Het werd een volstrekte chaos en de zorgvuldigheid waarmee het netwerk in de beginjaren was uitgebouwd, was ver te zoeken. Het be- langrijkste doel voor heel veel nieuwe leden was om de crisisperiode zonder regulier geld te overleven; voor hen bood het Trueque-netwerk de beste kansen. Al gauw deden er meer dan drie miljoen mensen aan mee. Volgens de BBC waren het zelfs zes miljoen gezinnen. Voor veel van deze mensen betekende dit ruilsysteem nog de enige manier om aan voedsel te komen.

Trueque was in die situatie een groot succes en heeft zijn waarde toen daadwerkelijk bewezen. Maar op dat moment wisten we al dat deze snelle groei het netwerk uiteindelijk fataal zou worden, omdat er geen manier was om het alternatieve geld uit de roulatie te halen als het aanbod daarvan te groot zou worden. Zodra de mensen weer geld zouden kunnen opnemen, zou er een grote groep Trueque-deelnemers uit het netwerk stappen. Als een deel daarvan nog snel zijn Trueque-biljetten zou gaan uitgeven, zou het aanbod daarvan zo hard stijgen ten opzichte van de vraag, dat het vertrouwen in rook zou opgaan. Daar konden we gewoon op wachten.

Hoewel het Trueque-systeem in crisistijd dus een cruciale functie wist te vervullen, kregen we jammer genoeg gelijk. En eigenlijk werd het eerdere succes ook het netwerk van de oorspronkelijke deelnemers fataal. Alles bij elkaar was het een gemiste kans om écht een ander soort geld te introduceren.'

Ik kijk Henk aan. 'Wat hadden ze anders kunnen doen?'

'Het meest heikele punt was dat iedereen die lid werd bij Trueque direct een positief saldo kreeg. Natuurlijk had dat ook wel voordelen: zo was er altijd genoeg koopkracht en kwam het geld rentevrij in omloop. Maar men had nieuwe leden die vijftig dollars aan vouchers niet gratis hoeven geven. Als dit startkapitaal bijvoorbeeld rentevrij was uitgeleend in plaats van geschonken, was er een grotere kans geweest om de situatie op te vangen waarin mensen er niet langer gebruik van maakten. Dan had je mensen die niet langer iets aanboden kunnen vragen om hun Trueque-geld terug te betalen, of hun schuld in pesos af te lossen. Als leerschool lag deze ervaring deels ten grondslag aan het succes van Banco Palmas een paar jaar later, want daar introduceerden we een mechanisme waarmee de palmas uit roulatie konden worden genomen, zodat de vraag altijd op peil zou blijven.'

Ineens grijnst Henk. 'Dat was wel een erg lang antwoord op je vraag, of niet?'

Ik weet even niet waar hij het over heeft. 'Over welke vraag heb je het?'

'Je vroeg hoe we in Latijns-Amerika terecht waren gekomen.'

'Ah, natuurlijk. Via de Trueque-beweging dus.'

'Dat klopt. Eigenlijk werden we via één van onze contacten vanuit de Trueque-conferentie in Argentinië uitgenodigd voor een conferentie in Chili, waar we de mensen van Banco Palmas ontmoetten, waar ik je al over heb verteld (zie p. 154). Het lijkt een aaneenschakeling van toevalligheden, maar die mogelijkheid hebben we met beide handen aangegrepen. Latijns-Amerika was een vruchtbare plek om bezig te zijn met geldvernieuwing, om drie verschillende redenen.

Ten eerste is het een continent waar armoede duidelijk aanwezig is: mens en kapitaal worden als hulpbronnen niet ten volle benut.

Ten tweede twijfelde daar, door de enorme internationale schuldenlast van veel Latijns-Amerikaanse landen, niemand aan de negatieve effecten van rente-eisend geld. Men ervoer de gevolgen van torenhoge rentes echt aan den lijve. Dat leidde tot 'het verloren decennium', zoals men het daar noemt: tien jaren waarin de economie alleen maar achteruit bleef gaan. Daarom stond men daar wel open voor onze ideeën. Wanneer ik in Nederland aan economen uitlegde wat de gevolgen zijn van geldschepping tegen rente, werd ik vierkant uitgelachen. In Latijns-Amerika lag dat heel anders. Ik herinner me bijvoorbeeld de cursus die we aan docenten gaven van de Universiteit van Florianopolis in Brazilië. Economen die met ons mee konden denken – dat was nog eens een verademing!

Het feit dat er dankzij de internationale dollarschulden en doorlopende rentebetalingen in Latijns-Amerika zoveel armoede heerste, betekende dat de methodes die we aan het ontwikkelen waren veel impact konden hebben.

Er was nog een derde reden waarom Latijns-Amerika een geschikte plek was om alternatieven te testen en verder uit te bouwen: er bestond een ICT-infrastructuur. Die zouden we hard nodig hebben, en het vormde een goede omgeving voor het ontwikkelen van onze eigen *Cyclos software*.'

Ik knik. 'Daar heb ik van gehoord. Dat wordt toch wereldwijd gebruikt door banken en geld-alternatieven?'

'Inderdaad gebruikt ook een aantal kleine banken onze software. Maar Cyclos is ook heel bruikbaar voor alternatieven zoals barterbedrijven. En sociale ruilsystemen zoals tijdbanken en LETSystemen gebruiken het volop. Bijna ieder denkbaar alternatief geldsysteem gebruikt onze software.

Die software is inmiddels de sleutel tot onze innovaties. En dankzij ons werk in Latijns-Amerika hebben we die in de praktijk kunnen ontwikkelen. Het heeft ons ook geweldig geholpen dat de ontwikke-lingspoot van het ministerie van Buitenlandse Zaken, DGIS, het heeft aangedurfd om ons te laten experimenteren met nieuwe benaderin-gen van armoedebestrijding, en met de ontwikkeling van de daarvoor noodzakelijke software. Ook Stichting Doen helpt ons fantastisch. Mede dankzij die bijdragen kunnen we, nu het hier slecht gaat, ook in Europa goede alternatieven bieden.'

Ik knik tevreden: dat is goed nieuws. Henk gaat verder.

'De projecten in Latijns-Amerika raken aan de kern van ons werk: hoe maak je dat lokale economieën goed kunnen draaien, met hoog-waardige lokale productie én koopkracht? En dat zonder verslaafd te raken aan groei, gif en fossiele brandstoffen? In arme gebieden is de kwestie van voldoende koopkracht altijd al cruciaal. Sinds de crisis in Europa is uitgebroken merken we dat dat hier niet anders is. Als er te weinig geld is om de lokale economie draaiende te houden, heeft iedereen in de gemeenschap daar last van. Ook gaan dan milieu en grondstoffen voor een appel en een ei in de uitverkoop. Daarom moet het besef groeien dat mensen hun koopkracht zo kunnen besteden dat de hele lokale gemeenschap ervan profiteert. En dat ze zelf in een volgende ronde dat geld weer als inkomen kunnen verdienen.'

Ik vat het in mijn eigen woorden samen. 'Je wilt mensen bewust ma-ken van het belang van de *beweging* van geld, de manier waarop het stroomt, en waarheen. Dat het in hun eigen voordeel is als geld lang genoeg in de regio circuleert voordat het wegvloeit naar buiten. En jullie zoeken manieren om ervoor te zorgen dat consumenten met hun aankopen de lokale economie steunen omdat dat ook financieel nu eenmaal de beste keuze is. *Social Trade* dus.'

Terwijl ik dit zeg, komt er direct een vraag bij me op. 'Maar hoe maak je mensen hier bewust van?'

Henk lacht geheimzinnig. 'Allereerst hebben we daar een trai-ningsprogramma voor ontwikkeld, op basis van materiaal van het Engelse NEF, de New Economics Foundation. We noemen dit APLN: *Apreciando lo Nuestro*, wat Spaans is voor '*waardeer wat van ons is*'. En dat blijkt te werken: onderzoek bij Gota Verde en Banco Palmas laat zien dat mensen zich bewuster zijn geworden van het belang van de consumptie van lokale producten. Maar naast bewustzijn is het even belangrijk dat het kopen van lokale producten *voordeliger* wordt. In Honduras hebben we een voorbeeld neergezet aan de hand waarvan ik dat heel eenvoudig kan uitleggen. Dat gebeurde met COMAL, een coöperatie van kleine winkeltjes met een eigen inkoop- en distributieapparaat.'

COMAL: vouchers die een rurale coöperatie hielpen groeien

'De coöperatieve winkeltjes die samen COMAL vormen, zitten vooral in dorpjes die te klein zijn voor een commerciële winkel. Naast deze winkeltjes bestaat COMAL uit een gezamenlijke inkooporganisatie, en distributiecentra met vrachtauto's om producten af te leveren. Een deel van wat er in de winkeltjes wordt verkocht, komt van lokale producenten: koffie, bakolie, suiker, dat soort producten.

COMAL is een initiatief van politiek zeer geëngageerde mensen. Zij vonden het onacceptabel dat het platteland onleefbaar werd doordat grote winkelketens als Carrefour de koopkracht naar de steden zogen, waardoor er in de dorpjes geen rendabele nering meer mogelijk is. Toen we met COMAL in gesprek kwamen, vroegen we: Beseffen jullie wel hoe die hypermarkten met geld omgaan? Hebben jullie enig idee hoeveel geld jullie gebruiken om tussen de verschillende onderdelen van de coöperatie af te rekenen? En om af te rekenen met de producenten die werken in streken waar jullie winkels hebben? Jullie geven duur geld uit, enkel om de eigen samenwerking te organiseren. Waarom brengen jullie de onderlinge activiteiten niet onder in een administratief verrekensysteem, net als de hypermarkten dat doen? Dan maak je in één klap enorm veel geld vrij dat je kunt gebruiken om in grotere hoeveelheden in te kopen en zo de kosten te drukken, of om aan leden goedkoop geld uit te lenen!'

'Ik zie waar je heen wil. Bij elkaar in het krijt staan, in plaats van bij de bank. Als je wilt samenwerken en je vertrouwt elkaar, is dat goedkoper.'

'Bijna goed. We lieten de mensen van COMAL zien dat ze cash geld zouden overhouden als ze de interne geldstromen zoveel mogelijk in zelfgedrukt geld zouden doen; dus met vouchers. Zo gezegd zo gedaan. Wij leverden COMAL vouchers van hoge kwaliteit, gedrukt door Johan Enschedé, vanouds de drukkerij van de Nederlandse bankbiljetten. COMAL bracht die vouchers in omloop door hun medewerkers en hun lokale leveranciers er voor een deel mee te betalen. Het geld dat daardoor overbleef, werd ingezet om goedkoper in te kopen. Ook konden kleine boeren die aan COMAL leverden een tijdlang vóór de oogst een rentevrije lening in deze vouchers krijgen. Daardoor hoefden ze hun volgende oogst niet langer tegen woekerrentes te verpanden.

De vouchers waren in alle COMAL-winkels te besteden. De winkels betaalden er vervolgens de vrachtwagens mee die hen bevoorraadden. Via de vrachtwagens gingen de vouchers naar één van de zes distributiecentra en uiteindelijk naar COMAL-landelijk. Al die tijd deden de vouchers het werk als administratief ruilmiddel, waarvoor anders duur geld gebruikt moest worden. Begrijp je hoe dat werkt en hoe het kostbaar geld bespaart?'

Ik knik enthousiast. 'Er was geen geld meer nodig om transacties binnen de COMAL-keten uit te voeren. En COMAL hield meer geld over, doordat ze gedeeltelijk in tegoedbonnen betaalden.'

Henk knikt tevreden. 'Inderdaad. De financiële lasten voor COMAL werden zo een stuk lager. Met het geld dat de klanten hadden ingebracht, kon COMAL grotere voorraden tegelijk en dus goedkoper inkopen. En vergeet ook niet het voordeel van de leningen voor de boeren.'

'Dus bij elkaar in het krijt staan. Ik kan me voorstellen dat het voor COMAL interessant was om de boeren te financieren, aangezien zij de producten leverden. Dan wordt het bijna een directe ruil, met wat tijdverschil. En hebben de dorpsbewoners ook nog een rol?'

'Ja, die kopen de vouchers. Je moet goed begrijpen dat de mensen die ene lokale winkel graag willen behouden. Ze bemensen de winkel ook zelf. Met name voor de arme en oudere bewoners was het geen optie om naar de stad te gaan en daar in te kopen. Dus zij besteedden hun geld sowieso in de plaatselijke winkel, en voor hen was het geen probleem om ook onderlinge zaken in COMAL-tegoedbonnen af te rekenen.'

Henk gaat verder. 'Er is trouwens nog een ander positief bijeffect. De trucks die de producten aan de winkels leverden, werden op de terugweg vaak overvallen. In lege trucks was namelijk contant geld te vinden, dat zo naar de distributiecentra werd gebracht. In één van de gewelddadigste landen van Latijns-Amerika is dat een enorm bedrijfs-risico. Toen we nog maar kort met COMAL samenwerkten, maakten we twee keer mee dat zo'n vrachtwagen werd overvallen. Een deel van het geld dat de chauffeur bij zich had, bestond uit COMAL-tegoedbonnen. De overvallers lieten die ongemoeid achter. Logisch: het zou onmoge-lijk zijn geweest om onopgemerkt ineens zoveel vouchers uit te geven, omdat deze alleen lokaal waarde hadden voor aankopen bij de winkels van COMAL. Het COMAL-geld was daarmee veiliger en verkleinde het verlies door overvallen.'

'Dat is mooi meegenomen, al kunnen we tegenwoordig geld makke-lijker digitaal overmaken en meenemen. Trouwens: waarom was het COMAL-geld eigenlijk in de vorm van vouchers? Had het niet ook di-gitaal gekund?'

'COMAL is helemaal met zelfgedrukte vouchers uitgevoerd; inder-daad is dat intussen achterhaald. Maar het principe van het 'bevrijden' van geld dat alleen intern administratieve functies vervult, verandert niet als je een eigen mobiel betalingsnetwerk hebt dat via mobiele telefoons wordt bijgehouden.'

Henk bedenkt zich ineens nog iets. 'Nu je er toch naar vraagt – dit model is naderhand gekopieerd door een grotere, professionelere partij in Costa Rica, de coöperatie CoopeVictoria. Zij gebruiken wél de digitale vorm, en ook de software die wij intussen ontwikkeld had-den. In hun coöperatie passen ze de COMAL-aanpak toe, maar dan met mobiel geld. Voor CoopeVictoria was dat overigens een puur zakelijke beslissing – om de financiële kosten te drukken.'

'Weet je wat me opvalt?' zeg ik. 'Dat je juist wilt dat andere mensen jullie werk kopiëren. Dat druist in tegen al het copyright- en patent-denken van onze tijd.'

Maar Henk vindt dat duidelijk normaal. 'Als je gekopieerd wordt, ben je blijkbaar goed bezig. Anderen helpen je dan om de STRO-doel-stellingen dichterbij te brengen. Wij kunnen onmogelijk alles zelf doen, dus we zijn er blij mee. Als ons werk zich verspreidt omdat ande-

ren er voor zichzelf voordeel in zien, kunnen wíj veel meer bereiken.'
Eén vraag komt meteen bij me op wanneer Henk dit zegt. 'Ik begrijp dat dit nodig is als je op een schaal wilt werken waarop je echt
verschil kunt maken. Maar hoe groot kan zo'n intern verrekenings-
systeem eigenlijk worden? Je moet er tenslotte wel vertrouwen in hebben. Is een grotere schaal een voordeel of een nadeel? Of zie je juist
heel veel kleine lokale coöperaties voor je?'

Software die regels oplegt

Henk lijkt blij met mijn vraag te zijn. 'Dat was precies de vraag die wij
ook hadden. Kunnen we dit groter maken? Wat we na COMAL zeker
wisten, was dat het intern verrekenen binnen lokale gemeenschappen financiële kosten kan besparen, net als binnen multinationals
(zie p. 165). Maar we hadden ook ervaren hoeveel tijd en energie het
kost om zo'n netwerk op te zetten. Het werd eens te meer duidelijk
dat we digitale mogelijkheden nodig hadden om dit soort nieuwe
geldoplossingen op grotere schaal te verspreiden. En niet toevallig
was dat precies waar we intussen mee bezig waren.'

Henk pauzeert even en kijkt tevreden. Dit is het onderwerp waar
hij de hele tijd al heen wil; ik zie het aan hem.

'Cyclos, weet je nog? We waren bezig met het programmeren en
testen van een digitaal betalingssysteem. De kroon op ons werk.

Het bouwen van software op het niveau van een bank, inclusief de
ambities om daarmee ook nog eens de spelregels van het geld te veranderen, kost enorm veel tijd. Maar we waren ervan overtuigd dat we
geen keus hadden, omdat er uiteindelijk een digitaal netwerk nodig
zal zijn om een ander soort geld te realiseren dat niet te verbieden is
en economischer uitpakt dan gewoon geld. Een ruilmiddel dat uitsluitend digitaal bestaat, heeft een groot voordeel ten opzichte van geld dat
te allen tijde van bits naar cash om te zetten is. In een digitaal systeem
kun je heel makkelijk je eigen regels invoeren, en die ontloop je dan
niet snel door het even te cashen. Onze software maakt een zelfstandig systeem mogelijk waarbij de verhandelde waarden niets anders
zijn dan digitale informatie over onderlinge claims. In een digitaal
systeem is elke vorm van bewerking in principe mogelijk. We begon-

nen met het maken van gewone betalingssoftware in combinatie met een marktplaats voor vraag en aanbod. Stapje voor stapje hebben we daar software-regels aan toegevoegd die het mogelijk maken om het gedrag van het circulerende 'geld' te beïnvloeden. En daarmee ook het gedrag van zijn gebruikers!

Ik kijk Henk onderzoekend aan. 'Regels aan geld toevoegen? Hoe bedoel je dat?'

Henk lacht mysterieus. 'Dat hebben we voor het eerst in 2008 gedaan, in El Salvador, waar we met onze partner FUSAI een netwerk hebben opgezet: TRANS. Het lijkt op een barter, maar er wordt ook consumentengeld in besteed. Daar hebben we ook de eerste versie van onze software getest. TRANS is om meerdere redenen een succes. De barter-industrie ging ervan uit dat je met microbedrijfjes in een arm land geen succesvolle barter op kunt zetten. Maar TRANS bewijst het tegendeel, want sinds 2013 is het project winstgevend. Maar daar vertel ik je de volgende keer wel over, want volgens mij heb je weer genoeg om te schrijven.'

Puzzelen en een slimme oom

Op weg naar huis houd ik mijn pasje tegen de OV-paal in de hal van Utrecht CS. Hij piept. Ik ben ingecheckt met een plastic pasje en een paal: dat had ik tien jaar geleden nog niet kunnen denken. Veranderingen kunnen snel gaan. Nu staan er euro's op onze chipkaart, maar over nog eens tien jaar betaal je misschien wel met uren die je aan vrijwilligerswerk hebt besteed, en die je verzilvert met een treinreis. Waarom niet?

De onderliggende vragen die we onszelf moeten stellen zijn: Waar gaat het ons om? Wat vinden we waardevol? Wat voor gedrag willen we belonen? Hoe organiseren we dat? Hoe houden we onze boekhouding bij en met wie doen we dat? Uiteindelijk vertaalt dat zich in het geld dat we gebruiken: waar we het aan besteden en waar we onze tijd aan willen besteden. Zoals Henk het vertelt geeft Cyclos de mogelijkheid verschillende organisatiemodellen op zetten, op basis van wat de deelnemers van belang vinden. Terwijl ik twee euro dertig afreken voor een koffie verkeerd omdat mijn trein is uitgevallen, realiseer ik me dat dat een heel boeiend perspectief is.

Ik neem een slok koffie. En ik bedenk me dat bij ieder puzzelstukje dat Henk mij aanreikt, het me helderder wordt hoe STRO te werk gaat. Ze zijn begonnen met het onderzoeken en vaak testen van een breed scala aan strategieën: sociaal geld, barternetwerken, een rentevrije bank, noodgeld in Argentinië en eigen geld binnen een rurale coöperatie. Wat ik echt leuk vind is dat ze het allemaal zijn gaan doen, in plaats van er alleen maar over te praten. De terughoudendheid die ik bij de analyse heb, omdat die zo enorm veelomvattend en onconventioneel is, valt weg wanneer we over de praktijkervaringen praten. STRO zet praktijkvoorbeelden op, op basis van een visie. Ik vind het verrijkend om al die verschillende organisatie-vormen te leren kennen, en te horen over het praktische onderzoek naar steeds weer andere vormen van geld die worden gebruikt.

Als ik even later richting de roltrap naar spoor 7 tegen een metershoge poster aanloop met informatie over de verbouwing van station Utrecht Centraal, bedenk ik dat STRO's aanpak van de ontwikkeling van nieuw geld eigenlijk een soort infrastructuurproject is. Over een paar jaar zijn we de verbouwing vergeten en vinden we de nieuwe stationshal 'normaal'. Geld is ook infrastructuur. Ik weet zeker dat we ook aan een ander soort geld kunnen wennen, net als aan een nieuwe stationshal, of aan nieuwe mode.

Maar er hangt nooit ergens een poster 'Wij zijn ons geld aan het verbouwen. Geplande oplevering in 2015'. Ik zie het al voor me en ik gniffel. Mensen zouden verbaasd staan te kijken. En als dat andere geld er eenmaal is,
intuïtief, digitaal en leidend tot duurzamer en socialer gedrag, dan vinden
we het allang prima. Nog een paar jaar later, aannemend dat ons leven er
collectief beter op is geworden, zijn we zo blij als een kind. Of we zijn niet
eens speciaal blij, omdat we denken dat dit in de aard der dingen zit, net
zoals we dat over het huidige geld ook denken. Dan vragen we ons eerder
af waarom we het vroeger eigenlijk anders deden en concluderen we dat
we het toen gewoon nog niet zo goed begrepen...

Afgelopen weekend raakte ik in gesprek met een slimme oom van mij. Hij
verwoordt wat ik vaker hoor als ik met anderen over een ander soort geld
praat. Het kernargument is telkens weer: je kunt het geld wel veranderen,
maar de mens verandert niet. In welk systeem dan ook: mensen zullen
altijd proberen er het beste voor zichzelf uit te halen. Eerlijk gezegd denk
ik dat hij een punt heeft. Iedereen zoekt naar veiligheid, vandaar dat we
zoveel sparen. Ook hebzucht is van alle tijden. We willen méér dan de
ander; rijkdom is relatief. Je hebt goede regels nodig om te voorkomen dat
die hebzucht rampen veroorzaakt.

Vanuit dat perspectief klopt het dat Henk steeds rekening houdt met
het eigenbelang bij STRO's zoektocht naar alternatieven... Het gaat hem
om de introductie van een andere geldlogica, met andere spelregels. Met
voorwaarden die een ander soort gedrag stimuleren.

Bijvoorbeeld doordat geld weer direct wordt gekoppeld aan de dingen
die we echt belangrijk vinden. Zoals wanneer we zouden sparen door middel van het kopen van een duurzaam huis, waarmee we kosten voor later
uitsparen omdat sparen in geld minder aantrekkelijk is. Of deelname aan
netwerken waarbinnen we ons inzetten in de mantelzorg, om later zelf ook
toegang tot zorg te krijgen.

Het gesprek met mijn oom kreeg overigens een interessante wending.
Hij zei: 'Ik heb een vermoeden dat er wél een strategie is om de economie
weer aan de praat te krijgen, maar dat niemand dat openlijk zegt. Als de
centrale bank de rente laag houdt en de inflatie zou relatief hoog zijn, dan
zal ons geld langzaam minder waard gaan worden. En als de geldontwaar-

ding dan nog iets hoger wordt, heeft het geen zin meer om geld te sparen! Dan gaan mensen het toch maar uitgeven en komt de economie vanzelf weer op gang.'

Ik keek hem verbaasd aan. Nu zei hij net zoiets als Henk, maar dan in de context van een crisis. Bij een lage rente en geldontwaarding is sparen ook minder interessant dan investeren in duurzame producten die uitgaven in de toekomst beperken. Eigenlijk leidt de belasting op het ongebruikt laten van geld die Henk ooit in Polen hoopte te bereiken, tot hetzelfde effect, maar dan wat georganiseerder, en openlijker.

Een tijdje terug viel mijn oog op iets soortgelijks in de krant. Lagere overheden, die verplicht werden om hun geld tegen een lage rente bij de centrale overheid te stallen, besloten om het dan maar liever uit te geven aan de verduurzaming van infrastructuur. Het was niet interessant meer om het tegen een lage rente vast te houden. Dat is nu precies waar Henk op doelt. Alleen zien bestuurders het vooral als een redmiddel, dat weer verdwijnt zodra de economie, en ook de rente weer aantrekt.

'Waar de milieubeweging individueel gedrag wil verbeteren en één onderwerp tegelijk aanpakt, stoot STRO meteen door naar de kern: het geld dat de raderen dol doet draaien. Met een slimme verandering wordt ons gedrag vanzelf beter, bloeit de economie in plaats van dat hij uit zijn voegen groeit, en dient hij de mens weer in plaats van de omgekeerde situatie van vandaag. Echt iets voor Transition Towns.'

Paul Hendriksen, *Transition Towns Nederland*

'Weet u wat graangeld is? Of goudgeld, Freigeld, en het wondereiland Barataria. Het komt allemaal voorbij in 'Een @nder soort geld', samen met het wonder van Wörgl, LETS, barternetwerken en regiogeld. En dan moet STRO's eigen oplossing nog komen.
Dit boek maakt heel goed duidelijk waarom rente een onvermoed, veelkoppig monster is dat duurzaamheid in de weg staat. Vervolgens draagt het een reële oplossing aan in de vorm van een @nder soort geld.'

Maranke Spoor, *voorzitter Stichting Permacultuur Onderwijs*

'Pas toen ik me in de rol van geld verdiepte, kreeg ik antwoorden over hoe de economie werkt. In onze vereniging zijn veel leden ervan overtuigd dat met ander geld een basisinkomen mogelijk is.'

Ad Planken, *voorzitter Vereniging Basisinkomen*